D1500112

GELEOS

РИПОЛ
КЛАССИК

Москва

Bernard Werber

L'EMPIRE DES ANGES

ALBIN MICHEL
2000

Бернард Вербер

ИМПЕРИЯ АНГЕЛОВ

ГЕЛЕОС
РИПОЛ КЛАССИК
2007

УДК 821.133.1-312.9
ББК 84(4Фра)-445
   В31

Вербер, Бернард

В31   Империя ангелов: Роман / Бернард Вербер; [Пер. с
фр. А. Агафонов] — М.: ГЕЛЕОС: РИПОЛ классик,
2007. — 416 с. — Доп. тит. л. фр.

ISBN 5-8189-0389-3 (в пер.)

Мировой бестселлер!
Во всем мире имя Бернарда Вербера на обложке книги означает только одно — шедевр!
На счету писателя семь романов, ставших бестселлерами в Европе, Америке и Японии.
«Империя ангелов» — одна из самых нашумевших книг французского писателя. Суммарный мировой тираж его книг — более
10 миллионов!

УДК 821.133.1-312.9
ББК 84(4Фра)-445

ISBN 5-8189-0389-3 (в пер.)
© Bernard Werber, 2000
© Editions Albin Michel S.A., — Paris 2000
© Агафонов А., перевод на русский язык,
   2005
© ЗАО «ЛГ Информэйшн Груп», 2005
© ЗАО «Издательский дом «Гелеос», 2005

империя
ангелов

1. ЗА КУЛИСАМИ РАЯ

Тремя путями мудрости являются:
юмор,
парадокс,
изменение.

Дэн Миллман,
чемпион мира
по прыжкам с трамплина

1. Я УМИРАЮ

Все когда-нибудь умирают.

Источник:
некто во время опроса
общественного мнения на улице

И вот я умираю.

Это произошло быстро и мощно.

Вдруг. Раздался ужасный шум. Я обернулся. Я увидел носовую часть «Боинга-747» (вероятно, сбившегося с курса из-за забастовки диспетчеров), которая влетала прямо в мое окно, крушила стены, пересекала комнату, ломая мебель и разбрасывая книги, неумолимо приближалась ко мне.

Даже если ты авантюрист, исследователь, открыватель новых миров, все равно однажды ты столкнешься с проблемой, которая выше твоих сил. Во всяком случае, самолет, который рушит мою квартиру, — это выше моих сил.

Все происходит как в замедленной съемке. Вокруг меня все рушится со страшным шумом, вздымаются клубы пыли, через нее я вдруг вижу лица пилотов. Один высокий и худой, другой маленький и лысый. Они, наверное, впервые в жизни доставляют пассажиров прямо до дома. Лицо худого искажено от ужаса, а лысый просто дергается в панике. Из-за шума я их, конечно, не слышу, но тот, у кого открыт рот, должно быть, громко кричит.

Я пячусь назад, но «Боинг-747» на полном ходу так просто не останавливается. В отчаянии я закрываю лицо руками, оно искажается в жалобной гримасе, я зажмуриваюсь. В этот момент я еще надеялся, что все это просто кошмарный сон.

Я подождал. Совсем недолго. Наверное, десятую часть секунды, но она показалась мне очень длинной. Потом был удар. Меня отшвырнуло назад, затем прижало к стене и разорвало на куски. Наконец стало тихо и темно. Такие вещи всегда удивляют. Не только ошибки диспетчеров, но и собственная кончина.

Я не хочу умирать сегодня. Я еще слишком молодой.

Изображения нет, звука нет, чувств нет. Тсс... Плохие признаки. В нервной системе еще осталось немного сока. Мое тело, возможно, еще можно собрать. Если повезет, если пожарные приедут быстро, то заставят сердце биться, поправят сломанные конечности. Я буду долго лежать на больничной койке, а потом постепенно все станет, как и было раньше. Все знакомые скажут: это просто чудо, что мне удалось выкарабкаться.

Ну вот я слышу звуки сирен. Они приедут. Но что происходит? Я здесь. Наверное, сейчас везде пробки.

Я знаю, что нужно держаться. Смерть — это уж слишком. Нужно заставлять мозг работать. Нужно думать. Но о чем?

А вот, например, о песенке моего детства.

> Был маленький кораблик,
> Был маленький кораблик,
> Он никогда не плавал,
> Он никогда не плавал...

Какие там дальше слова?

Черт, память тоже объявляет забастовку. Библиотека закрывается.

Мой мозг остановился, я это чувствую, но я... я продолжаю думать. Декарт был не прав. Можно больше «не быть», но еще «мыслить». А я не просто думаю, я прекрасно осознаю все, что происходит. Абсолютно все. У меня никогда еще не было такого ясного сознания.

Я чувствую, что должно произойти что-то важное. Я жду. Вот оно. У меня такое впечатление, как будто что-то... выходит из меня! Что-то наподобие облачка пара. Пар принимает форму моего тела. Это прозрачная копия меня!

Так вот это и есть моя душа? Этот «другой полупрозрачный я» медленно выходит из моего тела через темечко. Мне страшно, и в то же время я чувствую возбуждение. Потом все опрокидывается.

«Другой я» смотрит на мое бывшее тело. Оно разлетелось на мелкие кусочки. Что ж, нужно признать, что если только не найдется хирурга — любителя складывать головоломки, то его восстановить невозможно.

Боже мой, какое удивительное ощущение! Я лечу. Я поднимаюсь все выше и выше.

Серебристая нить еще связывает меня с моими останками, как пуповина. Я продолжаю полет, и нить исчезает.

> Был маленький кораблик,
> Он никогда не плавал.

Маленький кораблик — это я. Мое тело колышется. Я лечу. Я удаляюсь от своего бывшего «я». Теперь я вижу «Боинг» получше. Самолет весь искорежен. Я вижу то, что осталось от моего бывшего дома. Это напоминает рухнувший карточный домик, этажи сложились один на другой.

Я лечу над крышами. Я парю в небе.

Но что я здесь делаю?

«Я профессор кафедры антропологии в Париже, и мне кажется, что я могу ответить на ваш вопрос. Можно сказать, что человеческая цивилизация появилась тогда, когда некоторые приматы перестали выбрасывать погибших собратьев на помойку, а стали украшать их ракушками и цветами. Первые украшенные захоронения были обнаружены вблизи Мертвого моря. Их возраст от 14 000 до 120 000 лет. Это означает, что в те далекие времена за смертью следовал некий «магический» феномен. Нужно отметить, что одновременно появилось нефигуративное искусство, пытающееся выразить эту «магию».

Позднее в первых фантастических произведениях их авторы пытались представить то, что будет после смерти. Возможно, впрочем, лишь для того, чтобы успокоить самих себя».

Источник:
некто во время опроса
общественного мнения на улице

Что-то влечет меня вверх. Яркий свет. Теперь я наконец узнаю. Что есть после жизни? Что находится над видимым миром?

Полет над городом.

Полет над планетой.

Я выхожу за пределы Земли. Серебристая ниточка еще немного вытягивается, и наконец исчезает.

Теперь обратной дороги нет. Кончилась моя жизнь в обличье Мишеля Пэнсона, очаровательного господина, который, впрочем, был не прав в том, что умер.

В тот момент, когда я покидаю «жизнь», я понимаю, что всегда считал смерть чем-то, что происходит только с другими. Легенда. Во всяком случае, испытание, от которого меня можно было бы избавить.

Все когда-нибудь умирают. Со мной это произошло сегодня.

«Я думаю, что после жизни ничего нет. Ниче-го-ничего. Я думаю, что бессмертия мы достигаем, делая детей, а они сделают других детей и так дальше... Это они передают в будущее наш маленький огонек».

Источник:
некто во время опроса
общественного мнения на улице

2. БОЛЬШОЙ ПРЫЖОК

Я знаю, что у меня больше нет выбора. Земля превратилась в маленькую пылинку где-то вдали. Фрагменты того, что было когда-то моим телом, только что нашли пожарные.

Удивительно, но мне кажется, что я слышу их голоса: «Какая катастрофа! Не каждый день самолеты врезаются в дом. Как отыскать тела погибших в этой мешанине из бетона?»

Теперь это уже не моя проблема.

Фантастический свет притягивает меня. Я направляюсь к центру нашей галактики. Наконец я его вижу. Континент мертвых — это черная дыра в центре Млечного Пути.

Она похожа на сливное отверстие в унитазе, на водоворот, вокруг которого все вращается по спирали. Я приближаюсь. Это напоминает трепещущий цветок, гигантскую орхидею из кружащейся световой пыли.

Черная дыра всасывает все: солнечные системы, звезды, планеты, метеориты. И меня она увлекает тоже.

Я вспоминаю карты континента мертвых. Семь небес. Я нахожусь на Первом небе. Это коническое

13

пространство синего цвета. Попадают туда через звездную пену.

«*Каждый год на Земле рождаются миллионы людей. Они превращают тонны мяса, фруктов и овощей в тонны экскрементов. Они движутся, размножаются, а потом умирают. В этом нет ничего необычного, но именно здесь и заключается смысл нашей жизни: Родиться. Есть. Двигаться. Размножаться. Сдохнуть.*

В промежутке создается впечатление собственной важности, потому что мы с помощью рта издаем звуки, шевелим руками и ногами. Но вот что я скажу: мы мало что значим и мы вынуждены стать гнилью, а потом пылью».

Источник:
некто во время опроса
общественного мнения на улице

На пороге континента мертвых я вижу других существ. Рядом со мной парят другие мертвые, и все, как ночные бабочки, летят на свет.

Жертвы автомобильных катастроф. Приговоренные к смертной казни. Замученные пленники. Неизлечимые больные. Неудачливый прохожий, которому на голову упал цветочный горшок. Необразованный любитель загородных прогулок, который перепутал гадюку с ужом. Доморощенный мастер на все руки, поцарапавшийся ржавым гвоздем и не сделавший прививку от столбняка.

Некоторые прямо-таки искали проблем. Пилоты-любители полетать в тумане, не пользуясь навигационными приборами. Горнолыжники, не заметившие пропасть. Парашютисты, превратившиеся в летящий факел. Недостаточно внимательные дрессировщики диких хищников. Мотоциклисты, думавшие, что успеют обогнать грузовик.

...красном мире моих фантазмов, следующим за синим миром и черным миром страха. Здесь материализуются все мои самые сумасшедшие желания.

Я нахожусь на Третьем небе. Ощущение удовольствия, огня, влажной жары. Сладострастие. Я встречаю свои самые экстравагантные сексуальные фантазмы, самые скрытые желания. Я немного задерживаюсь здесь. В сознании возникают особенно возбуждающие сцены. Самые сексуальные актрисы и фотомодели зовут меня в свои объятия.

Моя жена и бывшая любовница встречают каких-то красивых юношей.

Я хочу остаться здесь, но в конце концов следую за центральным лучом, как аквалангист, боящийся удалиться от страховочной веревки. Так я пересекаю МОК-3.

«Мы хотели бы, чтобы смерти не было. На самом деле она, к счастью, есть, если вас интересует мое мнение. Ведь самое худшее, что с нами может приключиться, это стать бессмертными. Вот скука-то, вы так не думаете?»

Источник:
некто во время опроса
общественного мнения на улице

Четвертое небо: оранжевая территория. Это место, где чувствуешь боль по уходящему времени. Бесконечная, уходящая за горизонт очередь умерших, двигающаяся не намного быстрее, чем очередь в кинотеатр.

Судя по одеждам, некоторые стоят в ней уже по много веков. Если только это не актеры массовки из фильма-катастрофы, погибшие во время съемок, то ясно, что ждать здесь можно очень долго.

И они ждут.

Оранжевая территория, это наверняка то место, которое в христианской религии называется чистили-

18

Вот умершие сегодня, я приветствую их.

Невдалеке я узнаю знакомые силуэты. Роза, моя жена! Амандин, моя бывшая любовница!

Я начинаю вспоминать.

Они были в соседней комнате, когда самолет упал на наш дом в Бютт-Шомоне. И с ними я испытал великое приключение «танатонавтов».

«Танатонавты» происходит от «танатос», что значит «смерть», и «навтос» — навигатор.

Этот термин придумал мой друг Рауль Разорбак. Как только появилось слово, появилась и наука. А как только появилась наука, появились и первооткрыватели. Мы построили танатодромы, мы положили начало танатонавигаторству.

Нашей целью было отодвинуть существующую после смерти «терра инкогнита». И мы ее достигли. Мы приподняли занавес над последней великой тайной, тайной смысла смерти. Все религии говорят о ней, все мифологии описывают ее более или менее точными метафорами. Мы стали первыми, кто заговорил о ней как об открытии нормального «континента».

Мы боялись, что не сможем завершить начатое. И то, что «Боинг-747» вроде бы случайно упал на наш дом, доказывает, что мы в конце концов побеспокоили кого-то «наверху».

И вот теперь я вижу то, что мы открыли... но более ясно. Поскольку наши ниточки уже оборвались, я прекрасно понимаю, что на этот раз возвращение назад невозможно. Мы погружаемся в конус водоворота, который становится все уже. Мы пересекаем эту первую территорию до конца и достигаем стены, которая напоминает студенистую матовую массу. Как МАХ-1 был первым звуковым барьером, так мы с друзьями назвали МОК-1 первым барьером смерти. Сегодня мы вместе преодолеваем его.

15

бернард [вербер]

Я немного колеблюсь. Другие смело движутся вперед. Тем хуже. Я следую за ними. Мы попадаем через стену...

«Скандал. Это скандал. Я работаю медсестрой в хосписе для неизлечимо больных. Поскольку я часто вижу агонизирующих людей, я составила свое мнение об этом. И я думаю, что все это просто чудовищно. Я думаю, что люди делают вид, будто смерти не существует. Дети видят однажды «скорую помощь», увозящую дедушку в больницу. Потом они его не видят несколько недель. Однажды по телефону сообщают, что он умер. В результате подрастающие поколения не представляют себе, что такое смерть. И когда эти дети становятся взрослыми, а потом стариками и сталкиваются с собственной смертью, их охватывает паника. Не только потому, что речь идет об их исчезновении, но и потому, что они стоят перед полной неизвестностью. Я бы дала такой совет детям: не бойтесь, навещайте ваших дедушек и бабушек в больнице! Вы получите там самый большой урок... жизни».

*Источник:
некто во время опроса
общественного мнения на улице*

...на Второе небо. Это черная территория всех страхов.

Они материализуются в форме ужасов, вышедших из моего подсознания. Непроглядный мрак. Мурашки по коже. Меня встречают насмешливые монстры и современные черти.

Повсюду я сталкиваюсь с самыми страшными кошмарами. Но луч света по-прежнему здесь, и он ведет меня прямо вперед.

Я встречаю все мои страхи лицом к лицу, в полумраке. Потом я приближаюсь к двери, похожей на

16

империя ангелов

матовую мембрану. МОК-2. Я прохожу в нее и оказываюсь в...

«Я вдова, и я была с моим мужем до самой его кончины. Это произошло в пять фаз. Сперва он отказывался умирать. Он требовал, чтобы все продолжалось как раньше, и говорил о своем возвращении домой после того, как поправится. Потом, когда врачи сказали ему, что надежды нет, он впал в бешенство. Ему нужно было найти виновного. Он обвинял своего врача в некомпетентности. Он обвинял меня в том, что я положила его в плохую больницу. Он говорил, что я хочу его смерти, чтобы как можно скорее получить наследство. Он упрекал всех в том, что его забыли и не навещают. Он стал таким неприятным, что даже дети не хотели общаться с ним. Потом он успокоился, и началась третья стадия, которую можно назвать «стадией торговца». Как будто он торговался: хорошо, я умру, но я хочу продержаться до моего дня рождения. А еще лучше, до чемпионата мира по футболу. Я хочу посмотреть полуфинал. Или, по крайней мере, четвертьфинал.

Когда он понял, что все бесполезно, у него началась депрессия. Это было ужасно. Он не хотел говорить, не хотел есть. Как будто он вдруг от всего отказался. Он перестал бороться, потерял всю энергию. Он был похож на опустившего руки боксера, который ждет последнего удара.

Наконец, началась пятая стадия. Он согласился. У него вновь появилась улыбка. Он попросил магнитофон, чтобы слушать любимую музыку. Он особенно любил «Дорз», это напоминало ему его молодость. Он умер с улыбкой, в наушниках, слушая «Here is the end».

*Источник
некто во время опро
общественного мнения на ули*

2 Империя ангелов

17

щем. Я чувствую, что мы тоже должны встать в конец очереди и ждать. Правда, еще на Земле у меня выработалась вредная привычка никогда не ждать в очередях и всех обгонять. Из-за этого я частенько нарывался на скандалы, а иногда и на драки. Ну и пусть, мы обгоняем всех. Некоторые протестуют и кричат, что мы не имеем права, но никто нас не останавливает.

Обгоняя очередь, я встречаю героев древних войн, о которых пишут в учебниках, древнегреческих философов, царей давным-давно не существующих стран.

Я бы хотел взять несколько автографов, но место к этому не очень располагает.

Роза, Амандин и я летим над мертвыми. Они образуют широкий поток, текущий к свету (Стикс?). Вход на оранжевую территорию является его источником, и чем дальше, тем очередь покойников становится уже, пока не превращается в узкий ручей. В глубине новая матовая стена. Мы проходим МОК-4.

> *«Я о смерти никогда не думаю. Я боюсь, что если о ней подумаешь, это ее привлечет. Я просто живу и живу, а потом будь что будет, там посмотрим».*
>
> *Источник:*
> *некто во время опроса*
> *общественного мнения на улице*

Вот мы и на Пятом небе. Это желтая территория, мир познания. Здесь открываются все великие секреты человечества. По пути я собираю кое-какие ценнейшие сведения, которые, к несчастью, не смогу передать тем, кто еще жив.

Ощущение великой мудрости. Какие-то голоса объясняют мне вещи, которые я никогда не мог понять. Я слышу ответы на вопросы, которые тщетно пытался решить в течение всей жизни.

Очередь мертвых становится все реже.

Многие задерживаются, завороженные ответами на мучившие их некогда вопросы. Ручей превращается в ручеек. Я стараюсь не поддаться искушению этими играми разума. Я следую за лучом света. Я пересекаю МОК-5 и попадаю...

«Удивление.

Да, я бы сказал, я разделял это удивление. Меня недавно освободили за хорошее поведение после тридцати лет тюрьмы. Так что сейчас я могу говорить совершенно свободно. Я убил четырнадцать человек. Когда я убивал, меня удивлял вид потрясенных, даже негодующих людей, после того как я объявлял им, что положу конец их жизни. Как будто они решили, что их жизнь принадлежит им, как машина, собака, дом».

Источник:
некто во время опроса
общественного мнения на улице

...на Шестое небо. Зеленая территория. Здесь царит Красота. Ощущение цвета и гармонии, все как во сне или в мечтах. Я чувствую себя некрасивым и нескладным. Многие из умерших останавливаются здесь, завороженные Красотой.

Роза тянет меня за руку. Нужно продолжать путь и не дать околдовать себя этим зрелищем.

Мы движемся вперед. Нас все меньше и меньше.

Я пересекаю МОК-6 и попадаю на... Седьмое небо, белую территорию.

Здесь, кажется, миграция мертвых завершается. Свет идет от горной гряды. Самая высокая гора светится ярче всего. Я направляюсь к ней. Тропинка ведет к плато Страшного суда.

Посередине тропинки выстроились мертвые. Очередь движется медленно. Каждая душа ждет, чтобы

ИМПЕРИЯ АНГЕЛОВ

предыдущую вызвали к двери, и занимает очередь перед линией.

Мы становимся в очередь.

За нами приходит некий светящийся персонаж. Я узнаю его с первого взгляда. Это хранитель ключей от Рая. Древние египтяне называли его Анубис, индуисты называли его богом мертвых Яма, греки Хароном, перевозчиком через Стикс, римляне Меркурием, а христиане святым Петром.

— Следуйте за мной...

Это высокий бородатый мужчина с немного надменным выражением лица.

— Хорошо.

Он улыбается и наклоняет голову. Здорово: когда я говорю, он слышит. Он ведет нас прямо на Страшный суд. Мы предстаем перед тремя судьями, которые начинают нас молча рассматривать. Я слышу, как святой Петр изрекает:

Фамилия: Пэнсон

Имя: Мишель

Национальность: француз

Цвет волос в последней жизни: брюнет

Глаза: карие

Рост в последней жизни: 1 м 78 см

Особые приметы: нет

Отрицательная чёрта: неверие в себя

Положительная черта: любопытство

Я знаю, кто эти судьи. В разных мифологиях у них различные имена. У греков Зевс, Темис, Танатос. У египтян Маат, Озирис, Тот. У японцев Изанами, Изанаги и Омуаган. Для христиан это три архангела: Гавриил, Михаил и Рафаил.

— Твоя душа будет взвешена, — объявляет мне самый высокий, Гавриил.

21

Значит, эта плазма и есть моя душа...

— Их нужно судить всех троих вместе, — добавляет самый толстый, Рафаил.

Суд у них скорый. Архангелы обвиняют нас в том, что в наших танатонавигаторских исследованиях мы слишком рано и подробно раскрыли тайны запредельного, знать которые могут лишь Великие Посвященные. У нас якобы не было права раскрывать людям как смысл жизни, так и смысл смерти.

— Движимые чистым любопытством, вы обнаружили Семь небес и информировали об этом публику совершенно бесплатно и бездуховно!

— Никто здесь не давал вам разрешения распространять подобную секретную информацию.

— Если бы вы хоть замаскировали ее под видом парабол или мифологий...

— Если бы вы хотя бы поставили для ознакомления с ней какие-нибудь условия...

Архангелы говорят обо всех негативных последствиях, к которым может привести распространение нашей поспешной информации о континенте мертвых.

— Люди будут совершать самоубийства просто из любопытства, чтобы побывать в Раю как туристы!

— К счастью, мы вовремя вмешались, чтобы пресечь в зародыше все ваши опасные начинания.

Архангелы считали, что нужно уничтожить все работы по танатонавигации, все, что есть в книжных магазинах и библиотеках. Они думали, что нужно изменить коллективную память людей, чтобы удалить из нее все воспоминания о наших поступках. К счастью, этого не пришлось делать. Книга о танатонавтах не имела никакого успеха. Некоторые читатели, которым она случайно попала в руки, решили, что это просто научно-фантастический роман. Выход нашей книги прошел незамеченным, она утонула в море новых публикаций.

Вот умершие сегодня, я приветствую их.

Невдалеке я узнаю знакомые силуэты. Роза, моя жена! Амандин, моя бывшая любовница!

Я начинаю вспоминать.

Они были в соседней комнате, когда самолет упал на наш дом в Бютт-Шомоне. И с ними я испытал великое приключение «танатонавтов».

«Танатонавты» происходит от «танатос», что значит «смерть», и «навтос» — навигатор.

Этот термин придумал мой друг Рауль Разорбак. Как только появилось слово, появилась и наука. А как только появилась наука, появились и первооткрыватели. Мы построили танатодромы, мы положили начало танатонавигаторству.

Нашей целью было отодвинуть существующую после смерти «терра инкогнита». И мы ее достигли. Мы приподняли занавес над последней великой тайной, тайной смысла смерти. Все религии говорят о ней, все мифологии описывают ее более или менее точными метафорами. Мы стали первыми, кто заговорил о ней как об открытии нормального «континента».

Мы боялись, что не сможем завершить начатое. И то, что «Боинг-747» вроде бы случайно упал на наш дом, доказывает, что мы в конце концов побеспокоили кого-то «наверху».

И вот теперь я вижу то, что мы открыли... но более ясно. Поскольку наши ниточки уже оборвались, я прекрасно понимаю, что на этот раз возвращение назад невозможно. Мы погружаемся в конус водоворота, который становится все уже. Мы пересекаем эту первую территорию до конца и достигаем стены, которая напоминает студенистую матовую массу. Как MAX-1 был первым звуковым барьером, так мы с друзьями назвали MOK-1 первым барьером смерти. Сегодня мы вместе преодолеваем его.

Я немного колеблюсь. Другие смело движутся вперед. Тем хуже. Я следую за ними. Мы попадаем через стену...

«Скандал. Это скандал. Я работаю медсестрой в хосписе для неизлечимо больных. Поскольку я часто вижу агонизирующих людей, я составила свое мнение об этом. И я думаю, что все это просто чудовищно. Я думаю, что люди делают вид, будто смерти не существует. Дети видят однажды «скорую помощь», увозящую дедушку в больницу. Потом они его не видят несколько недель. Однажды по телефону сообщают, что он умер. В результате подрастающие поколения не представляют себе, что такое смерть. И когда эти дети становятся взрослыми, а потом стариками и сталкиваются с собственной смертью, их охватывает паника. Не только потому, что речь идет об их исчезновении, но и потому, что они стоят перед полной неизвестностью. Я бы дала такой совет детям: не бойтесь, навещайте ваших дедушек и бабушек в больнице! Вы получите там самый большой урок... жизни».

Источник:
некто во время опроса
общественного мнения на улице

...на Второе небо. Это черная территория всех страхов.

Они материализуются в форме ужасов, вышедших из моего подсознания. Непроглядный мрак. Мурашки по коже. Меня встречают насмешливые монстры и современные черти.

Повсюду я сталкиваюсь с самыми страшными кошмарами. Но луч света по-прежнему здесь, и он ведет меня прямо вперед.

Я встречаю все мои страхи лицом к лицу, в полумраке. Потом я приближаюсь к двери, похожей на матовую мембрану. МОК-2. Я прохожу в нее и оказываюсь в...

«Я вдова, и я была с моим мужем до самой его кончины. Это произошло в пять фаз. Сперва он отказывался умирать. Он требовал, чтобы все продолжалось как раньше, и говорил о своем возвращении домой после того, как поправится. Потом, когда врачи сказали ему, что надежды нет, он впал в бешенство. Ему нужно было найти виновного. Он обвинял своего врача в некомпетентности. Он обвинял меня в том, что я положила его в плохую больницу. Он говорил, что я хочу его смерти, чтобы как можно скорее получить наследство. Он упрекал всех в том, что его забыли и не навещают. Он стал таким неприятным, что даже дети не хотели общаться с ним. Потом он успокоился, и началась третья стадия, которую можно назвать «стадией торговца». Как будто он торговался: хорошо, я умру, но я хочу продержаться до моего дня рождения. А еще лучше, до чемпионата мира по футболу. Я хочу посмотреть полуфинал. Или, по крайней мере, четвертьфинал.

Когда он понял, что все бесполезно, у него началась депрессия. Это было ужасно. Он не хотел говорить, не хотел есть. Как будто он вдруг от всего отказался. Он перестал бороться, потерял всю энергию. Он был похож на опустившего руки боксера, который ждет последнего удара.

Наконец, началась пятая стадия. Он согласился. У него вновь появилась улыбка. Он попросил магнитофон, чтобы слушать любимую музыку. Он особенно любил «Дорз», это напоминало ему его молодость. Он умер с улыбкой, в наушниках, слушая «Here is the end».

Источник:
некто во время опроса
общественного мнения на улице

...красном мире моих фантазмов, следующим за синим миром и черным миром страха. Здесь материализуются все мои самые сумасшедшие желания.

Я нахожусь на Третьем небе. Ощущение удовольствия, огня, влажной жары. Сладострастие. Я встречаю свои самые экстравагантные сексуальные фантазмы, самые скрытые желания. Я немного задерживаюсь здесь. В сознании возникают особенно возбуждающие сцены. Самые сексуальные актрисы и фотомодели зовут меня в свои объятия.

Моя жена и бывшая любовница встречают каких-то красивых юношей.

Я хочу остаться здесь, но в конце концов следую за центральным лучом, как аквалангист, боящийся удалиться от страховочной веревки. Так я пересекаю МОК-3.

«Мы хотели бы, чтобы смерти не было. На самом деле она, к счастью, есть, если вас интересует мое мнение. Ведь самое худшее, что с нами может приключиться, это стать бессмертными. Вот скука-то, вы так не думаете?»

Источник:
некто во время опроса
общественного мнения на улице

Четвертое небо: оранжевая территория. Это место, где чувствуешь боль по уходящему времени. Бесконечная, уходящая за горизонт очередь умерших, двигающаяся не намного быстрее, чем очередь в кинотеатр.

Судя по одеждам, некоторые стоят в ней уже по много веков. Если только это не актеры массовки из фильма-катастрофы, погибшие во время съемок, то ясно, что ждать здесь можно очень долго.

И они ждут.

Оранжевая территория, это наверняка то место, которое в христианской религии называется чистилищем. Я чувствую, что мы тоже должны встать в конец очереди и ждать. Правда, еще на Земле у меня выработалась вредная привычка никогда не ждать в очередях и всех обгонять. Из-за этого я частенько нарывался на скандалы, а иногда и на драки. Ну и пусть, мы обгоняем всех. Некоторые протестуют и кричат, что мы не имеем права, но никто нас не останавливает.

Обгоняя очередь, я встречаю героев древних войн, о которых пишут в учебниках, древнегреческих философов, царей давным-давно не существующих стран.

Я бы хотел взять несколько автографов, но место к этому не очень располагает.

Роза, Амандин и я летим над мертвыми. Они образуют широкий поток, текущий к свету (Стикс?). Вход на оранжевую территорию является его источником, и чем дальше, тем очередь покойников становится уже, пока не превращается в узкий ручей. В глубине новая матовая стена. Мы проходим МОК-4.

«Я о смерти никогда не думаю. Я боюсь, что если о ней подумаешь, это ее привлечет. Я просто живу и живу, а потом будь что будет, там посмотрим».

Источник:
некто во время опроса
общественного мнения на улице

Вот мы и на Пятом небе. Это желтая территория, мир познания. Здесь открываются все великие секреты человечества. По пути я собираю кое-какие ценнейшие сведения, которые, к несчастью, не смогу передать тем, кто еще жив.

Ощущение великой мудрости. Какие-то голоса объясняют мне вещи, которые я никогда не мог понять. Я слышу ответы на вопросы, которые тщетно пытался решить в течение всей жизни.

Очередь мертвых становится все реже.

Многие задерживаются, завороженные ответами на мучившие их некогда вопросы. Ручей превращается в ручеек. Я стараюсь не поддаться искушению этими играми разума. Я следую за лучом света. Я пересекаю МОК-5 и попадаю...

«Удивление.

Да, я бы сказал, я разделял это удивление. Меня недавно освободили за хорошее поведение после тридцати лет тюрьмы. Так что сейчас я могу говорить совершенно свободно. Я убил четырнадцать человек. Когда я убивал, меня удивлял вид потрясенных, даже негодующих людей, после того как я объявлял им, что положу конец их жизни. Как будто они решили, что их жизнь принадлежит им, как машина, собака, дом».

Источник:
*некто во время опроса
общественного мнения на улице*

...на Шестое небо. Зеленая территория. Здесь царит Красота. Ощущение цвета и гармонии, все как во сне или в мечтах. Я чувствую себя некрасивым и нескладным. Многие из умерших останавливаются здесь, завороженные Красотой.

Роза тянет меня за руку. Нужно продолжать путь и не дать околдовать себя этим зрелищем.

Мы движемся вперед. Нас все меньше и меньше.

Я пересекаю МОК-6 и попадаю на... Седьмое небо, белую территорию.

Здесь, кажется, миграция мертвых завершается. Свет идет от горной гряды. Самая высокая гора светится ярче всего. Я направляюсь к ней. Тропинка ведет к плато Страшного суда.

Посередине тропинки выстроились мертвые. Очередь движется медленно. Каждая душа ждет, чтобы

предыдущую вызвали к двери, и занимает очередь перед линией.

Мы становимся в очередь.

За нами приходит некий светящийся персонаж. Я узнаю его с первого взгляда. Это хранитель ключей от Рая. Древние египтяне называли его Анубис, индуисты называли его богом мертвых Яма, греки Хароном, перевозчиком через Стикс, римляне Меркурием, а христиане святым Петром.

— Следуйте за мной...

Это высокий бородатый мужчина с немного надменным выражением лица.

— Хорошо.

Он улыбается и наклоняет голову. Здорово: когда я говорю, он слышит. Он ведет нас прямо на Страшный суд. Мы предстаем перед тремя судьями, которые начинают нас молча рассматривать. Я слышу, как святой Петр изрекает:

Фамилия: Пэнсон

Имя: Мишель

Национальность: француз

Цвет волос в последней жизни: брюнет

Глаза: карие

Рост в последней жизни: 1 м 78 см

Особые приметы: нет

Отрицательная черта: неверие в себя

Положительная черта: любопытство

Я знаю, кто эти судьи. В разных мифологиях у них различные имена. У греков Зевс, Темис, Танатос. У египтян Маат, Озирис, Тот. У японцев Изанами, Изанаги и Омуаган. Для христиан это три архангела: Гавриил, Михаил и Рафаил.

— Твоя душа будет взвешена, — объявляет мне самый высокий, Гавриил.

Значит, эта плазма и есть моя душа...

— Их нужно судить всех троих вместе, — добавляет самый толстый, Рафаил.

Суд у них скорый. Архангелы обвиняют нас в том, что в наших танатонавигаторских исследованиях мы слишком рано и подробно раскрыли тайны запредельного, знать которые могут лишь Великие Посвященные. У нас якобы не было права раскрывать людям как смысл жизни, так и смысл смерти.

— Движимые чистым любопытством, вы обнаружили Семь небес и информировали об этом публику совершенно бесплатно и бездуховно!

— Никто здесь не давал вам разрешения распространять подобную секретную информацию.

— Если бы вы хоть замаскировали ее под видом парабол или мифологий...

— Если бы вы хотя бы поставили для ознакомления с ней какие-нибудь условия...

Архангелы говорят обо всех негативных последствиях, к которым может привести распространение нашей поспешной информации о континенте мертвых.

— Люди будут совершать самоубийства просто из любопытства, чтобы побывать в Раю как туристы!

— К счастью, мы вовремя вмешались, чтобы пресечь в зародыше все ваши опасные начинания.

Архангелы считали, что нужно уничтожить все работы по танатонавигации, все, что есть в книжных магазинах и библиотеках. Они думали, что нужно изменить коллективную память людей, чтобы удалить из нее все воспоминания о наших поступках. К счастью, этого не пришлось делать. Книга о танатонавтах не имела никакого успеха. Некоторые читатели, которым она случайно попала в руки, решили, что это просто научно-фантастический роман. Выход нашей книги прошел незамеченным, она утонула в море новых публикаций.

Именно так осуществляется теперь новая цензура. Не ограничениями, а избыточностью. Книги, могущие побеспокоить, заваливаются массой безвкусной макулатуры.

Хотя архангелы не могли вмешаться напрямую, они были очень обеспокоены, и теперь мы должны за это расплачиваться. Возможен лишь один вердикт: приговариваются.

— К чему? — спрашивает Амандин. — К Аду?

Три архангела смотрят на нее высокомерно.

— Ад? К сожалению, его не существует. Есть только Рай и… Земля. Те, кто провалился на суде, приговариваются к возвращению на Землю и реинкарнации.

— Другими словами, можно сказать, что Ад — это Земля, — весело замечает архангел Рафаил.

Архангел Гавриил напоминает:

— Реинкарнация — это как выпускные экзамены в лицее. Если не сдал, нужно пересдавать. Что касается вас, то вы как раз провалились. Так что возврат на исходные позиции, и новая сессия.

Я склоняю голову.

Моя жена Роза, моя подруга Амандин и я, все мы думаем об одном и том же: «Еще одна жизнь. А ради чего?»

Сколько людей до нас должны были так же вздохнуть?

Но другие умершие в нетерпении. Нас торопят освободить место. Святой Петр ведет нас на гору. Мы забираемся на вершину. Она излучает яркий свет, который и привел нас на Страшный суд.

Внизу видны два туннеля. Вход в один из них цвета охры, в другой — темно-синий. Охристый вход ведет на Землю, к новым реинкарнациям, синий — в страну ангелов. Указателей нет, но, как и все здесь, объяснение само возникает в нашем сознании.

Попрощавшись, святой Петр оставляет нас перед входом в туннель цвета охры.

— До скорого, после вашей будущей жизни! — лаконично бросает он.

Мы продвигаемся по туннелю. На полпути мы натыкаемся на матовую мембрану, похожую на МОК, закрывающую Семь небес. Перейдя через нее, мы попадем в новую жизнь. Амандин смотрит на меня, готовая идти первой.

— Прощайте, друзья. Постараемся встретиться в будущей жизни.

Она мне незаметно подмигивает. Ей не удалось сделать меня постоянным компаньоном в этой жизни. Наверное, надеется на удачу в будущей.

— Вперед за новыми приключениями, — говорит она на прощание.

Роза прижимается ко мне. Я шепчу ей на ухо девиз танатонавтов времен великих колонизаторских войн по завоеванию континента мертвых:

— Ты и я, вместе против кретинов.

Поскольку у нас нет тел, которые можно обнять, наши две плазмы целуются в губы. Я ничего не чувствую, но все мое существо возбуждено.

— Вместе... — повторяет она как эхо.

На мгновение мы беремся за руки. Касаемся друг друга кончиками пальцев. Они сливаются вместе, потом наконец разделяются.

Роза отворачивается и быстро направляется к своей реинкарнации.

Теперь моя очередь. Твердыми шагами я иду по туннелю, повторяя себе, что в будущей жизни необходимо вспомнить, как я был танатонавтом.

Вся моя плазма дрожит. Наконец я узнаю, что скрывается за этой стеной.

С другой стороны смерти появляется...

«Хороший захват! Вот что важно. Никогда не забывать посыпать ладони тальком. Я цирковой акробат. Выступаю на трапеции без страховки. Хорошо ухватившись, я знаю, что ничем не рискую. Впрочем, я никогда не думаю о смерти и чувствую себя прекрасно. Я знаю, если смотреть вниз, можно упасть. Так что не знаю, что такое смерть. И между нами, предпочитаю поговорить о чем-нибудь другом. Вы уже видели мой номер?»

Источник:
некто во время опроса
общественного мнения на улице

3. ПРИГОВОР ОТМЕНЯЕТСЯ

...рука. Чья-то рука хватает мою душу и останавливает ее.

Какой-то прозрачный тип возмущенно заявляет мне, что процедура нарушена и нужно все начать сначала.

Для Амандин и Розы все тоже должно было происходить иначе, но, к несчастью, для них уже слишком поздно. Они ушли чересчур далеко по туннелю. Что касается меня, то все еще можно изменить.

Мой собеседник небольшого роста, бородатый, в очках, плохо скрывающих лихорадочный блеск глаз. Он тянет меня, подталкивает, настаивает. Говорит, что он мой ангел-хранитель.

Значит, у меня был ангел-хранитель? Кто-то, кто следил за всем, что я делаю? Может быть, помогал мне... Это сообщение меня успокаивает и одновременно удивляет. Значит, я был не один. Всю жизнь кто-то меня сопровождал. Я присматриваюсь к нему внимательнее.

Этот хрупкий силуэт, бородка, очки девятнадцатого века... Кажется, я его где-то уже видел.

Он представляется: Эмиль Золя.

— Господин Эмиль Золя, автор «Жерминаль»?

— К вашим услугам. Но сейчас не место для комплиментов. Время идет. Нужно спешить.

Он утверждает, что наблюдал за мной всю жизнь с самого рождения, и убеждает меня не сдаваться так просто.

— Интриги... да-а, а карма-то была хорошей. Только вот история плохо кончилась. К тому же и процедура взвешивания душ была нарушена. Этот процесс несправедливый. Нечестный. Антисоциальный.

Эмиль Золя объясняет мне, что согласно существующим в Раю законам мой ангел-хранитель должен был бы присутствовать на процессе, когда взвешивалась моя душа, чтобы в случае необходимости выступить в качестве адвоката.

Он вытаскивает меня из туннеля и подталкивает к плато Страшного суда, где по-прежнему заседают три архангела. Перед трибуналом он расталкивает всех и требует начать процесс заново, угрожая предать все дело гласности. Обещает, что его выступление восстановит попранную справедливость. Он приводит в подтверждение все существующие в Раю законы. Он бушует:

— Я обвиняю архангелов в том, что они сфальсифицировали данные взвешивания души моего подзащитного. Я обвиняю архангелов в том, что они саботировали процесс, который их раздражал. Я, наконец, обвиняю Небесный суд в том, что его целью было как можно скорее отправить на Землю душу, единственным грехом которой является любопытство.

Судя по всему, архангелы не ожидали такого поворота дела. Не каждый день кто-нибудь ставит под сомнение их приговор.

— Господин Золя, прошу вас. Будьте любезны согласиться с решением Небесного трибунала.

— Об этом не может быть и речи, господин архангел Гавриил. Я говорил и повторяю, что судьи рассматривали лишь действия танатонавтов и совершенно забыли присмотреться, как они должны были сделать, к повседневной жизни и поступкам моего подзащитного. А ведь именно с этого необходимо было начать. Я настаиваю на том, что Мишель Пэнсон прожил примерную жизнь. Он был хорошим мужем и отцом семейства, хорошим гражданином, замечательным другом, его близкие всегда могли рассчитывать на него. Он прожил жизнь как честный и справедливый человек. Он всегда проявлял щедрость и великодушие, а в ответ его приговаривают вернуться страдать на Землю. И я не позволю, чтобы его душу сожгли с такой бесцеремонностью.

После минутного молчания Рафаил изрекает:

— М-м... А вы что об этом думаете, господин Пэнсон? В конце концов, вы же главное заинтересованное лицо. Желаете ли вы снова предстать перед трибуналом?

Теперь, когда рядом со мной нет всех тех, кого я любил, ни Розы, ни Амандин, ни Рауля, ни Фредди, я чувствую безразличие. Правда, должен признать, что жар выступления Эмиля Золя передался и мне. Я говорю себе, что, если бы он не выступил в защиту Дрейфуса, его дело никогда бы не было пересмотрено.

— Я хочу... вновь предстать перед судом.

Эмиль Золя сияет. У судей кислые лица.

— Ну хорошо, хорошо. Мы произведем новое взвешивание души, — соглашается архангел Михаил.

«После смерти матери у меня такое ощущение, что жизнь потеряла смысл. Согласен, я здесь, но живу я лишь воспоминаниями. Она была всем для меня. Теперь я потерян».

*Источник:
некто во время опроса
общественного мнения на улице*

27

Наконец мой процесс может состояться по всем правилам. Архангелы показывают мне мою жизнь и просят прокомментировать, что я сделал хорошего и что плохого. Для оценки моих действий используются такие критерии, как развитие, сопереживание, внимательность, желание сделать добро. Вся жизнь проходит передо мной, как мозаика мимолетных моментов на видео, причем некоторые пассажи прокручиваются быстро, а некоторые замедленно. Иногда изображение останавливается, чтобы я мог лучше вспомнить, что же тогда происходило.

В конце концов я начинаю трезво и отстраненно оценивать то, что я сделал в качестве Мишеля Пэнсона. До того как меня будут судить, я сужу себя сам. Странное ощущение. Так вот это и была моя жизнь? Что поражает в первую очередь, так это то, сколько времени я потратил впустую. Я боялся, меня всегда пугала неизвестность.

Для того, чьим главным достоинством является любопытство, это непонятно и парадоксально.

Сколько благих порывов сдержал этот страх! Однако мое безграничное любопытство позволило избежать многих скучных занятий, помогло не закоснеть. Все могло бы быть и хуже.

Просматривая вновь мою жизнь, я вспоминаю о своей любви к отшельничеству. Сколько раз я хотел остаться в одиночестве, в покое, вдали от друзей и знакомых, на каком-нибудь пустынном острове или в замке на горе...

Моя жизнь предстает как произведение искусства, а архангелы, как ревностные критики, объясняют, как бы еще я мог ее улучшить и в чем ее уникальность. Они, не колеблясь, хвалят меня за наиболее достойные поступки.

Некоторые моменты моей жизни менее похвальны, мелкие трусости по большей части, в основном из-за моей всегдашней невозмутимости.

Каждое мое действие подолгу обсуждается. Адвокат лезет из кожи вон.

Архангел Михаил подводит итог хорошим и плохим поступкам. Я слышу, что мне нужно набрать 600 пунктов, чтобы избежать реинкарнации. Вычисления очень точны: каждая маленькая ложь, каждый порыв сердца, каждый отказ, каждая инициатива стоят положительных или отрицательных пунктов. Наконец, архангел Михаил подводит итог: 597 против 600.

Провалился. Совсем немного, но не добрал.

Мой адвокат подскакивает:

— Я утверждаю, что эти цифры сфабрикованы, и требую их пересчета. Рассмотрим еще раз все действия моего подзащитного, одно за другим. Я обвиняю...

Позади я слышу вздохи нетерпения других душ, ожидающих своей очереди. Архангел Гавриил, которому явно надоели все эти «я обвиняю», принимает волевое решение. На этот раз архангелам потребовалась лишь секунда для того, чтобы прийти к согласию, так они спешат от нас отделаться. Звучит новый вердикт:

— Что ж, очень хорошо, ваша взяла. Округляем до 600. Вы освобождаетесь от цикла реинкарнаций. Можете считать, что вам повезло с таким настойчивым ангелом-хранителем и адвокатом, — говорит Михаил.

Эмиль Золя радостно аплодирует.

— Справедливость всегда торжествует.

Архангелы объявляют, что с 600 пунктами я теперь становлюсь номером 6.

— А что такое номер 6?

— Существо с уровнем сознания 6. Это позволяет тебе, если хочешь, навсегда освободиться от тюрьмы твоей плоти.

Таким образом, мне предоставляется выбор. Можно вернуться на Землю и стать Великим Посвященным, чтобы помогать людям развиваться, живя среди них. В этом случае у меня останется лишь смутное воспоминание о посещении Рая. А можно стать ангелом.

— А что такое ангел?

— Световое существо, имеющее на своем попечении три человеческих души. Задачей ангела является помочь хотя бы одной из них выйти из цикла реинкарнаций. Как Эмиль Золя помог тебе.

Я задумываюсь на мгновение. Оба предложения заманчивы.

— Поторопись, масса людей ждет своей очереди, — басит архангел Гавриил, — итак, твое решение?

«Смерть? Ее нечего бояться. Я знаю, что у меня есть ангел-хранитель, который бережет меня от всех опасностей. Однажды я переходил улицу, и интуиция подсказала мне, что абсолютно необходимо сделать шаг назад. Хотите верьте, хотите нет, но только я отступил назад, откуда ни возьмись выскочил мотоцикл, которого я не заметил, и чуть не сбил меня. Уверен, это мой ангел-хранитель меня предупредил».

Источник:
некто во время опроса
общественного мнения на улице

4. АНГЕЛ

— Я хочу стать ангелом.

— Прекрасный выбор, ты не пожалеешь, — заверяет Эмиль Золя.

Архангелы поторапливают нас освободить место для следующих душ. Мой ангел-хранитель увлекает меня ко входу в другой туннель в горе. Оттуда исходит синее сияние, как из освещенного изнутри бриллианта.

Эмиль Золя оставляет меня перед входом в огромное освещенное помещение и пожимает на прощание руку, поздравляя меня. Я продвигаюсь вперед. Мембрана закрывает проход. Я поднимаю ее, как театральный занавес. С другой стороны, прямо посередине помещения я вижу какого-то немного развязного типа.

— Добро пожаловать в ангелы. Я ваш ангел-инструктор.

— Ангел-инструктор? А это что такое?

— После ангела-хранителя формированием души занимается ангел-инструктор, — объявляет он как нечто само собой разумеющееся.

Я рассматриваю его.

Он похож на Кафку. Уши длинные и высоко посаженные. Миндалевидные глаза. Треугольное лицо лиса. Глаза лихорадочно блестят.

— Меня зовут Уэллс.

— Уэллс? ТОТ Уэллс?

— Нет, нет. Я Эдмонд Уэллс, пичего общего с Х.Г. Уэллсом или Орсоном Уэллсом, моими однофамильцами. Вы, наверное, о них подумали... Ничего страшного, мне нравится моя фамилия. Вы знаете, что она означает на английском? Колодец. Так что считайте меня тем, в ком вы можете черпать столько, сколько хотите. И поскольку мы должны проводить время вместе, давайте обращаться друг к другу на «ты».

— А меня зовут Пэнсон, Мишель Пэнсон. По-французски это значит «зяблик». Но я ничего общего с этой птицей не имею.

Он крепко хлопает меня по плечу, но я ничего не чувствую.

— Очень рад, ангел Мишель.

Мне странно слышать слово ангел перед моим именем, звучит как ученая степень.

— А вы кем были... э-э... на гражданке? — спрашиваю я.

— В последней жизни, до того как выйти из цикла реинкарнаций? Ну, вроде тебя, скажем, я был исследователем в своей области. Но меня интересовало не то, что «бесконечно над», а то, что «бесконечно под»... Под землей.

— Под землей?

— Да, скрытая под кожей планеты жизнь. Маленькие лесные человечки.

Бок о бок мы движемся по пересекающему гору туннелю, которому, кажется, нет конца. Вдруг я останавливаюсь.

— Эдмонд Уэллс. Эдмонд Уэллс...

Я повторяю это имя в задумчивости. Оно мне уже встречалось в одной газете. Я пытаюсь вспомнить. Ага, вот оно:

— А вы не проходили по делу об убийствах производителей инсектицидов?

— Горячо.

«Маленькие лесные человечки»... Я морщу лоб.

— Вы изобрели аппарат, с помощью которого можно общаться с муравьями!

— Я назвал его «камень Розетт», поскольку он позволял общаться двум самым совершенным цивилизациям планеты, которые тем не менее не могут понимать и оценивать друг друга: людям и муравьям.

Его, кажется, немного охватила ностальгия по своему изобретению. Затем он продолжает:

— Я научу тебя «профессии» ангела, тому, что ты должен делать твоими методами и способностями. Но главное, никогда не забывай, что находиться здесь уже само по себе ОГРОМНАЯ ПРИВИЛЕГИЯ.

Он чеканит:

ПОНИМАЕШЬ ЛИ ТЫ, ПО КРАЙНЕЙ МЕРЕ, ЧТО ИЗБАВИТЬСЯ ОТ НЕОБХОДИМОСТИ ЕЩЕ И

6. ЭДМОНД УЭЛЛС

— Значит, я 6?

— Значит, ты ангел, — поправляет Эдмонд Уэллс.

— Я всегда представлял себе ангелов с ореолом вокруг головы и крылышками за спиной.

— Этот образ соответствует древним представлениям. Ореол произошел от металлических пластин, которыми римляне защищали статуи христианских святых от птичьего помета. А что касается крылышек на спине, то они восходят к древней месопотамской традиции, согласно которой эти спинные отростки свидетельствовали о принадлежности к высшему миру. Так, были крылатые лошади, быки и львы...

— А что это меняет для меня?

Я смотрю на свою руку. Радужное свечение, которого я до сих пор не замечал, окружает все мое тело синими переливами.

— Физические изменения — не самое главное, — продолжает Эдмонд Уэллс, — это новое состояние, прежде всего меняет твое видение всего сущего.

Эдмонд Уэллс объясняет подробнее, в чем будет заключаться моя новая работа. Три души, инкарнированные в людей, будут переданы на мое попечение. А я должен сделать так, чтобы хоть одна из них эволюционировала до 600 пунктов и вышла таким образом из цикла реинкарнаций. Я должен наблюдать за этими тремя земными жизнями, сопровождать их и помогать им. После их кончины я должен буду выступить их адвокатом на Страшном суде трех архангелов.

— Как только что Эмиль Золя защищал меня?

Эдмонд Уэллс кивает.

— Благодаря своему успеху Эмиль Золя может перейти на более высокий уровень развития ангелов.

Теперь я понимаю, почему Золя был так настойчив на суде и вышел таким окрыленным.

ЕЩЕ РАЗ РОЖДАТЬСЯ — ЭТО САМЫЙ ЛУЧ[
ПОДАРОК, НА КОТОРЫЙ ТОЛЬКО МОЖЕТ Н[
ЯТЬСЯ ЧЕЛОВЕК?

Я начинаю понимать, что избавился от цикла
инкарнаций.

— И чему вы меня будете учить, господин Уэлл

5. ЭНЦИКЛОПЕДИЯ

Смысл жизни: «целью всего является развитие»
В начале было...

Ноль: пустота.

Пустота развивалась и стала материей. И это
дало...

Единица: минерал.

Этот минерал развивался и стал живым. И это
дало...

Двойка: растение.

Растение развивалось и стало двигаться. И это
дало...

Тройка: животное.

Животное развивалось и стало сознательным. И
это дало...

Четверка: человек.

Человек развивался, чтобы его сознание позволило ему обрести мудрость. И это дало...

Пятерка: духовный человек.

Духовный человек развивался и стал полностью
освобожденным от всего материального. И это дало...

Шестерка: ангел.

Эдмонд Уэллс.
«Энциклопедия относительного
и абсолютного знания», том 4

— А что это за «более высокий уровень развития ангелов»?

Мой наставник поясняет, что на каждом этапе я буду получать особые сведения. Если я хочу быть посвященным в более высокий мир, мне необходимо сперва преуспеть в карьере ангела.

Продолжая беседовать, мы достигаем конца туннеля. Выход из него залит таким же синим светом, как и вход. Перед нами простирается страна ангелов.

«Ангелы? Нет, сожалею, я в них не верю. Это все вопрос моды. В некоторые моменты в моде ангелы, в другие — инопланетяне. Это просто повод для размышления суеверным и тем, кому делать нечего. В это время они забывают про безработицу и экономический кризис».

Источник:
некто во время опроса
общественного мнения на улице

7. СТРАНА АНГЕЛОВ

Я любуюсь огромной панорамой, открывшейся взгляду.

— Ты не обязан ходить по поверхности, — объясняет Эдмонд Уэллс. — Здесь нет силы притяжения, а сами мы не материальны. Ты можешь перемещаться в пространстве куда хочешь и как хочешь.

Если бы поверхность не была полупрозрачной, с молочным оттенком, можно было бы подумать, что находишься на «нормальной» человеческой территории.

Эдмонд Уэллс указывает мне несколько ориентиров.

— На западе раскинулась равнина, где ангелы прогуливаются, когда хотят пообщаться друг с другом.

На севере — крутые горы с огромными пещерами, где ангелы могут побыть в одиночестве, когда они не хотят, чтобы их беспокоили. Пойдем поднимемся.

Отсюда местность чем-то напоминает глаз. Посередине длинной белой миндалины находится круг бирюзового цвета, похожий на радужную оболочку. Это лес голубовато-зеленых деревьев.

А в середине этой оболочки, как блестящий зрачок, находится черное озеро. Но в отличие от человеческого зрачка озеро не круглое. Оно имеет форму... сердца. У меня такое впечатление, что Рай — это бирюзовый глаз, глядящий на меня черным зрачком — сердцем.

— Это озеро Зачатий, — говорит Эдмонд Уэллс.

Мы приближаемся к этому месту. Окружающие его бирюзовые деревья похожи на сосны с густыми и плоскими вершинами.

Под деревьями видны ангелы. Чаще всего они сидят, поджав ноги, в метре над поверхностью, под ветвями. Перед ними три сферы, расположенные в форме треугольника. Ангелы их рассматривают с видимым интересом. Некоторые нервничают, другие возбуждены, и то и дело смотрят то на одну, то на другую сферу.

Тысячи ангелов расположились так на протяжении многих километров. Я рассматриваю их, но мой инструктор тянет меня выше.

— А что это за деревья?

— Это не совсем деревья, они улучшают прием и передачу волн с Земли и обратно.

Он делает резкий вираж. На юге я вижу долины, где ангелы собираются на свои собрания.

Мы меняем направление. На востоке находится другой вход, сияющий отблесками зеленого бриллианта. Все там полупрозрачное и светящееся, в бликах отражений. Черная вода озера, бирюзовые деревья, перламутрово-белая поверхность.

ЕЩЕ РАЗ РОЖДАТЬСЯ — ЭТО САМЫЙ ЛУЧШИЙ ПОДАРОК, НА КОТОРЫЙ ТОЛЬКО МОЖЕТ НАДЕЯТЬСЯ ЧЕЛОВЕК?

Я начинаю понимать, что избавился от цикла реинкарнаций.

— И чему вы меня будете учить, господин Уэллс?

5. ЭНЦИКЛОПЕДИЯ

Смысл жизни: «целью всего является развитие». В начале было...

Ноль: пустота.

Пустота развивалась и стала материей. И это дало...

Единица: минерал.

Этот минерал развивался и стал живым. И это дало...

Двойка: растение.

Растение развивалось и стало двигаться. И это дало...

Тройка: животное.

Животное развивалось и стало сознательным. И это дало...

Четверка: человек.

Человек развивался, чтобы его сознание позволило ему обрести мудрость. И это дало...

Пятерка: духовный человек.

Духовный человек развивался и стал полностью освобожденным от всего материального. И это дало...

Шестерка: ангел.

Эдмонд Уэллс.
«Энциклопедия относительного
и абсолютного знания», том 4

6. ЭДМОНД УЭЛЛС

— Значит, я 6?

— Значит, ты ангел, — поправляет Эдмонд Уэллс.

— Я всегда представлял себе ангелов с ореолом вокруг головы и крылышками за спиной.

— Этот образ соответствует древним представлениям. Ореол произошел от металлических пластин, которыми римляне защищали статуи христианских святых от птичьего помета. А что касается крылышек на спине, то они восходят к древней месопотамской традиции, согласно которой эти спинные отростки свидетельствовали о принадлежности к высшему миру. Так, были крылатые лошади, быки и львы...

— А что это меняет для меня?

Я смотрю на свою руку. Радужное свечение, которого я до сих пор не замечал, окружает все мое тело синими переливами.

— Физические изменения — не самое главное, — продолжает Эдмонд Уэллс, — это новое состояние, прежде всего меняет твое видение всего сущего.

Эдмонд Уэллс объясняет подробнее, в чем будет заключаться моя новая работа. Три души, инкарнированные в людей, будут переданы на мое попечение. А я должен сделать так, чтобы хоть одна из них эволюционировала до 600 пунктов и вышла таким образом из цикла реинкарнаций. Я должен наблюдать за этими тремя земными жизнями, сопровождать их и помогать им. После их кончины я должен буду выступить их адвокатом на Страшном суде трех архангелов.

— Как только что Эмиль Золя защищал меня?

Эдмонд Уэллс кивает.

— Благодаря своему успеху Эмиль Золя может перейти на более высокий уровень развития ангелов.

Теперь я понимаю, почему Золя был так настойчив на суде и вышел таким окрыленным.

ЕЩЕ РАЗ РОЖДАТЬСЯ — ЭТО САМЫЙ ЛУЧШИЙ ПОДАРОК, НА КОТОРЫЙ ТОЛЬКО МОЖЕТ НАДЕЯТЬСЯ ЧЕЛОВЕК?

Я начинаю понимать, что избавился от цикла реинкарнаций.

— И чему вы меня будете учить, господин Уэллс?

5. ЭНЦИКЛОПЕДИЯ

Смысл жизни: «целью всего является развитие». В начале было...

Ноль: пустота.

Пустота развивалась и стала материей. И это дало...

Единица: минерал.

Этот минерал развивался и стал живым. И это дало...

Двойка: растение.

Растение развивалось и стало двигаться. И это дало...

Тройка: животное.

Животное развивалось и стало сознательным. И это дало...

Четверка: человек.

Человек развивался, чтобы его сознание позволило ему обрести мудрость. И это дало...

Пятерка: духовный человек.

Духовный человек развивался и стал полностью освобожденным от всего материального. И это дало...

Шестерка: ангел.

Эдмонд Уэллс.
«Энциклопедия относительного
и абсолютного знания», том 4

6. ЭДМОНД УЭЛЛС

— Значит, я 6?

— Значит, ты ангел, — поправляет Эдмонд Уэллс.

— Я всегда представлял себе ангелов с ореолом вокруг головы и крылышками за спиной.

— Этот образ соответствует древним представлениям. Ореол произошел от металлических пластин, которыми римляне защищали статуи христианских святых от птичьего помета. А что касается крылышек на спине, то они восходят к древней месопотамской традиции, согласно которой эти спинные отростки свидетельствовали о принадлежности к высшему миру. Так, были крылатые лошади, быки и львы...

— А что это меняет для меня?

Я смотрю на свою руку. Радужное свечение, которого я до сих пор не замечал, окружает все мое тело синими переливами.

— Физические изменения — не самое главное, — продолжает Эдмонд Уэллс, — это новое состояние, прежде всего меняет твое видение всего сущего.

Эдмонд Уэллс объясняет подробнее, в чем будет заключаться моя новая работа. Три души, инкарнированные в людей, будут переданы на мое попечение. А я должен сделать так, чтобы хоть одна из них эволюционировала до 600 пунктов и вышла таким образом из цикла реинкарнаций. Я должен наблюдать за этими тремя земными жизнями, сопровождать их и помогать им. После их кончины я должен буду выступить их адвокатом на Страшном суде трех архангелов.

— Как только что Эмиль Золя защищал меня?

Эдмонд Уэллс кивает.

— Благодаря своему успеху Эмиль Золя может перейти на более высокий уровень развития ангелов.

Теперь я понимаю, почему Золя был так настойчив на суде и вышел таким окрыленным.

— А что это за «более высокий уровень развития ангелов»?

Мой наставник поясняет, что на каждом этапе я буду получать особые сведения. Если я хочу быть посвященным в более высокий мир, мне необходимо сперва преуспеть в карьере ангела.

Продолжая беседовать, мы достигаем конца туннеля. Выход из него залит таким же синим светом, как и вход. Перед нами простирается страна ангелов.

«Ангелы? Нет, сожалею, я в них не верю. Это все вопрос моды. В некоторые моменты в моде ангелы, в другие — инопланетяне. Это просто повод для размышления суеверным и тем, кому делать нечего. В это время они забывают про безработицу и экономический кризис».

Источник:
некто во время опроса
общественного мнения на улице

7. СТРАНА АНГЕЛОВ

Я любуюсь огромной панорамой, открывшейся взгляду.

— Ты не обязан ходить по поверхности, — объясняет Эдмонд Уэллс. — Здесь нет силы притяжения, а сами мы не материальны. Ты можешь перемещаться в пространстве куда хочешь и как хочешь.

Если бы поверхность не была полупрозрачной, с молочным оттенком, можно было бы подумать, что находишься на «нормальной» человеческой территории.

Эдмонд Уэллс указывает мне несколько ориентиров.

— На западе раскинулась равнина, где ангелы прогуливаются, когда хотят пообщаться друг с другом.

На севере — крутые горы с огромными пещерами, где ангелы могут побыть в одиночестве, когда они не хотят, чтобы их беспокоили. Пойдем поднимемся.

Отсюда местность чем-то напоминает глаз. Посередине длинной белой миндалины находится круг бирюзового цвета, похожий на радужную оболочку. Это лес голубовато-зеленых деревьев.

А в середине этой оболочки, как блестящий зрачок, находится черное озеро. Но в отличие от человеческого зрачка озеро не круглое. Оно имеет форму... сердца. У меня такое впечатление, что Рай — это бирюзовый глаз, глядящий на меня черным зрачком — сердцем.

— Это озеро Зачатий, — говорит Эдмонд Уэллс.

Мы приближаемся к этому месту. Окружающие его бирюзовые деревья похожи на сосны с густыми и плоскими вершинами.

Под деревьями видны ангелы. Чаще всего они сидят, поджав ноги, в метре над поверхностью, под ветвями. Перед ними три сферы, расположенные в форме треугольника. Ангелы их рассматривают с видимым интересом. Некоторые нервничают, другие возбуждены, и то и дело смотрят то на одну, то на другую сферу.

Тысячи ангелов расположились так на протяжении многих километров. Я рассматриваю их, но мой инструктор тянет меня выше.

— А что это за деревья?

— Это не совсем деревья, они улучшают прием и передачу волн с Земли и обратно.

Он делает резкий вираж. На юге я вижу долины, где ангелы собираются на свои собрания.

Мы меняем направление. На востоке находится другой вход, сияющий отблесками зеленого бриллианта. Все там полупрозрачное и светящееся, в бликах отражений. Черная вода озера, бирюзовые деревья, перламутрово-белая поверхность.

— А что это за «более высокий уровень развития ангелов»?

Мой наставник поясняет, что на каждом этапе я буду получать особые сведения. Если я хочу быть посвященным в более высокий мир, мне необходимо сперва преуспеть в карьере ангела.

Продолжая беседовать, мы достигаем конца туннеля. Выход из него залит таким же синим светом, как и вход. Перед нами простирается страна ангелов.

«Ангелы? Нет, сожалею, я в них не верю. Это все вопрос моды. В некоторые моменты в моде ангелы, в другие — инопланетяне. Это просто повод для размышления суеверным и тем, кому делать нечего. В это время они забывают про безработицу и экономический кризис».

Источник:
некто во время опроса
общественного мнения на улице

7. СТРАНА АНГЕЛОВ

Я любуюсь огромной панорамой, открывшейся взгляду.

— Ты не обязан ходить по поверхности, — объясняет Эдмонд Уэллс. — Здесь нет силы притяжения, а сами мы не материальны. Ты можешь перемещаться в пространстве куда хочешь и как хочешь.

Если бы поверхность не была полупрозрачной, с молочным оттенком, можно было бы подумать, что находишься на «нормальной» человеческой территории.

Эдмонд Уэллс указывает мне несколько ориентиров.

— На западе раскинулась равнина, где ангелы прогуливаются, когда хотят пообщаться друг с другом.

На севере — крутые горы с огромными пещерами, где ангелы могут побыть в одиночестве, когда они не хотят, чтобы их беспокоили. Пойдем поднимемся.

Отсюда местность чем-то напоминает глаз. Посередине длинной белой миндалины находится круг бирюзового цвета, похожий на радужную оболочку. Это лес голубовато-зеленых деревьев.

А в середине этой оболочки, как блестящий зрачок, находится черное озеро. Но в отличие от человеческого зрачка озеро не круглое. Оно имеет форму... сердца. У меня такое впечатление, что Рай — это бирюзовый глаз, глядящий на меня черным зрачком — сердцем.

— Это озеро Зачатий, — говорит Эдмонд Уэллс.

Мы приближаемся к этому месту. Окружающие его бирюзовые деревья похожи на сосны с густыми и плоскими вершинами.

Под деревьями видны ангелы. Чаще всего они сидят, поджав ноги, в метре над поверхностью, под ветвями. Перед ними три сферы, расположенные в форме треугольника. Ангелы их рассматривают с видимым интересом. Некоторые нервничают, другие возбуждены, и то и дело смотрят то на одну, то на другую сферу.

Тысячи ангелов расположились так на протяжении многих километров. Я рассматриваю их, но мой инструктор тянет меня выше.

— А что это за деревья?

— Это не совсем деревья, они улучшают прием и передачу волн с Земли и обратно.

Он делает резкий вираж. На юге я вижу долины, где ангелы собираются на свои собрания.

Мы меняем направление. На востоке находится другой вход, сияющий отблесками зеленого бриллианта. Все там полупрозрачное и светящееся, в бликах отражений. Черная вода озера, бирюзовые деревья, перламутрово-белая поверхность.

— А что это за «более высокий уровень развития ангелов»?

Мой наставник поясняет, что на каждом этапе я буду получать особые сведения. Если я хочу быть посвященным в более высокий мир, мне необходимо сперва преуспеть в карьере ангела.

Продолжая беседовать, мы достигаем конца туннеля. Выход из него залит таким же синим светом, как и вход. Перед нами простирается страна ангелов.

«Ангелы? Нет, сожалею, я в них не верю. Это все вопрос моды. В некоторые моменты в моде ангелы, в другие — инопланетяне. Это просто повод для размышления суеверным и тем, кому делать нечего. В это время они забывают про безработицу и экономический кризис».

Источник:
некто во время опроса
общественного мнения на улице

7. СТРАНА АНГЕЛОВ

Я любуюсь огромной панорамой, открывшейся взгляду.

— Ты не обязан ходить по поверхности, — объясняет Эдмонд Уэллс. — Здесь нет силы притяжения, а сами мы не материальны. Ты можешь перемещаться в пространстве куда хочешь и как хочешь.

Если бы поверхность не была полупрозрачной, с молочным оттенком, можно было бы подумать, что находишься на «нормальной» человеческой территории.

Эдмонд Уэллс указывает мне несколько ориентиров.

— На западе раскинулась равнина, где ангелы прогуливаются, когда хотят пообщаться друг с другом.

На севере — крутые горы с огромными пещерами, где ангелы могут побыть в одиночестве, когда они не хотят, чтобы их беспокоили. Пойдем поднимемся.

Отсюда местность чем-то напоминает глаз. Посередине длинной белой миндалины находится круг бирюзового цвета, похожий на радужную оболочку. Это лес голубовато-зеленых деревьев.

А в середине этой оболочки, как блестящий зрачок, находится черное озеро. Но в отличие от человеческого зрачка озеро не круглое. Оно имеет форму... сердца. У меня такое впечатление, что Рай — это бирюзовый глаз, глядящий на меня черным зрачком — сердцем.

— Это озеро Зачатий, — говорит Эдмонд Уэллс.

Мы приближаемся к этому месту. Окружающие его бирюзовые деревья похожи на сосны с густыми и плоскими вершинами.

Под деревьями видны ангелы. Чаще всего они сидят, поджав ноги, в метре над поверхностью, под ветвями. Перед ними три сферы, расположенные в форме треугольника. Ангелы их рассматривают с видимым интересом. Некоторые нервничают, другие возбуждены, и то и дело смотрят то на одну, то на другую сферу.

Тысячи ангелов расположились так на протяжении многих километров. Я рассматриваю их, но мой инструктор тянет меня выше.

— А что это за деревья?

— Это не совсем деревья, они улучшают прием и передачу волн с Земли и обратно.

Он делает резкий вираж. На юге я вижу долины, где ангелы собираются на свои собрания.

Мы меняем направление. На востоке находится другой вход, сияющий отблесками зеленого бриллианта. Все там полупрозрачное и светящееся, в бликах отражений. Черная вода озера, бирюзовые деревья, перламутрово-белая поверхность.

— Сапфировая дверь является входом в страну ангелов, это через нее ты пришел.

Эдмонд Уэллс указывает на сияющий зелеными вспышками грот на востоке.

— Изумрудная дверь — это выход. Через нее ты уйдешь, когда выполнишь свою задачу ангела. Давай побеседуем на западной равнине. Я знаю там тихий уголок, где мы сможем удобно расположиться.

Первый урок Эдмонда Уэллса посвящен секретам цифр. Он объясняет, что форма цифр, используемых на Западе, индийского происхождения и она указывает на ход развития жизни. Горизонтальная черта обозначает привязанность, кривая — любовь, пересечение — выбор.

1: минерал. Простая вертикальная черта без изгибов и горизонтальных черт. Ни привязанности, ни любви. У минерала нет чувств.

2: растение. Линия привязанности к земле: корни, удерживающие растение на почве. Наверху кривая любви, повернутая к небу: листья и цветы любят свет.

3: животное. Две кривых любви. Животное любит землю и любит небо. Но нет горизонтальной черты, оно ни к чему не привязано. Поэтому оно раздираемо лишь своими эмоциями.

У меня такое ощущение, что я уже слушал эти объяснения. Почему мне их повторяют? Или меня за дурака считают?

— Послание, передаваемое нам в форме индийских цифр, кажется тебе простым, — продолжает Эдмонд Уэллс, — однако оно несет в себе все загадки и секреты, все тайны эволюции сознания. Именно поэтому оно является основополагающим, и важно постоянно к нему возвращаться. Мир развивается в соответствии с символикой индийских цифр.

Эдмонд Уэллс возвращается к своим рисункам, начертанным прямо на облаках.

4: человек. Его символ — крест. Потому что у него есть выбор. Он находится на перекрестке, где нужно принять решение, куда пойти. Перед человеком стоит выбор: опуститься на животный уровень или перейти на более высокую стадию.

Кончиками пальцев мой наставник рисует 5.

5: мудрец. У него есть горизонтальная линия привязанности к небу и кривая любви к земле. Он летает в мыслях и любит мир...

— Можно сказать, это противоположность 2, — говорю я, включившись, наконец, в усвоение материала.

— ...5 имеет тенденцию... всегда стремиться ко все большему сознанию. Больше свободы. Больше сложности. 5 хочет освободиться от оков плоти, которая причиняет ему страх и боль. Он хочет стать 6.

Он рисует 6.

— 6 — это одна сплошная кривая. Кривая любви, поскольку ангел любит. Посмотри на эту спираль. Ее любовь исходит сверху, с неба, спускается вниз, к земле, и поднимается к центру. Это любовь, которая делает круг, чтобы вернуться и полюбить саму себя.

— 6 все такие?

— Нет. Все 6 способны к этому, вот и все. И я очень надеюсь изменить тебя таким образом, чтобы ты стал достойным этой цифры.

— А 7?

Эдмонд Уэллс тут же нахмурился.

— На сегодня твой урок заканчивается на 6. Ты можешь знать лишь то, чем являешься. Сконцентрируйся на своей сегодняшней задаче, вместо того чтобы разбрасываться. Я не могу отвечать на любые вопросы. Пошли!

Он поднимается над поверхностью. Мне нужно привыкнуть к этой способности направлять тело в трех измерениях, как в подводном плавании. Только под водой все движения замедленны и утяжелены из-за трения о воду, а здесь каждый жест легок и невесом.

Есть и другие особенности, к которым я тоже должен привыкнуть. Например, не дышать. Я замечаю, что мое тело почти бессознательно колышется в ритм вдохов и выдохов. Мои легкие, как скрытый метроном, отсчитывали всю мою жизнь. Здесь их больше нет. Я нахожусь в бесконечном времени, в нематериальном теле.

Эдмонд Уэллс заявляет, что теперь мы пойдем выбирать фигуры, которыми я буду играть мою партию. Он приводит меня к поверхности черного озера в форме сердца. Присмотревшись, я различаю отражающиеся на поверхности изображения. Озеро является чем-то вроде огромного экрана, разбитого на тысячи маленьких экранов. И на каждом экране свивающиеся в объятиях, движущиеся обнаженные тела. Я хочу протереть отсутствующие глаза. Я не сплю, все это пары, занимающиеся любовью.

— Это что... уголок порнофильмов?

Он пожимает плечами.

— Это озеро Зачатий. Здесь ты выберешь родителей тех, кто будет на твоем попечении.

Вокруг нас другие ангелы в сопровождении своих наставников летают над озером и рассматривают отражающиеся на поверхности изображения.

— Глядя, как они занимаются любовью?

— Вот именно. Но сперва я должен сообщить тебе большой секрет. Рецепт души.

8. ЭНЦИКЛОПЕДИЯ

Рецепт души: вначале человеческая душа определяется тремя факторами — наследственность, карма, свободный выбор. Как правило, сперва они представлены в следующей пропорции:

25% наследственность;

25% карма;

50% свободный выбор.

Наследственность: в начале пути душа на четверть определяется качеством генов, образованием, местом жизни и окружением, зависящими от родителей.

Карма: в начале пути душа на четверть определяется элементами, оставшимися от предыдущей жизни, неосознанными желаниями, ошибками, ранами и т.д., которые все еще тревожат ее подсознание.

Свободный выбор: в начале пути душа выбирает наполовину свободно то, что она делает, без какого-либо влияния извне.

25%, 25%, 50% — таково соотношение в начале. С 50% свободного выбора человек может впоследствии изменить этот рецепт. Он может освободиться от влияния наследственности, избавившись в молодом возрасте от власти родителей. Или освободиться от своей кармы, отказавшись обращать внимание на подсознательные пульсации. Наоборот, он может отказаться от свободного выбора и стать игрушкой в руках родителей или своего подсознания.

Таким образом, круг замыкается. Высший парадокс: человек со свободным выбором может отказаться от... свободного выбора.

Эдмонд Уэллс.
«Энциклопедия относительного
и абсолютного знания», том 4

9. ТРИ ЗАЧАТИЯ:
ДО РОЖДЕНИЯ — 9 МЕСЯЦЕВ

Я смотрю на это возбужденное кипящее человечество. Если я правильно понял, сделав выбор пар, я определю 25% наследственности своих подопечных.

Я парю над озером Зачатий. Рассматриваю экраны. Здесь есть пары со всех континентов, из всех стран, всех национальностей. Некоторые вытянулись на кроватях, другие расположились на кухонных столах, в кабинах лифтов, на пляжах, в лесной чаще...

Странные изображения людей в моменты, считающиеся самыми тайными и интимными. Как выбрать? Привыкнув полагаться на интуицию, я останавливаюсь на паре, движения которой мне кажутся гармоничными. Мужчина брюнет, лицо бледное и тяжелое. Женщина тоже брюнетка, с длинными волосами, симпатичная. Я указываю на них пальцем.

— Вот эти, — говорю я.

Эдмонд Уэллс сообщает мне, что это французская семья из Перпиньяна. Фамилия Немро. Владельцы книжного магазина среднего достатка. Многочисленная семья. Четыре дочери. Кошка. Мой инструктор легонько стукает по экрану, чтобы дать знать, что это зачатие зарезервировано.

— Теперь никакой другой ангел не сможет у тебя его забрать.

Затем он исследует ДНК родителей и сообщает мне результат:

— Ммм...

— Что?

— Ничего серьезного. Болезни дыхательных путей со стороны отца. Покашливать будет.

— А со стороны матери?

Мой учитель снова берется за работу.

— Рыжие волосы.

41

Он проецирует в моем сознании ускоренное изображение встречи сперматозоида и яйцеклетки. Я вижу, как двадцать три мужских хромосомы соединяются с двадцатью тремя женскими.

— А это будет мальчик или девочка?

Он подсчитывает слияние двух гамет и объявляет:

— XY, это будет мальчик. Перейдем к следующему.

Я долго ищу и останавливаюсь на паре с кожей цвета меда. Они оба такие красивые в своей наготе, что из их слияния не может не родиться замечательный ребенок.

— Черные американцы из Лос-Анджелеса, — говорит Эдмонд Уэллс. — Мать — манекенщица, отец — актер. Семья Шеридан. Богатые. Крупная буржуазия. Это будет их первый ребенок, которого очень ждут. Чтобы зачать, мать проходила долгое лечение в специализированной клинике, поскольку опасалась, что она стерильна. ДНК родителей более чем удовлетворительные. Физических недостатков нет. XX, это будет девочка.

Я думаю о том, что эта классификация на XX и XY была описана еще в Библии. Знаменитое «ребро» Адама, возможно, лишь нижняя черта X, удаление которой превращает ее в Y.

Опять интуитивно я выбираю последнюю пару.

— Русские из Санкт-Петербурга, — сообщает Эдмонд Уэллс. — Чеховы. Бедная семья. Отец и мать безработные. Это будет их первый ребенок. Родители знакомы недавно и живут раздельно. Скорее всего ребенка будет воспитывать лишь один из них. Прекрасные ДНК родителей. XY, это будет очень крепкий мальчик.

Эдмонд Уэллс приступает к различным уточнениям, подключившись к идущим с Земли волнам, которые знает лишь он один. Он поднимает голову и изрекает:

42

— Два мальчика, одна девочка. Хороший набор. У француза будет плохое здоровье, у американки в норме, у русского прекрасное. Таким образом, мы сможем проверить влияние физического состояния на личность.

Он потирает руки.

— Замечательно, просто замечательно! — восклицает он, мысленно заполняя и отправляя в мое сознание три карточки.

Он снова сосредоточивается на мгновение и добавляет:

— Как я уже могу сказать, француза назовут... Жак, американку... Венера, а русского... Игорь. Да, вот и три хороших клиента.

— Клиента?

— Это принятый здесь технический термин для обозначения душ, находящихся на твоем попечении. Потому что мы в некотором роде адвокаты, защищающие своих клиентов.

— И какая будет у меня теперь задача в отношении этих «клиентов»?

— Ждать семь месяцев, чтобы посмотреть, какую они получат карму.

— Семь месяцев, это долго!

— Это там, внизу, не здесь. Здесь время относительно, а не абсолютно.

Он усмехается.

— Впрочем, время относительно для всех, потому что каждый воспринимает его по-разному.

Он начинает цитировать по памяти:

— «Чтобы узнать цену года, спроси студента, который провалился на экзамене.

Чтобы узнать цену месяца, спроси мать, родившую преждевременно.

Чтобы узнать цену недели, спроси редактора еженедельника.

Чтобы узнать цену часа, спроси влюбленного, ждущего свою возлюбленную.

Чтобы узнать цену минуты, спроси опоздавшего на поезд.

Чтобы узнать цену секунды, спроси того, кто потерял близкого человека в автомобильной катастрофе.

Чтобы узнать цену одной тысячной секунды, спроси серебряного медалиста Олимпийских игр».

Мой наставник весело добавляет:

— А чтобы узнать цену человеческой судьбы, спроси своего ангела-наставника. Мы не цепляемся к незначительным обстоятельствам — всем этим мелким моментам жизни своих клиентов. Мы обращаем внимание на важные моменты, определяющие выбор.

Эдмонд Уэллс удаляется. У него есть и другие начинающие ангелы, которых нужно проинструктировать.

Я остаюсь на месте, завороженный, глядя на отражающиеся в озере Зачатий тысячи пар, занимающихся любовью, на зачатие будущего человечества. Мне хочется приободрить их, ведь чем больше они получат удовольствия от этих зачатий, тем удачнее будут их дети.

10. ЭНЦИКЛОПЕДИЯ

Яйцеклетка. Долгое время считалось, что яйцеклетку оплодотворяет самый быстрый из сперматозоидов. Теперь мы знаем, что это не так. Примерно сотня сперматозоидов одновременно приближается к яйцеклетке, которая заставляет их ждать на своей поверхности. Как в зале ожидания.

Чего она ждет?

Она занята тем, что делает свой выбор. А каков критерий выбора? Это было установлено совсем недавно.

Яйцеклетка выбирает сперматозоид, генетическая формула которого наиболее отлична от ее собственной. Как будто бы уже на этой начальной стадии наши клетки знают, что природа обогащается различиями, а не подобиями. Выбирая самый «чужой» сперматозоид, яйцеклетка повинуется первой биологической мудрости: избежать проблем единокровия. Ведь чем ближе друг к другу две генетические формулы, тем больше риск заболевания связанными с единокровием болезнями.

Эдмонд Уэллс.
«Энциклопедия относительного
и абсолютного знания», том 4

11. НЕОЖИДАННАЯ ВСТРЕЧА

— Ну что, развратник, кайфуешь?

Я подскочил на месте. Этот голос!

— Все эти совокупляющиеся смертные, тошнит просто. Потеют, стонут. И потом... обидно, в конце концов, видеть всех этих трахающихся людей, когда мы уже никогда не узнаем земных наслаждений.

Я оборачиваюсь.

Рауль РАЗОРБАК!

Расхлябанный, худой, с вытянутым прямоугольным лицом, тонким носом и хищной физиономией. Не перестает играть длинными и тонкими пальцами. Он совершенно не изменился с тех пор, как я встретил его в последний раз на кладбище Пер-Лашез. Он всегда покорял меня. Его самоуверенность, развязность, вера в себя и в свои мечты исследователя изменили смысл моей жизни.

— Рауль, ты-то что здесь делаешь?

Он спокойно уселся и обнял колени руками.

— Я попросил, чтобы меня реинкарнировали в растение, хотел немного отдохнуть. И это право было мне предоставлено в виде исключения. Так я стал виноградной лозой, давал виноград, мои плоды собирали. Превращенный в вино, я был выпит. Потом я вернулся сюда, сохранив весь запас пунктов. Мой ангел-хранитель сделал все необходимое, чтобы я получил статус ангела.

— Если бы я знал, что встречу тебя в Раю!

— В Раю? Ты шутишь! Этот Рай хуже дома престарелых! Все такие добренькие и все такое. Скука, да и только. Давай смываться отсюда и продолжать исследование вселенной, черт ее побери!

Он горячится и размахивает руками.

— Здесь все забюрократизировано. Они управляют, подглядывают, следят за смертными. А ты говоришь, удовольствие! Я больше всего боялся стать функционером. Ах, Мишель, мы бы лучше вернулись на Землю и сыграли в Великих Посвященных. Нас надули. Ангелы, ха! А если не реагировать, останемся здесь на сто тысяч лет, наблюдать клиента за клиентом. Это же каторга!

Он все такой же неистовый. Как я рад встретить своего лучшего друга. Я чувствую облегчение. Я больше не один. Друг снизу, которого находишь наверху, это действительно удача.

Он простирает руки к окружающим горным грядам.

— Уверяю тебя, это самая чудовищная из тюрем. Смотри, мы зажаты в этих стенах. Да, мы в Аду!

— Рауль, ты богохульствуешь.

— Да нет же. Я прекрасно знаю, что Ада не существует, но, честно говоря, я об этом жалею. Было бы веселее оказаться среди кипящих котлов, окруженным сладострастными голыми женщинами, гарпиями и дьяволицами, в разгульной красноватой обстановке. Немного как на Третьем небе, помнишь? А вместо этого все только белое и синее, облака и прозрачные компаньоны, и ничего веселого на горизонте. Эх, тикать отсюда, валить, двигаться, отправиться на поиски приключений исследователей двадцать первого века. Отодвинуть границы познанного. Подхватить знамя танатонавтов. Идти дальше и дальше к Неизведанному.

Он обнимает меня рукой за плечи.

— С тех пор как существует человечество, были люди, хотевшие знать, «что находится за горой». И мы с тобой, Мишель, принадлежим к тем, кто первым отправляется посмотреть, а что же там. Мы были первопроходцами и останемся ими. Итак, друг мой, я предлагаю тебе отправиться на поиски новой terra incognita.

Я внимательнее смотрю на Рауля. Он сохранил свои манеры Шерлока Холмса, а я рядом с ним похож на верного доктора Ватсона. Какое еще приключение он мне предложит? Попав в Рай, мы узнали все, что можно узнать, что еще мы можем исследовать?

«Смерть? Да, я о ней думаю. Я хотел бы умереть во сне. Я засыпаю, я думаю, что мне снится сон, и я умираю. Я хотел бы, чтобы потом меня сожгли. Это обойдется дешевле моей семье. Они поставят урну с прахом на камин, и им не нужно будет ухаживать за могилой. Что касается наследства... ммм! Ну хорошо, я вам скажу. Я спрятал деньги в статуе бегемота, которая стоит в нише за большим комодом в стиле Людовика XV. Достаточно его отодвинуть. Тот, кто найдет клад, может оставить его себе».

Источник:
некто во время опроса
общественного мнения на улице

12. ВЫБОР ДУШ.
2 МЕСЯЦА ДО РОЖДЕНИЯ

Эдмонд Уэллс теребит меня за плечо.

— В телах твоих клиентов должны вот-вот появиться души. Нельзя терять ни минуты. Следуй за мной.

Я покидаю Рауля. Мой инструктор ведет меня в спокойное место на юге и просит сесть по-турецки. Отсюда видна вся страна ангелов.

— Прекрасное место, чтобы спокойно наблюдать за развитием событий.

Он берет мои ладони и поворачивает их к небу. Происходит нечто необычайное. Три сферы летят к нам из-за горизонта и располагаются между моими ладонями. Одна над левой ладонью, другая над правой, а третья над ними, точно посередине. Все вместе образуют парящий треугольник.

— С помощью этих сфер ты не только увидишь души своих клиентов, но и сможешь слышать и контролировать их.

Он трет по очереди три шара, и они освещаются. Внутри я различаю моих клиентов, как если бы у меня была видеокамера, способная снимать в животе матери. Мои сферы оранжевого цвета, поскольку клиенты еще плавают в животах матерей.

— Я тебе скажу другое выражение из жаргона ангелов. Эти сферы контроля над душами, которые ты держишь, называются «яйца». Потому что мы высиживаем их, как яйца.

Эдмонд Уэллс садится рядом со мной.

— Пришло время получения души.

— Душу можно выбрать?

Он улыбается.

— Нет. На этот раз в дело вступает высший мир, мир 7.

Мы ждем. Одна за другой, сферы начинают светиться, как будто бы они получили электрический разряд. Эдмонд Уэллс разглядывает первую сферу, которая только что зажглась, и объявляет, что Жак получил душу индейца, прожившего свою последнюю жизнь сто лет назад. Он был странствующим сказочником и ходил от племени к племени, рассказывая детям легенды своего народа. Он был захвачен врасплох, когда на лагерь напали золотоискатели. Он спрятался, но нападавшие нашли и схватили его. Они отрезали его длинные черные косички, пропитанные медвежьим салом, которыми он так гордился, а потом повесили его на дереве.

Количество пунктов при взвешивании души: 350.

Эдмонд Уэллс рассматривает вторую засветившуюся сферу. Игорь получил душу французского астронавта. Он был одиноким человеком. У него было трудное детство и сварливая мать. Он сидел в тюрьме, но вышел на свободу благодаря тому, что вызвался добровольцем в смертельно опасные космические путешествия. Он покончил с собой из-за несчастной любви во время одной особенно опасной экспедиции...

Количество пунктов при взвешивании души: 470.

Что касается третьей сферы, которая только что зажглась, то Венера получила душу богатого китайца, исчезнувшего более двух веков назад. Он был эпикурейцем, но имел слабое здоровье. В жизни у него было только две страсти: вкусная еда и красивые женщины. Он дружил с самим императором и посещал сильных мира сего в Запретном городе. Во время одного из путешествий в провинцию его схватили разбойники. Они ограбили его, а потом закопали живьем в землю. Он долго пытался выбраться наружу. Жуткая смерть.

Количество пунктов при взвешивании души: 320.

— Отличный набор, — говорит Эдмонд Уэллс. — У двух из твоих душ больше 333 пунктов.

— И что это значит, 333 пункта?

— Это средний уровень сознания человечества. Если сложить пункты душ всех шести миллиардов живущих на Земле и вычислить среднее арифметическое, получится 333. Это означает, что большинство людей все же ближе к потолку, чем к полу... Наше дело — увеличивать это среднее значение, — ободряет меня мой наставник.

Я смотрю на своих клиентов в их «яйцах».

— Конечная цель, — продолжает Уэллс, — поднять их уровень сознания. Когда поднимается одна душа, поднимается все человечество.

— Вы хотите сказать, что если мне удастся поднять уровень хотя бы одного из моих клиентов, то все человечество сможет перейти от 333 к 334?

— Прогресс не происходит так быстро. Необходимо, чтобы сразу много людей эволюционировали одновременно, чтобы среднее значение увеличилось на один пункт, — объясняет учитель.

Он говорит, что я должен присутствовать при рождении моих подопечных, чтобы сразу после того, как они выйдут из живота матери, поставить им печать ангела. Этим жестом будет связан наш договор между ангелом-хранителем и хранимым смертным. С этого момента они смогут забыть свою предыдущую карму.

— Тебе достаточно надавить у них под носом, чтобы осталась ямочка.

Он показывает пальцем этот жест на моем лице.

— Но потом возвращаться на Землю запрещается, — сурово говорит он. — Запрещается!

13. ЭНЦИКЛОПЕДИЯ

В 1974 году философ и психолог Анатолий Рапапорт из университета Торонто сформулировал идею, согласно которой наиболее эффективным способом поведения в отношении другого человека являются: 1) сотрудничество; 2) взаимоуважение; 3) прощение. Другими словами, когда человек, или структура, или группа встречают другого человека, структуру или группу, они заинтересованы в том, чтобы предложить альянс, затем согласно правилу взаимоуважения дать другому то, что получил от него. Если другой помогает, ему тоже помогают, если другой агрессивен, он получает в ответ такую же агрессию. Затем необходимо простить и вновь предложить сотрудничество.

В 1979 году математик Роберт Аксельрод организовал турнир между автономными компьютерными программами, способными вести себя как живые люди. Единственное требование: каждая программа должна быть снабжена стандартным коммуникационным обеспечением, подпрограммой, позволяющей общаться с соседями.

Аксельрод получил четырнадцать дискет с программами своих ученых коллег, заинтересовавшихся соревнованием. У каждой программы были различные законы поведения (у самых простых код поведения умещался в две строчки, у самых сложных — в сотню строк). Целью было набрать как можно больше пунктов. У некоторых программ правилом было как можно скорее эксплуатировать другого, украсть его пункты, а потом сменить партнера. Другие пытались выкрутиться сами, сохраняя свои пункты, избегая контактов со всеми, кто мог их обокрасть. Были и такие правила: «Если другой враждебен, его надо предупредить, чтобы он прекратил это, а потом наказать». Или: «Сотрудничать, а потом неожиданно предать».

Каждая программа была 200 раз противопоставлена каждому из конкурентов.

Всех победила программа Анатолия Рапапорта, оборудованная правилом поведения СВП (сотрудничество, взаимоуважение, прощение).

Более того. Программа СВП, помещенная наугад среди других программ, вначале проигрывала агрессивным программам, но в итоге побеждала и даже становилась «заразной», если ей давали достаточно времени. Соседние программы, видя, что она наиболее эффективна, в конце концов начинали применять тот же подход.

Так что в долговременной перспективе правило СВП является наиболее рентабельным. Каждый может это проверить на собственном опыте. Это значит, что нужно забыть все неприятности, которые вам причиняет коллега по работе или конкурент, и продолжать предлагать ему работать совместно, как будто ничего не произошло. Со временем этот метод обязательно окупается. И это не вежливость, это в ваших собственных интересах. Что и было подтверждено с помощью компьютера.

Эдмонд Уэллс.
«Энциклопедия относительного
и абсолютного знания», том 4

14. ЗАРОДЫШ ЖАКА. 2 МЕСЯЦА ДО РОЖДЕНИЯ

Смотри-ка, как странно... Я плаваю. Я в мешке, наполненном матовой жидкостью. Моя мать? Несомненно.

Я вспоминаю свое предыдущее существование. Я был американским индейцем. По вечерам я рассказывал истории. Потом пришли белые люди. Они меня убили. Повесили.

Теперь я снова вернусь в мир. Но где? В какой стране, в какой эпохе, кто мои родители? Мне тоскливо.

Наверху что-то говорят. Это, наверное, моя новая мать. Что она говорит? Я удивляюсь, что так хорошо ее понимаю. Мама говорит обо мне. Она говорит, что назовет меня Жак. Она говорит, что ночью я толкаюсь ногами и она видит кончики моих пальцев на своем животе. Ага! Ей это нравится? Очень хорошо, ну-ка, побрыкаюсь.

Она говорит, что хочет попробовать аптономию.

— Что это такое, аптономия? — спрашивает ее подруга.

— Техника, позволяющая отцу участвовать в беременности. Он кладет обе руки на живот жены и благодаря этому контакту сообщает зародышу о присутствии другого человека, внимательного к нему.

Это правда. Еще вчера я почувствовал эти руки. Значит, есть не только мама, но и папа.

Мама объясняет, что я, маленький Жак, прекрасно узнаю руки отца и тут же укладываюсь в них, как только он их положит на ее живот.

Я дергаю за пуповину. Мне здесь скучно. Я спрашиваю себя, как там, наверху?

15. ЗАРОДЫШ ВЕНЕРЫ.
2 МЕСЯЦА ДО РОЖДЕНИЯ

Значит, я существую.

Это странно. Я знаю, что я всего лишь зародыш, и, однако, я что-то чувствую. Не снаружи. Рядом со мной.

Мне тесно, а я этого не выношу. Меня раздражает, что мое тело не может двигаться. Я пытаюсь изо всех сил определить, что мне мешает, и вдруг обнаруживаю, что рядом со мной находится мой брат-близнец.

У меня есть брат-близнец!

Я догадываюсь, что мы соединены с мамой нашими пуповинами, но, кроме того, о чудо, мы соединены между собой. Значит, мы можем общаться.

— Ты кто?

— А ты кто?

— Я маленькая девочка в животе матери.

— А я маленький мальчик.

— Я очень рада, что не одна. Я всегда думала, что жизнь зародыша — это одиночество.

— Хочешь, я расскажу тебе о себе?

— Конечно.

— В моей прошлой жизни я покончил с собой. Мне, правда, оставалось еще мотать срок, поэтому меня отправили сюда, чтобы завершить свою карму. А ты?

— Я раньше был старым китайцем, богатым и могущественным мандарином. У меня была куча женщин и слуг.

Я шевелюсь. От этих воспоминаний мне хочется повернуться и вытянуться.

— Я тебе мешаю?

— Действительно, немного тесно. Я тебе, наверное, тоже мешаю.

— Мне все равно, сестренка. Я предпочитаю быть в тесноте, но в хорошей компании, чем одному в этом мраке.

16. ЗАРОДЫШ ИГОРЯ.
2 МЕСЯЦА ДО РОЖДЕНИЯ

Значит, я существую.

Я ничего не вижу. Все вокруг оранжево-красное. И я слышу звуки. Биение сердца. Пищеварение. Голос мамы. Она говорит вещи, которых я не понимаю.

— Я-не-хочу-оставлять-этого-ребенка.

Абракадабра.

Я повторяю много раз эти звуки, пока до меня не доходит их старинное значение, которое позволяет понять их смысл.

Голос мужчины. Это, должно быть, папа.

— Ты просто дура. Ты уже дала ему имя, Игорь. С того момента, как вещи называют, они начинают существовать.

— Сперва я его хотела, а теперь больше не хочу.

— А я тебе говорю, что уже слишком поздно. Раньше надо было думать. Теперь ни один врач тебе аборт не сделает.

— Никогда не поздно. У нас нет бабок, чтобы растить ребенка. Надо от него избавиться немедленно.

Хохот.

— Ты просто скотина! — кричит мать.

— А я тебя уверяю, что ты его полюбишь, — настаивает отец.

Она всхлипывает.

— Я чувствую, как будто у меня в животе опухоль, которая растет и грызет меня изнутри. Мне противно.

Покашливание.

— Да делай что хочешь! — кричит отец. — Надоели мне твои оханья. Я ухожу. Ухожу от тебя. Выкручивайся как хочешь.

Хлопает дверь. Мать плачет, потом завывает.

Проходит какое-то время. И потом вдруг я получаю целую серию ударов кулаком. Папа ушел. Значит, это мать сама себя бьет по животу.

На помощь!

Она меня не убьет. Я пытаюсь отомстить серией жалких пинков ногами. Легко нападать на маленького, особенно когда он в ловушке и не может убежать.

17. ЭНЦИКЛОПЕДИЯ

Аптономия. В конце Второй мировой войны голландский медик Франц Вельдман, которому удалось выжить в концентрационном лагере, решил, что в мире все плохо потому, что детей недостаточно любят с самого раннего возраста.

Он заметил, что отцы, занятые преимущественно работой или войной, редко беспокоятся о своих отпрысках до того, как они станут подростками. Он начал искать способ, как заинтересовать отца, начиная с самого раннего возраста ребенка и даже с периода беременности. Как это сделать? С помощью накладывания рук на живот будущей матери. Он изобрел аптономию, от греческого hapto — касаться, и nomos — закон.

Закон прикосновения.

Посредством нежного прикосновения к коже матери отец может сообщить о своем присутствии ребенку и завязать первые узы с ним. Опыты показали, что, действительно, зародыш очень часто различает среди многих прикосновений те, которые принадлежат его отцу. Самые способные отцы могут даже заставлять ребенка кувыркаться в животе от одной руки к другой.

Создавая на самом раннем этапе треугольник «мать — отец — ребенок», аптономия усиливает ответственность отца. Кроме того, мать чувствует себя менее одинокой в процессе беременности. Она разделяет свой опыт с отцом и может рассказать ему, что чувствует, когда руки супруга ложатся на нее и ребенка.

Аптономия, конечно, не является панацеей для счастливого детства, но она, очевидно, открывает новые пути к большей привязанности друг к другу и матери, и отца, и ребенка. Еще в Древнем Риме был обычай окружать будущую мать кумами (от cum mater — компаньонка матери). Однако очевидно, что лучшим компаньоном матери в период беременности является отец ребенка.

Эдмонд Уэллс.
«Энциклопедия относительного
и абсолютного знания», том 4

18. ИДЕИ РАУЛЯ

Я наблюдаю за своими «яйцами».

Родители Жака используют аптономию. Хорошие условия развития.

Игоря бьют. Очень плохие условия развития.

К моему великому удивлению, у Венеры есть брат-близнец. Я не знаю, хорошо это или плохо.

— Мы здесь теряем время. Станем самими собой. Откроем скрытое от нас. Отодвинем границы познанного, — говорит мне Рауль, который вернулся сразу после того, как Эдмонд Уэллс исчез.

Мои сферы продолжают медленно вращаться передо мной. Я указываю на них движением подбородка.

— Я не буду их держать при себе постоянно. Как мне от них избавиться?

Рауль показывает, что достаточно повернуть руки ладонями вниз, и «яйца» покинут меня и улетят. Они тут же устремляются на северо-восток, как маленькие телеуправляемые самолетики.

— Куда они?

— Куда-то в горы.

Я поворачиваю руки ладонями вверх, и три сферы немедленно появляются из-за горизонта и автоматически располагаются у меня в руках. Я начинаю понимать систему. Рауль раздражается.

— Кончай развлекаться. Мне нужна твоя помощь, Мишель. Вспомни наш лозунг времен танатонавтов: «Все дальше и дальше к неизведанному».

Я поднимаю голову к неправдоподобному небу.

— Нет больше ничего неизведанного. Только ответственность по отношению к нашим зародышам.

Рауль приглашает полететь на восток. Мы изменили место наблюдения, но неизвестность не исчезла. Мы не знаем, что находится над миром ангелов. Мы достигли восточной границы их территории.

— Что ты хочешь сделать?

Кивком головы он указывает на Изумрудную дверь.

— Ты прекрасно знаешь, что мы войдем в эту дверь, когда спасем человеческую душу, — говорю я.

Длинные пальцы Рауля шевелятся в воздухе:

— Ты, значит, еще ничего не понял? Все наши клиенты — кретины, и они никогда не эволюционируют.

19. ЗАРОДЫШ ЖАКА.
1 МЕСЯЦ ДО РОЖДЕНИЯ

Я нервничаю. Как только я начинаю шевелиться внутри матери, я запутываюсь в пуповине. Она обвивается вокруг моей шеи, и тогда я снова переживаю весь ужас того момента, когда меня повесили. Я впадаю в панику, затем застываю. Перестав двигаться, мне как-то удается высвободиться.

20. ЗАРОДЫШ ВЕНЕРЫ.
1 МЕСЯЦ ДО РОЖДЕНИЯ

Жидкость в утробе становится горькой. Что происходит?

— Эгей! близнец! Есть проблема. Ты спишь?

Близнец отвечает не сразу.

— Я чувствую себя усталым, очень усталым... У меня такое ощущение, что я становлюсь пустым изнутри.

Я стараюсь понять, что происходит, потому что я-то питаюсь вкусной пищей. Это жидкость, полная ума, сахара и нежности. Я подскакиваю:

— Я пожираю твою энергию!

— Наверное, это так, — шепчет он. — Мне знаком этот феномен.

Он говорит с трудом.

— Мы переливающиеся близнецы. Я это знаю, потому что в предыдущей жизни я был акушером-гинекологом. У меня остались кое-какие воспоминания.

— Объясни.

— Так вот, между нами есть связь, маленькая трубочка, связывающая нас независимо от матери. Это просто тоненькая вена, но ее достаточно, чтобы между нами происходил обмен жидкостями. Поэтому мы так хорошо ладим друг с другом. Но, несмотря на это, один из двоих, в данном случае ты, не может удержаться, чтобы не высасывать все из другого. Если только нас не вытащат отсюда в ближайшие дни, ты меня полностью выпьешь.

Я содрогаюсь:

— И...

— И я умру.

Он устало замолкает, но я настаиваю:

— А они там, снаружи, в курсе?

— Они, возможно, знают про близнецов, но не знают, что ты мной питаешься. Они нам даже дали вчера имена. Ты спала, а я все слышал. Тебя назовут Венерой, а меня Джорджем. Здравствуй, Венера!

— Э-э... здравствуй, Джордж!

В бешенстве я пытаюсь барабанить.

— Эй там, наверху, снаружи, сделайте что-нибудь! Начинайте роды! Джордж умирает!

Я топаю изо всех сил ногами. Он меня успокаивает:

— Оставь. Слишком поздно. Я буду продолжать жить через тебя. Я буду всегда здесь, в тебе, моя Венера.

21. ЗАРОДЫШ ИГОРЯ.
1 МЕСЯЦ ДО РОЖДЕНИЯ

Я дремлю, слегка прикрыв глаза. Мать плачет. Она говорит сама с собой и пьет много водки. Она напилась, и я тоже немного пьяный. Я думаю, она хочет меня отравить. Но мое тело привыкает и вырабатывает способы сопротивляться этому. Я переношу алкоголь.

Мамаша, тебе не удастся так просто со мной справиться. Я хочу родиться. Мое рождение будет моей местью.

Вдруг я чувствую страшный удар. Я падаю ничком. У меня разбито лицо. Что происходит? Я слышу, как она бормочет: «Я тебя достану, достану... Ты сдохнешь, я добьюсь этого».

Снова удар.

Я пытаюсь понять, что происходит снаружи, и, кажется, догадываюсь. Она падает животом на пол, чтобы меня раздавить!

Я сжимаюсь. Она наконец перестает.

Я жду следующей атаки. На что еще у меня есть право? На вязальную спицу? Держись крепче, Игорь. Держись. Снаружи сейчас так хорошо...

22. ЗАГАДКА «СЕДЬМЫХ»

Рауль подводит меня к старой даме-ангелу, которую я узнаю по фотографиям из газет: мать Тереза.

— На Земле она просто излучала великодушие. Святая из святых. Ну и что, у нее уже четвертая серия клиентов, а она так ничего и не может сделать. Так что если уж мать Тереза не может стать 7, то точно никто не может.

Старушка, действительно, кажется растерянной, глядя на свои сферы, и постоянно издает негромкие восклицания, как будто действительно ошпарилась вареными яйцами, доставая их из кастрюли.

— Эдмонд Уэллс сказал мне, что в жизни мы сталкиваемся только с теми проблемами, которые готовы разрешить.

Рауль строит презрительную мину.

— Думаешь, ты все понял? У нас нет даже достаточно разума, чтобы оценить свое невежество.

— В Желтом мире знания я получил ответы на вопросы, которые задавал себе, когда был смертным. Эдмонд Уэллс научил меня, что смысл эволюции сознания заключен в секрете форм индийских цифр. Вот и все, что нужно понять.

— Ты считаешь? Раньше мы были танатонавтами, духовными людьми. Мы были 5. Теперь мы ангелы, 6. На следующем этапе мы должны стать 7. Однако что такое 7?

— 7 — это существо, набравшее семьсот пунктов, — выпаливаю я наудачу.

Я чувствую, что, если бы не был нематериальным, Рауль стал бы трясти меня как грушу.

— А конкретно, что такое 7? Суперангел? Другая сущность? По-моему, если ты посмотришь на разницу между бедными 5 и нами, 6, есть о чем задуматься по поводу того, кем могут быть эти 7.

Несмотря на всю разгоряченность моего друга, я остаюсь подозрительным. Он принимает мечтательный вид.

— Это должно быть грандиозно, стать 7. Я почитал кое-что. Над ангелами, как пишут, находятся херувимы и серафимы. Там стоит вопрос о господстве, о тронах. Я, однако, думаю, что над ангелами очень даже могли бы быть...

Он переходит на шепот, как бы боясь быть услышанным:

— Боги.

Я узнаю старого друга, всегда любившего выдвигать самые безумные идеи.

— А почему ты говоришь о «богах», а не о «боге»?

Видно, он долго размышлял над этим вопросом.

— На иврите бог называется «EL», а в текстах он нем, однако, пишут «ELOHIM», а это множественная форма.

Мы как будто ходим, переступая ногами над псевдоповерхностью, словно мы на Земле.

— Ты говорил об этом с другими ангелами? Что они думают?

— В этом вопросе ангелы не очень отличаются от смертных. Половина верит в Бога. Треть атеисты, в него не верят. Еще четверть агностики, как и мы, и признают, что не знают, существует Бог или нет.

— Половина, треть и четверть, это немного больше одного целого.

— Нормально. Есть такие, у кого две точки зрения, — говорит мой друг.

Он повторяет по пунктам:

— 4: люди, 5: мудрецы, 6: ангелы, 7: боги. Логично, правда?

Я не отвечаю сразу. Смертным ничего не известно о существовании или несуществовании Бога, у них нет никаких доказательств, так что им лучше оставаться в этом вопросе скромными.

Для Мишеля Пэнсона, которым я был, позиция честного человека заключалась в агностицизме, от agnostos — не уверен. По-моему, агностицизм прекрасно подходит к знаменитому пари Блеза Паскаля, считавшего, что лучше рассчитывать на существование Бога. На Земле я считал, что есть один шанс из двух, что за смертью следует другая жизнь, один шанс из двух, что ангелы существуют, один шанс из двух, что есть Рай. Приключения танатонавтов показали, что я не ошибался. В настоящий момент я не считаю необходимым увеличивать или уменьшать шансы существования Бога. Для меня Бог — это гипотеза с пятидесятипроцентной вероятностью.

Рауль продолжает:

— Здесь говорят, что «сверху» поступила директива: больше никаких чудес, мессий, пророков, новых религий. У кого же может быть столько власти и видения времени, чтобы принять подобное решение, если не у Бога или богов?

Рауль доволен произведенным эффектом. Он видит, что я поражен. Значит, моя следующая миссия — стать богом? Я даже не осмеливаюсь об этом подумать.

— Эта дверь ведет на Олимп, я в этом уверен, — чеканит Рауль Разорбак, указывая на Изумрудную дверь.

— Ну ладно. Мне нужно на Землю, присутствовать при рождении моих клиентов, — говорю я.

— Я с тобой.

Вот еще новость.

— Ты хочешь со мной на Землю?

— Да, — говорит он. — Давно я там не был. Если точно, с тех пор, как в последний раз отпечатки пальцев оставил.

— Ты прекрасно знаешь, что, кроме этих моментов, на Землю возвращаться запрещается.

Рауль делает двойное сальто, чтобы показать, что хочет размяться, летая на длинные дистанции.

— Запрещается запрещать. Двинули, Мишель, я был и остаюсь бунтарем.

Он останавливается передо мной и, сделав самое ангельское выражение лица, рассказывает по памяти отрывок из «Энциклопедии относительного и абсолютного знания» Эдмонда Уэллса, том 4, который выучил наизусть.

23. ЭНЦИКЛОПЕДИЯ

Трансгрессор. Обществу нужны трансгрессоры. Оно устанавливает законы для того, чтобы их нарушали. Если все будут уважать установленные правила и подчиняться нормам: нормальное школьное образование, нормальная работа, нормальное гражданство, нормальное потребление, то все общество станет «нормальным» и окажется в застое.

Как только трансгрессоров обнаруживают, их немедленно выдают и изгоняют. Однако чем больше развивается общество, тем больше оно само начинает выделять яд, который заставляет его вырабатывать антитела. Таким образом, оно учится перепрыгивать все более высокие препятствия.

Хотя они и необходимы, трансгрессоры всегда приносятся в жертву. На них нападают, их освистывают, чтобы позже другие, «переходные по отношению к нормальным», которых можно назвать псевдотрансгрессорами, смогли воспроизвести те же трансгрессии, но на этот раз смягченные, пережеванные, закодированные, обезвреженные. Это им достаются лавры изобретателей трансгрессии.

Но не нужно обманываться. Даже если знаменитыми становятся псевдотрансгрессоры, их единственный талант заключается в том, что они первыми заметили истинных трансгрессоров. А истинные всегда будут забыты и умрут в убеждении, что были не поняты и опередили свое время.

Эдмонд Уэллс.
«Энциклопедия относительного
и абсолютного знания», том 4

24. ПОЛЕТ НА ЗЕМЛЮ

Мы проходим через синюю Сапфировую дверь.

Осторожно, чтобы не заметили архангелы, добираемся до Стикса и движемся вдоль него. Мы пересекаем семь территорий континента мертвых, выходим из центрального конуса, погружаемся в темный космос и летим к Земле. Будучи ангелом, летишь еще быстрее, чем мертвый. Мне кажется, что я лечу со скоростью, близкой к скорости света. Вскоре мы начинаем различать вдалеке родную планету. Мы входим в атмосферу одновременно с маленькими метеоритами, которые сгорают в ней и которые люди называют падающими звездами.

Мы пролетаем мимо самолета, из которого выпрыгивают парашютисты — любители свободного падения. Рауль располагается перед одним из смертных, который его, конечно, не видит, и развлекается тем, что вдвое опережает его по скорости падения. Я прошу его прекратить эти ребячества. У меня вот-вот одно из яиц проклюнется.

Мы приземляемся где-то в Тосканской долине.

Ностальгия. Мы испытываем чувство, которое должны были испытывать первые астронавты, возвращающиеся домой из полета. Только теперь наш «дом» больше не «здесь, внизу», а «там, наверху». У меня такое ощущение, что я стал сам у себя чужим.

Рауль подает знак, что нельзя больше терять ни минуты. Нужно скорее отправляться в госпиталь Перпиньяна, где меня ждет первый клиент: Жак Немро.

25. РОЖДЕНИЕ ЖАКА

Значит, я рождаюсь.

Сперва я вижу слепящий свет в конце туннеля.

Меня толкают. Меня тянут.

Я вспоминаю предыдущую жизнь. Я был индейцем, которого повесили золотоискатели. Моей последней мыслью было: «Нельзя меня убивать вот так, с ногами над землей». Они меня повесили. Я задохнулся. Я задыхаюсь.

Быстро. Рауль говорит, чтобы я поспешил. Он объясняет, что нужно дать ему «поцелуй ангела».

Образы последней битвы отпечатываются в моем мозгу. Наши стрелы против их пуль. Наши луки против их ружей. Лагерь в огне. Меня ловят. Мои косички отрезают и надевают на шею петлю.

Жак еще в шоке от своей смерти. Он слишком нервный. Я шепчу ему: «Тсс, забудь свое прошлое». Рауль велит мне сделать ему отметку ангелов. Как это сделать? Он говорит, что нужно нажать указательным пальцем надо ртом, как если бы я хотел заставить его замолчать.

Я нажимаю пальцем ему под носом и делаю ямочку под крошечными ноздрями.

Жак успокаивается.

Не понимаю, что только что произошло. Чье-то присутствие? Я все забыл о прошлой жизни. Я знаю, что должен был что-то вспомнить, но не знаю что. Впрочем, была ли у меня предыдущая жизнь? Нет, я так не думаю.

Значит, я рождаюсь.

Меня тащат к свету. Я слышу крики.

Моя мама.

Я слышу строгий голос:

— Толкайте, мадам. Давайте толкайте маленькими толчками. Имитируйте дыхание собаки.

Моя мама начинает стонать.

Другой голос:

— Это длится уже несколько часов. Ребенок плохо выходит. Нужно сделать кесарево сечение.

— Нет, нет, — говорит мама. — Оставьте меня. Я смогу сама.

Снова толчки. Я чувствую вокруг себя увлекающие меня волны. Я продвигаюсь в темном ущелье из плоти. Скольжу ногами к ослепительному свету. Пальцы ног оказываются в ледяной зоне. Я хочу спрятаться в тепло, но руки в резиновых перчатках хватают меня и тащат на холод.

Мои ноги теперь все снаружи, потом мои ягодицы, потом живот. Меня снова тянут. Только руки и голова еще защищены. Остальное тело дрожит. Снова тянут, но я уперся подбородком и не сдаюсь.

— Ничего не получится, он не выходит, — говорит акушер.

— Нет, нет, — стонет мать.

— Нужен небольшой надрез, — советует голос.

— Это необходимо? — спрашивает мать обеспокоенно.

— Мы рискуем повредить ему голову, если будет продолжать тянуть, — отвечают ей.

Я остаюсь какое-то время телом наружу, головой внутрь. Рядом с подбородком появляется лезвие. Разрез, и давление вокруг ослабевает. Рывком меня тянут последний раз за ноги, и на этот раз голова проходит.

Я открываю глаза. От света звенит в голове. Я тут же зажмуриваюсь.

Меня хватают. Я не успеваю понять, что происходит. Меня держат за ноги головой вниз. Ай, ай, ай! Мне надоело такое обращение. Я кричу от ярости. Они тоже кричат.

Вот оно, мое рождение, я о нем буду вспоминать! Я кричу что есть мочи. Это им, кажется, нравится. Они смеются. Надо мной? Охваченный сомнениями, я плачу. Они продолжают смеяться. Передают меня из рук в руки. Эй! Я все-таки не игрушка! Кто-то теребит мой орган и говорит:

— Это мальчик.

Говоря объективно, с точки зрения ангела, он довольно уродлив...

Рауль рассматривает новорожденного и закатывается от хохота, как в прежние времена.

— И правда, какой он страшный.

— Думаешь, со временем это образуется?

Доктор объявляет, что мой клиент весит три килограмма и триста граммов. Рауль хлопает меня по спине, как если бы этот подвиг совершил я.

— Все новорожденные немного сморщенные, когда появляются на свет. А если их щипцами вытаскивают, и того хуже. Они как гофрированные.

Я родился.

— Какой хорошенький, — поздравляют друг друга голоса, которых я еще не понимаю.

Все на этой планете орут. Они что, шепотом говорить не умеют? Слишком много света, потоков воздуха, шума, запахов. Это место мне совсем не нравится. Я хочу вернуться назад. Но меня никто не спрашивает. Они обсуждают что-то, кажущееся им очень важным.

— И как вы назовете вашего мальчика?

— Жаком.

Кутерьма продолжается. К моему дрожащему телу приближаются ножницы. На помощь! Они отрезают пуповину, и от этого становится очень холодно.

26. РОЖДЕНИЕ ВЕНЕРЫ

Я вспоминаю о предыдущем существовании. Я был богатым и могущественным китайским негоциантом. Я путешествовал в палантине с моими слугами. На нас напали разбойники. Они все отняли, а потом заставили меня копать собственную могилу и столкнули туда. Я умолял их оставить мне хотя бы жизнь, если не деньги. Они бросили мне одну из служанок. «Держи, оставляем тебе поразвлечься». Потом они засыпали нас землей. У меня глаза были забиты землей. Служанка задохнулась первой, и я чувствовал, как жизнь покидает ее тело. Я пытался выбраться наружу, копая руками землю, но я был слишком толстым, чтобы освободиться. Слишком много изысканных блюд...

Я задыхаюсь. Я не выношу этого ужасного плена. Открываю глаза. Когда я был китайским негоциантом, я умер в черном пространстве. Я вновь открываю глаза в пространстве красноватого цвета. Я все еще в заточении. И рядом со мной опять труп!

Это Джордж, мой брат-близнец, которого я убила, сама того не желая.

Я задыхаюсь, я хочу выбраться отсюда. Воздух, дайте воздуха! Я брыкаюсь. Сегодня мое тело не такое тяжелое. Я колочу руками и ногами, бьюсь изо всех сил. Наверняка есть кто-нибудь, кто может помочь мне выбраться отсюда.

Вот мы у изголовья Венеры.

Что-то в ее сознании не в порядке. Я пытаюсь проникнуть в сознание младенца и вижу, что мне это не удается. Здесь находится граница нашей работы. Мы не можем читать мысли клиентов.

Должно быть, ее мучают воспоминания о прошлом. Я тороплюсь поставить ей отпечаток, но она возбуждена, движется не переставая, и мне никак не удается это сделать.

— У нее приступ клаустрофобии, — говорит Рауль.

— Уже?

— Конечно. Иногда воспоминание о предыдущей смерти оставляет последствия. Она не может оставаться в замкнутом пространстве. Сейчас не время ставить отпечаток. Скорее, надо что-то делать.

— Я передаю интуицию необходимости кесарева сечения акушеру.

Свет! Наконец-то свобода! Чьи-то руки вызволяют меня из тюрьмы, но что-то за меня держится.

Это труп Джорджа! Он душит меня, как будто не хочет никогда со мной расставаться. Какой ужас! Я умер мужчиной с трупом женщины в руках, и я рождаюсь женщиной, прикрепленной к останкам мужчины.

Медсестры вынуждены маленькими щипцами разжимать один за другим пальцы Джорджа, чтобы освободить меня.

— Тсс, забудь прошлое.

Как только ее тело попало на воздух, я поставил отметку ангелов надо ртом. Врачи были слишком заняты, высвобождая ее от Джорджа, и не смотрели на мордочку Венеры. Иначе они заметили бы, как у нее под носом вдруг образовалась маленькая ямка.

27. РОЖДЕНИЕ ИГОРЯ

Значит, я рождаюсь.

Я вспоминаю, что был астронавтом. Вспоминаю свое отчаяние.

Мы теперь рядом с Игорем. Он тоже нервничает. Вспоминает предыдущую жизнь и пережитые травмы. Я прихожу на помощь и сразу ставлю ему отметку ангелов. «Тсс, забудь прошлое». Он не хочет успокаиваться. Я нажимаю сильнее, и тем хуже, если ямочка у него будет глубже. Он наконец немного успокаивается.

Мать упала в обморок на улице. С тех пор как она прекратила обращать внимание на симптомы, этого следовало ожидать. Тошнота. Головокружение. Каждый раз в наказание меня били. Как будто я виноват!

На этот раз у нее отошли воды, и я оказался в полной сухости, плюс ко всему она без сознания.

Ее подобрали прохожие. Они стали кричать, потом кто-то сказал, что женщина, должно быть, беременна. Другой сказал, что ее нужно срочно отвезти в больницу.

— Мне уже лучше, — сказала мать, придя в себя, — я просто напилась и потеряла сознание.

К счастью, они ей не поверили.

Заведение находится далеко. Машина едет быстро. Я это чувствую по ухабам.

— Дышите медленно, — советует женский голос.

— Да ничего страшного, отвезите меня домой, — повторяет мать.

Я начинаю задыхаться внутри. Я умру, и тогда она победит. Начинаются схватки. Время пришло. Супруги-автомобилисты, а я понимаю, что это супруги, потому что женский и мужской голоса пересекаются, теряют самообладание. Машина мчится еще быстрее. Толчки усиливаются, и схватки тоже. Я принимаю позицию.

ДАВАЙТЕ. Я ГОТОВ.

— Я не знаю, что нужно делать, — со вздохом говорит мужчина своей подруге. — Я никогда не принимал роды, я пекарь.

Тогда представь, что ты вынимаешь хлеб из печи, придурок!

— Он умрет, он умрет, — хнычет мужчина.

Но моего мнения не учли. Несмотря на мою ненавистную родительницу и этих двоих, которые ничего не могут сделать, я хочу жить и я буду жить.

А вот и выход.

Я высовываю наружу голову. Это сложнее всего. Я открываю глаза и ничего не вижу. Все как в тумане.

— Заверни его в свою куртку, — велит женщина.

Ну что ж, самое главное сделано. Я родился. Остальное должно быть проще.

— Я думал, мы никогда не сможем этого сделать. Не знал, что роды могут быть таким сложным делом.

— Все забывается, — успокаивает Рауль. — Теперь видишь, мы правильно сделали, что отправились вместе. Вдвоем было легче влиять на других автомобилистов и избежать аварии.

— Они довольно трогательные...

— Ты спятил... да это же монстры, да-а! И кошмар только начинается. Теперь ты узнаешь самое худшее.

— Что же?

Рауль принимает удрученный вид.

СВОБОДНЫЙ ВЫБОР! Свободный выбор человека, это его право решать, что сделать со своей жизнью. И значит, право ошибаться. Право вызывать несчастья. Не отдавать отчета ни в чем и никому. Не брать на себя ответственность. И они не стесняются. Ах, пожалуйста, берегись этих страшных слов: «свободный выбор».

28. ЭНЦИКЛОПЕДИЯ

Беременность. Вынашивание человека должно продолжаться восемнадцать месяцев, чтобы быть завершенным. Однако по истечении девяти месяцев необходимо, чтобы он вышел из материнского тела, поскольку его голова уже слишком велика, и, если подождать еще, она станет чересчур большой, чтобы пройти через таз матери. Как если бы неверно подобрали снаряд к пушке.

Значит, зародыш покидает живот матери, не сформировавшись окончательно. Следствием этого является необходимость продолжить девять месяцев жизни внутри матери девятью месяцами вне ее.

В этот очень ответственный период выращивание младенца должно сопровождаться постоянным присутствием матери. Родители должны создать ему воображаемый живот, в котором новорожденный чувствовал бы себя тем более защищенным, любимым, желанным, что он еще полностью не родился.

Через девять месяцев после появления на свет происходит то, что называют «трауром по младенцу», когда ребенок осознает, что между ним и внешним миром существует разница. С этого времени он начинает узнавать себя в зеркале как что-то отличное от окружения. Это и будет его подлинным рождением.

Эдмонд Уэллс.
«Энциклопедия относительного
и абсолютного знания», том 4

29. УПРАВЛЕНИЕ КЛИЕНТАМИ

Эдмонд Уэллс ждет меня за Сапфировой дверью. Он слегка передергивается при виде Рауля, поняв, что этот необычный ангел сопровождал меня на Землю. Но поскольку он не его непосредственный ангел-инструктор, Уэллс остается осторожным.

— Ну как прошли крестины? — спрашивает он как ни в чем не бывало.

— Без проблем!

Эдмонд Уэллс предлагает отправиться в юго-западную зону. Вокруг нас другие ангелы беседуют друг с другом, резвясь, как парочки ласточек. Мой наставник раскидывает руки и делает резкий поворот влево, я следую за ним.

— Пришло время научить тебя твоей непосредственной работе.

Он выбирает спокойное местечко в горах, и мы приземляемся.

— Ты должен направлять своих клиентов по правильному пути. У каждого они свои. Для каждого это конкретные и отличные одна от другой цели, и с каждой жизнью они стремятся совершенствоваться в этом направлении. Ты, однако, ничего не знаешь об этих задачах. Ты, конечно, можешь догадаться о них по их поведению, однако единственным объективным критерием их эволюции остается подсчет пунктов на Страшном Суде. Тот, кто выбрал правильный путь, будет от жизни к жизни увеличивать свое количество пунктов. Не забудь, набрав 600 пунктов, клиент выходит из игры.

— Как я могу им помочь?

Он берет мои руки в свои, поворачивает их ладонями вверх, и появляются три светящихся шара. Отблески от трех сферических экранов играют на наших прозрачных лицах.

— У тебя есть пять рычагов управления: 1) интуиция; 2) сны; 3) знаки; 4) медиумы; 5) кошки.

Я запоминаю. Он продолжает:

— Интуиция. С ее помощью ты направляешь клиента к тому, что он должен сделать, но это указание доходит до него таким притупленным, что оно ему едва понятно.

— А сны?

— Совершенно очевидно, что нам хотелось бы с помощью снов донести до них решения их проблем. Однако у нас нет на это права. Мы должны использовать свойственную сновидениям речь, в которую нужно вставлять необходимые указания в символической форме. Например, если твоему клиенту угрожает опасность, покажи ему во сне, что у него выпадают зубы или волосы. Со снами проблема в том, что либо они их забывают, проснувшись, либо понимают не так, как надо. Чтобы добиться нужного результата, нужно иногда продолжать много ночей подряд показывать разные символические истории, всегда сохраняя главное информационное ядро. Талант ангела и заключается в том, чтобы быть хорошим режиссером снов. У каждого клиента свой понятийный аппарат, который необходимо правильно использовать. Именно поэтому все книги, в которых говорится об общей символике снов, не соответствуют действительности.

Он поглаживает яйцо Венеры.

— А знаки?

— Они действуют примерно так же, как интуиция. Речь идет о прямом вмешательстве, но оно не всегда срабатывает. Раньше люди принимали решение, наблюдая за полетом птиц или разглядывая куриные потроха. Для нас так было легче. Теперь мы сами должны придумывать знаки. Лающая собака говорит о том, что в эту сторону не надо идти. Или дверь, которая не открывается на ржавых петлях.

— Медиумы?

— Их нужно использовать очень экономно. Медиумы — это люди, получившие способность слышать голоса ангелов. Но есть два подводных камня. Во-первых, иногда они нас неправильно понимают. Во-вторых, с помощью своего дара они порой оказывают давление на того, кто их слушает. Так что использовать их нужно лишь в крайних случаях.

— Ну... а кошки?

— В большинстве своем кошки немного медиумы. Их преимущество перед людьми в том, что благодаря своим способностям они не получают ни власти, ни денег. А главный недостаток в том, что они не говорят и не могут поэтому предупредить напрямую.

Я погружаюсь в раздумья. Средства, которыми я располагаю, кажутся мне довольно скромными для борьбы со свободным выбором.

— А есть другие рычаги?

Эдмонд Уэллс поглаживает шар Игоря.

— Имеющиеся пять рычагов при правильном использовании позволяют достичь очень хороших результатов.

Я потягиваюсь.

— Отлично, всегда мечтал руководить людьми. Настоящие мужчины, настоящая женщина — это гораздо интереснее, чем видеоигра типа «сохраните своего героя живым во враждебном окружении».

— Осторожно. Ты не имеешь права делать все, что попало. У тебя по отношению к клиентам огромная обязанность. Ты должен выполнять их желания. И это значит абсолютно все желания.

— Даже те, которые противоречат их интересам?

— В этом и заключается огромная привилегия их пятидесятипроцентного свободного выбора. Тебе запрещено к нему прикасаться. Ты должен уважать даже их самые нелепые желания.

Рауль был прав. Наш враг — не дьявол или какое-нибудь злое божество. Наш враг — это свободный выбор людей.

30. ЖАК. 1 ГОД

Я живу жизнью ребенка.

Мне не нравится, когда родители хватают меня под руки. Мне нравится, когда меня берут под ягодицы и я могу сидеть у них на руках.

Папа часто подбрасывает меня в воздух. Я могу разбиться о потолок. От этого мне страшно. Почему папы считают, что нужно подбрасывать детей в воздух?

Меня все тревожит. Мне хочется спрятаться под покрывало, и чтобы меня оставили в покое.

Мне представили девочку и сказали, что она моя сестра. Она, по-видимому, рада меня видеть, потому что постоянно сует мне в рот разные вещи и говорит: «Давай, малыш, надо есть». Она засовывает меня в коляску своей куклы и бегает по квартире, крича: «Малыш испачкался! Ему нужно в ванную и глаза шампунем вымыть!»

Это не единственная девочка, которая считает себя моей сестрой. Есть и другие, присутствие которых мне интересно, но потенциально опасно. Одни меня чмокают, другие дергают за волосы. Одни мне дают соску, а другие шлепают.

Я обнаружил, что в семье есть еще и кошка. По-моему, это самое спокойное создание в доме. Шерсть у нее такая же мягкая, как у моих плюшевых мишек, и она издает мурлыкающие звуки, которые мне очень нравятся.

Сестры пытаются научить меня ходить. Я уже упал один раз, и воспоминание о синяках заставляет меня опасаться новых попыток. Стоячее положение меня беспокоит. На четырех конечностях падать не так страшно.

Кроме кошки, другими успокаивающими вещами в доме являются горшок и телевизор. Когда я сижу на горшке, меня никто не беспокоит. А в телевизоре все постоянно движется, и к тому же он мурлычет, как кошка.

По телевизору постоянно показывают истории. Я люблю истории. Они помогают забыть о моих тревогах.

31. ВЕНЕРА. 1 ГОД

Я вся покрыта поцелуями и вниманием. Мама не устает повторять, что я самая красивая девочка в мире. Я видела себя в зеркале и действительно я восхитительна. У меня длинные черные волосы, кожа цвета меда и нежная как шелк, а глаза светло-зеленые. В отличие от других детей, я родилась даже не сморщенной. Как объяснила мама, это потому, что я сама вышла прямо у нее из живота, ей даже не нужно было меня выталкивать.

Кроме того, мне представили пожилого господина, маминого папу. Они называют его «папочка», и папочка досаждает мне мокрыми поцелуями. Ненавижу мокрые поцелуи. Он меня совсем не любит, если делает такие гадкие вещи.

Вечером я требую, чтобы у кровати зажгли ночник, чтобы не быть в темноте. А то мне кажется, что под матрасом спрятался кто-то злой, и он схватит меня за ноги.

Не выношу, когда меня заворачивают в покрывало. Мне хочется, чтобы ноги всегда были на воздухе. А если нет, то меня это раздражает, очень раздражает. К тому же, если вдруг появится монстр из-под кровати, я не успею убежать.

Я совсем не ем. Я могу есть только мягкое и сладкое. Я люблю все красивое, приятное, сладкое.

32. ИГОРЬ. 1 ГОД

Нужно пережить мою мать.

Я убегаю от нее из ванной, где она хочет меня утопить. Я ускользаю от нее в кровати, где она хочет задушить меня подушкой.

Я умею ускользать.

Я знаю, как предотвращать угрозы.

Я умею просыпаться ночью при малейшем свете.

Я умею, благодаря тонкому чутью, узнавать, когда она возникнет позади меня.

Я умею быть ловким и быстрым.

Я быстро учусь ходить.

Чтобы лучше убегать.

33. ЭНЦИКЛОПЕДИЯ

Материнский инстинкт. Многие думают, что материнская любовь — это естественное и автоматическое человеческое чувство. Нет ничего более ложного. До конца девятнадцатого века большинство женщин, принадлежащих к западной буржуазии, отдавали ребенка кормилице и больше им не занимались.

Крестьянки были не намного внимательнее. Они очень крепко пеленали детей, а потом подвешивали поближе к печной трубе, чтобы им было не холодно.

Поскольку уровень детской смертности был очень высоким, родители были фаталистами, зная, что у их ребенка лишь один шанс из двух дожить до подросткового возраста.

Лишь в начале двадцатого века правительства поняли экономический, социальный и военный интерес этого пресловутого материнского инстинкта. В частности, во времена сокращения численности населения начали понимать, что это происходит из-за того, что многие дети недоедают, с ними плохо обращаются, их бьют. В перспективе последствия могли быть очень тяжелыми для будущего страны. Стали уделять больше внимания информированию людей, профилактике, и понемногу прогресс медицины в области детских заболеваний позволил родителям вкладывать все больше привязанности в своих детей без боязни их преждевременно потерять. На повестку дня был выдвинут «материнский инстинкт».

Постепенно появился новый рынок: памперсы, соски, детские горшки, искусственное молоко, игрушки. По всему миру распространился миф про Деда Мороза.

С помощью массированной рекламы детская промышленность создала образ ответственной матери, и счастье ребенка стало современным идеалом.

Как это ни парадоксально, но именно в тот момент, когда материнская любовь проявляется и расцветает, становясь единственным неоспоримым чувством в глазах общественности, дети, став взрослыми, постоянно упрекают своих матерей в недостаточном внимании к ним в детстве. А позднее они выплескивают у психоаналитика свои горечи и обиды по отношению к родительнице.

Эдмонд Уэллс.
«Энциклопедия относительного
и абсолютного знания», том 4

34. ВЕРХНИЙ МИР

Благодаря своим сферам я наблюдаю за клиентами под всеми возможными углами, как если бы в моем распоряжении было двадцать видеокамер. Достаточно лишь подумать, и я получаю панорамный вид, крупный план, общий и сверхобщий планы. Камеры вращаются по моему желанию вокруг клиентов, чтобы лучше показать и второстепенных персонажей, и массовку, и окружающую обстановку. Я управляю не только камерами и углами съемки, но и освещением. Я могу видеть моих героев в полной темноте, четко различать их под проливным дождем. Я могу проникнуть в их тело и видеть, как бьется их сердце, как переваривает пищу их желудок. Только их мысли скрыты от меня.

Рауль не разделяет моего энтузиазма.

— Вначале меня это тоже возбуждало. Но в конце концов я понял всю свою беспомощность.

Он смотрит на сферу Игоря.

— Хм, не очень-то приятно все это.

Я вздыхаю.

— Я беспокоюсь за Игоря. Мать его убьет в конце концов.

— Мать ненавидит своего ребенка... — растягивает слова Рауль. — Тебе это ничего не напоминает?

Я думаю, но ничего не могу вспомнить.

— Феликс, — выдыхает он.

Я подпрыгиваю. Феликс Кербоз, наш первый танатонавт! Его тоже ненавидела собственная мать. Я начинаю лихорадочно исследовать карму Игоря и узнаю, что, действительно, мой русский клиент — это реинкарнация нашего бывшего компаньона по танатонавигации.

— Как это может быть?

Рауль Разорбак пожимает плечами.

— В то время термин «танатонавт» еще не был широко распространен, и ангельский трибунал классифицировал Феликса как «астронавта».

Я вспоминаю этого простоватого паренька, который испытывал на себе опасные медикаменты ради сокращения тюремного срока. В обмен на амнистию он вызвался добровольцем в танатонавигаторский полет. Таким образом он стал первым, кто побывал на континенте мертвых и вернулся обратно. Я нахожу, однако, несколько суровым, что, имев в предыдущей жизни ненавидевшую его мать, он получил в новой еще худшую родительницу.

Рауль утверждает, что это нормально. Если какая-нибудь проблема не была решена в предыдущей жизни, она автоматически переносится в следующую.

— Поскольку душе Феликса Кербоза не удалось ни понять свою мать, ни подняться над ней, она попробует сделать это в новой жизни Игоря Чехова.

81

Наверняка это «седьмые», или «боги», кто так решил. Если ему снова не удастся решить проблему со своей матерью, какую же чудовищную родительницу ему дадут в следующей жизни?

Я морщу лоб.

— Я не представляю себе мать хуже, чем у Игоря...

Рауль Разорбак хохочет.

— Ну тогда доверься «людям сверху». У них богатое воображение, особенно когда нужно придумать новые испытания для человека. Будущее воплощение Игоря-Феликса вполне вероятно получит замечательную мать, которая задушит его своей ревнивой любовью.

— Да это просто какое-то кармическое зверство!

Физиономия моего друга вытягивается, а пальцы сжимаются и разжимаются.

— Вижу, ты начинаешь понимать. Все происходит так, как будто там, наверху, они решили долбить наших клиентов по башке до тех пор, пока те не начнут реагировать. Они считают, что лишь на дне бассейна человек в состоянии оттолкнуться и всплыть на поверхность. Я не знаю, кто эти «боги», но я отнюдь не уверен в том, что они хотят добра человечеству.

— Что же тогда можно сделать, чтобы ему помочь?

Рауль Разорбак сжимает кулаки.

— Увы, немного! Мы лишь пехотинцы в армии световых существ. Мы находимся на передовой и первыми увидим катастрофу, но решения принимаются офицерами и стратегами в тылу... И мы не знаем, что ими движет.

Внезапно я ощущаю полную беспомощность. Рауль яростно трясет меня.

— Именно поэтому мы должны любой ценой узнать, кто эти офицеры и что ими движет, кто эти «седьмые», эти «боги», которые используют нас — ангелов и их — смертных.

Впервые, может быть, из-за неприятностей Игоря, я прислушиваюсь к аргументам моего дерзкого друга. Однако я еще не чувствую себя готовым к тому, чтобы нарушить законы страны ангелов.

35. РЕБЕНОК ЖАК. 2 ГОДА

Сегодня родителей нет дома, а няня пошла покурить и поговорить по телефону на балкон. Путь свободен. Курс на кухню. Это замечательное место, которое мне всегда хотелось получше узнать. Там много лампочек, которые мигают. Есть белые, красные и даже зеленые. Там вдыхаешь аромат теплого сахара и молока, запахи горячего шоколада и копченостей. В эти дни я постоянно принюхиваюсь. Кроме того, я стал специалистом по лазанию.

Ну-ка, что это там наверху?

К счастью, у плиты стоит стул. Если на него забраться, я до нее дотянусь.

Жак может вот-вот обжечься, если потянет за ручку кастрюлю, в которой кипит вода для лапши. Его надо спасать. Я включаю пять рычагов.

Интуиция.

Пытаюсь проникнуть в сознание няни. «Ребенок, ребенок в опасности на кухне!»

Но разговор с дружком по телефону ее слишком занимает.

Я пытаюсь проникнуть в сознание маленького Жака, но этот череп прочен, как сейф, который невозможно взломать.

Знаки.

Воробьи слетаются на карниз и чирикают, чтобы отвлечь мальчугана. Занятый своей кастрюлей, он их не видит и не слышит.

Медиумы. Поблизости ни одного нет.

Что же делать?

Эта ручка слишком далеко. Нужно еще дальше вытянуть руку. Я все-таки схвачу эту длинную палку там наверху и посмотрю, почему она дымит и издает шум.

Кошки.

Остается кошка.

К счастью, в доме есть кошка! Я подключаюсь к ее сознанию. Я немедленно узнаю много вещей о ней. Во-первых, это она и зовут ее Мона Лиза. Удивительно, если сознание людей нам недоступно, то у кошки оно совершенно открыто. «Нужно спасти маленького мальчика!» — говорю я ей. Проблема в том, что Мона Лиза, наверняка уловив мое требование, совсем не спешит его выполнять. Она родилась в этом доме и никогда из него не выходила. Из-за того, что она целыми днями сидит перед телевизором, она стала жирной. Она соглашается встать лишь три раза в день, чтобы нажраться разваренной лапши и химических крокетов, которые обожает.

Она никогда не охотилась, никогда не дралась, она даже никогда не гуляла на улице.

Она все время оставалась в теплой квартире, уставившись в телевизор. У Моны Лизы есть любимые программы. Больше всего она любит игры, в которых участникам задают вопросы типа: «Как называется столица Берега Слоновой Кости?».

Эта кошка обожает, когда человек ошибается или чуть-чуть не добирает до джэк-пота. Горечи людей утверждают ее в идее, что кошкой быть лучше.

Она полностью доверяет хозяевам. Нет, это еще сильнее, она считает их не своими хозяевами, а свои-

ми... подданными. Невероятно! Это животное увере-
но, что миром правят кошки, которые манипулируют этими большими двуногими поставщиками ее бла-
госостояния.

Я приказываю:

«Шевелись, иди и спаси маленького мальчика».

Она и глазом не ведет.

«Я слишком занята, — отвечает наглая тварь. —
Ты разве не видишь, что я смотрю телевизор?»

Я еще глубже погружаюсь в сознание Моны Лизы.

«Если ты не поднимешься, мальчик умрет».

Она продолжает спокойно умываться.

«А мне все равно. Они других сделают. К тому же
все эти детишки в доме, это уж слишком. Столько
шума, беготни! И они все делают нам больно, дергая
за усы. Я не люблю маленьких людей».

Как заставить эту кошку спасти ребенка?

«Слушай, кошка, если ты сейчас же не поспешишь
спасать маленького Жака, я нашлю помехи на теле-
визионную антенну».

Я не знаю, способен ли я на это, но главное в том,
что она поверила. Судя по всему, ее охватили сомнения. Я читаю в ее сознании воспоминания о помехах
из-за грозы, когда экран был как будто покрыт снегом. А еще хуже были поломки и забастовки, которые ее очень раздосадовали.

— Ой, здравствуй, кошка. Ты первый раз пришла
потереться о меня. Какая ты хорошая, как приятно
гладить твою шерсть! Я лучше буду играть с тобой, а
не с этой палкой наверху.

36. РЕБЕНОК ВЕНЕРА. 2 ГОДА

Вчера я долго сидела перед зеркалом. Я делала гримасы, но даже когда я гримасничаю, я себе нравлюсь.

Родители надели на меня мягкие розовые памперсы. Они говорят, что это для того, чтобы я делала в них «пипи» и «кака». Не знаю, о чем они говорят. Я спрашиваю «что пипи?», и мама мне показывает. Я рассматриваю желтую жидкость. Я ее нюхаю. Мне противно. Как из такого красивого тела, как у меня, может вытекать жидкость, которая так плохо пахнет? Я злюсь. Это так несправедливо. И потом, как унизительно носить эти памперсы!

Кажется, все люди без исключения делают «пипи» и «кака». По крайней мере, так говорят папа с мамой, но я им не верю. Наверняка есть такие, кто избавлен от этого бедствия.

У меня болит голова.

У меня часто бывают головные боли.

Произошло что-то очень важное, но я забыла, что именно. Я знаю, что пока это не вспомню, у меня будет болеть голова.

37. РЕБЕНОК ИГОРЬ. 2 ГОДА

Мать хочет меня убить.

Вчера она закрыла меня одного в комнате с распахнутым окном. Ледяной ветер пробирал меня до костей, но я выработал способность сопротивляться холоду. Я выдержал. В любом случае выбора у меня нет. Я знаю, что, если заболею, она меня лечить не станет.

«Я издеваюсь над тобой, мамаша. Я все еще живой. И если только ты не наберешься смелости воткнуть мне нож в живот, извини, но я буду жить».

Она меня не слушает. Валяется на кровати, водки нажралась.

38. ИЗУМРУДНАЯ ДВЕРЬ

Мы с Раулем ищем другой путь в мир «седьмых». Летим на восток, поднимаемся к вершине горы и пытаемся взлететь выше, но невидимая преграда нас останавливает.

— Я же тебе говорил, мир ангелов — это тюрьма, — мрачно бормочет Рауль.

Как бы случайно, перед нами возникает Эдмонд Уэллс.

— Хо-хо! Что это вы тут замышляете?

— Хватит с нас этой работы. Эта задача невыполнима, — резко говорит Рауль, демонстративно уперев кулаки в бока.

Эдмонд Уэллс понимает, что дело серьезное.

— А ты что думаешь, Мишель?

Рауль отвечает за меня:

— Его яйца еще не успели проклюнуться, а уже протухли. «Они» подсунули ему какого-то неумелого и угрюмого Жака, какую-то самовлюбленную Венеру и какого-то Игоря, которого мать прикончить хочет. Хороши подарочки!

Эдмонд Уэллс не удостаивает моего друга даже взглядом.

— Я обращаюсь к Мишелю. Что ты думаешь, Мишель?

Я не знаю, что ответить. Мой инструктор настаивает:

— Ты не испытываешь ностальгии по жизни смертного? Вспоминаешь о своей жизни во плоти?

Я чувствую, что оказался меж двух огней. Широким жестом Эдмонд Уэллс очерчивает горизонт:

— Ты страдал. Ты боялся. Ты болел. Теперь ты чистый дух. Свободный от материи.

Сказав так, он пролетает сквозь меня.

Рауль с отвращением пожимает плечами.

— Но мы потеряли все чувства. Мы даже сесть нормально не можем.

Он изображает жестом, как будто упал, сев на несуществующий стул.

— Мы больше не стареем, — говорит Эдмонд Уэллс.

— Но мы не ощущаем проходящего времени, — возражает Рауль. — Нет больше секунд, минут, часов, нет ночей и дней. Нет времен года.

— Мы вечны.

— Но у нас больше нет дня рождения!

Аргументы множатся.

— Мы не страдаем...

— Но мы больше ничего не чувствуем.

— Мы общаемся с помощью духа.

— Но мы больше не слушаем музыку.

Эдмонд Уэллс не дает привести себя в замешательство.

— Мы летаем с невероятной скоростью.

— Но мы не чувствуем даже дуновения ветра на своем лице.

— Мы постоянно бодрствуем.

— Но нам больше не снятся сны!

Мой наставник пытается заработать еще очки, но Рауль не сдается:

— Нет больше удовольствий. Нет секса.

— Но и боли больше нет! И мы имеем доступ ко всем знаниям, — парирует Эдмонд Уэллс.

— Нет даже больше... книг. В Раю даже библиотеки нет...

Моего инструктора задевает этот аргумент.

— Действительно, у нас нет книг... но... но...

Он ищет и находит ответ:

— Но... они нам и не нужны. Жизнь любого смертного несет в себе потрясающую интригу. Лучше всех романов, лучше всех фильмов: посмотрите на простую жизнь человека, с ее неожиданностями, удивлениями, болями, страстями, любовными переживаниями, удачами и падениями. И это НАСТОЯЩИЕ истории, лучше не придумаешь.

Тут Рауль Разорбак не знает, что ответить. Эдмонд Уэллс, однако, не спешит изображать триумфатора.

— Раньше я тоже, как и вы, был бунтовщиком.

Он поднимает голову, как будто хочет посмотреть на сгущающиеся облака. Наконец изрекает:

— Хм... Пошли. Я постараюсь немного удовлетворить ваше любопытство, открыв вам один секрет. Следуйте за мной.

39. ЭНЦИКЛОПЕДИЯ

Радость. «Долг каждого человека — взращивать свою внутреннюю радость». Но многие религии забыли это правило. Большинство храмов темны и холодны. Литургическая музыка помпезна и грустна. Священники одеваются в черное. Ритуалы прославляют пытки мучеников и соперничают в изображении жестокостей. Как если бы мучения, которые претерпели их пророки, были свидетельствами их истинности.

Не является ли радость жизни лучшим способом отблагодарить Бога за его существование, если он существует? А если Бог существует, почему он должен быть мрачным существом?

Единственными заметными исключениями являются: Тао то-кинг, религиозно-философская книга, в которой предлагается смеяться над всем, включая самого себя, и госпелы — гимны, которые радостно скандируют североамериканские негры на мессах и похоронах.

Эдмонд Уэллс.
«Энциклопедия относительного
и абсолютного знания», том 4

40. ИГОРЬ. 5 ЛЕТ

После многочисленных попыток мать, кажется, отказалась от решения меня убить. Она пьет, пьет и смотрит на меня злыми глазами. Вдруг она бросает в меня стакан. Я уворачиваюсь, и, как обычно, он разбивается вдребезги о стену.

— Мне, может, и не удастся тебя прикончить, но долго мне жизнь ты отравлять не будешь, — заявляет она.

Она надевает куртку, тащит меня на улицу за руку, как будто идет за покупками, но я сомневаюсь, что она решила пройтись по магазинам. Я убеждаюсь в этом, когда она оставляет или скорее бросает меня одного на церковной паперти.

— Мама!

Она уходит быстрым шагом, потом вдруг возвращается и бросает мне позолоченный медальон. Внутри фотография какого-то типа с густыми усами.

— Это твой отец. Можешь найти его. Вот ему радость будет с тобой возиться. Прощай!

Я сижу под мокрым снегом. Я должен продолжать жить. Снег становится гуще и начинает меня засыпать.

— Что ты здесь делаешь, малыш?

Я поднимаю замерзшее лицо и вижу человека в военной форме.

41. ВЕНЕРА. 5 ЛЕТ

Днем я рисую, а ночью у меня беспокойный сон. Мне часто снятся сны. Мне снится, что у меня в голове сидит животное и оно хочет оттуда вырваться. Это крольчонок, и он мне грызет череп изнутри. Продолжая хрустеть, он все время повторяет одну и ту же фразу: «Надо, чтобы ты обо мне вспомнила». Иногда я просыпаюсь с ужасной головной болью. Сегодня ночью боль была еще сильнее, чем обычно. Я встаю и иду к папе с мамой. Они спят. Какое они имеют право спать, когда у меня так болит голова? Я думаю, они меня не любят по-настоящему.

Я рисую свою боль и существо, которое сидит внутри меня и меня гложет.

42. ЖАК. 5 ЛЕТ

Мне страшно. Я не знаю, почему мне страшно. Вчера по телевизору показывали то, что они называют вестерн. Я просто окаменел от ужаса. Все тело тряслось. Семья была удивлена.

Сегодня утром появились сестры, изображающие ковбоев, чтобы меня напугать. Я бегу в другой конец квартиры. Они ловят меня в столовой. Я бегу на кухню. Они ловят меня на кухне. Я бегу в ванную. Они ловят меня в ванной.

— Сейчас мы с тебя скальп снимем, — заявляет самая маленькая, Матильда.

Ну почему она говорит такие злые вещи?

Сестры гонятся за мной до комнаты родителей. Потом хотят схватить меня в темной комнате, но я ускользаю у них между ног. Я в ужасе. Где спрятаться? Мне в голову приходит идея. Я бегу в туалет. Для большей безопасности закрываюсь на задвижку. Они стучат в дверь, но я ничего не боюсь, она прочная. В туалете я чувствую себя как в крепости, а они продолжают стучать. Вдруг удары прекращаются. Слышны голоса.

— Что здесь происходит? — спрашивает папа.

— А Жак в туалете закрылся, — пищат сестры.

— В туалете? И что он там делает? — удивляется папа.

91

И тут меня осеняет. Я произношу фразу, которую всегда говорит папа, когда он хочет побыть спокойно в туалете и которая раздражает маму:

— Я читаю книгу.

За дверью повисает тишина. Я знаю, что в доме слово «книга» немедленно вызывает уважение.

— Что же теперь, дверь взрывать? — любезно предлагает Матильда.

Напряженное ожидание.

Затем я слышу, как папа ворчит:

— Если он сидит в туалете, чтобы читать книгу, нужно оставить его в покое.

Этот урок отпечатывается у меня в голове. Если все не так, как надо, ты закрываешься в туалете и читаешь книгу.

Я сажусь на стульчак и осматриваюсь. Справа лежит кипа журналов, а над ней находится папина этажерка — его библиотека. Я беру книгу. Страницы заполнены буковками, которые лепятся одна к другой и которые я не могу расшифровать. Я любуюсь на обложки книг. К счастью, здесь есть детский альбом с картинками. Я его знаю. Папа мне его уже читал на ночь. Там говорится про гигантского человека у лилипутов и про лилипута у гигантов. По-моему, этого человека зовут Гулливер. Я рассматриваю картинки и пытаюсь понять буквы, чтобы они складывались в слова. Это слишком сложно. Я задерживаюсь на рисунке гиганта, связанного толпой маленьких человечков.

Однажды я научусь читать и закроюсь в туалете надолго, очень надолго, и буду читать так много, что забуду все, что происходит за дверью.

43. ЧЕТЫРЕ СФЕРЫ СУДЕБ

Эдмонд Уэллс ведет нас к скалистым горам на северо-востоке. Он указывает на узкий проход, и мы устремляемся в лабиринт туннелей. Наконец мы попадаем в огромный грот, освещенный четырьмя сферами примерно по пятьдесят метров в высоту, которые висят в двух метрах над землей.

Ангелы-инструкторы летают вокруг них, как мухи вокруг светящихся висячих арбузов.

— Это место предназначено лишь для ангелов-инструкторов, — сообщает наш наставник. — Но, учитывая ваше желание увидеть то, что другие ангелы не видят и даже не стремятся увидеть, я хочу немного удовлетворить ваше любопытство.

Мы приближаемся.

Все шары одинакового размера, но содержание у них разное.

В первом находится душа минерального мира.

Во втором — растительного.

В третьем — мира животных.

В четвертом — душа мира людей.

Я подхожу к первой сфере. Внутри нее подрагивает светящееся ядро. Неужели это душа Земли, знаменитая Гайа, Alma mater, о которой говорили древние?

— Значит, у Земли есть душа?

— Да. Все живет, а все, что живет, имеет душу, — отвечает Эдмонд Уэллс.

И небрежно добавляет:

— А все, что имеет душу, стремится развиваться.

Потрясенный, я любуюсь шарами.

— Все живет, правда? Даже камни?

— Даже горы, и ручьи, и булыжники. Но их душа находится на низком уровне. Чтобы его измерить, достаточно посмотреть на мерцание ядра и интуитивно определить состояние души.

— Таким образом, — говорю я, усвоив эту космогонию, — минерал, будучи на уровне 1, должен иметь 100 пунктов, растение — 200, животное — 300, а человек — 400...

— Именно!

Я вглядываюсь в душу Земли, но у нее не 100 пунктов ровно, а намного больше... 163! Второй шар, скрывающий душу лесов, полей и цветов, тоже имеет не 200, а 236 пунктов. Сфера животных имеет 302 пункта. Что до человечества, то у него только 333 пункта.

— Как, — удивляюсь я, — у человечества нет 400 пунктов?

Эдмонд Уэллс утвердительно кивает:

— Как я уже говорил, в этом и состоит весь смысл нашей работы. Помогать людям стать настоящими людьми. Подлинными «четвертыми». Но, как ты видишь, люди не занимают отведенное им место. Они даже не на полпути между третьим уровнем животных и пятым мудрецов. «Недостающее звено» — это они. Меня смех разбирает от слов Ницше о сверхчеловеке. Прежде чем стать сверхчеловеками, пусть они сперва станут просто людьми!

Я наклоняюсь над шаром человечества и внимательнее приглядываюсь к шести миллиардам крошечных пузырьков, каждый со своим светящимся ядром.

Рауль Разорбак молчит, но я догадываюсь, что он находится под сильным впечатлением от вида всех человеческих душ.

Эдмонд Уэллс склоняется над сферой.

— Вот все наши клиенты. Здесь разыгрывается основная партия. По-моему, если человечество не поставит перед собой такой цели, как самоуничтожение, то через несколько веков смертные станут настоящими людьми, настоящими «четвертыми». Но нам, ангелам, предстоит сделать огромную работу, чтобы поднять их до этого уровня.

Уэллс рисует в нашем сознании кривую. Он оптимист. Человечество развивается все более ускоряющимися темпами. Благодаря современным транспортным средствам и росту количества путешествий, глобальным связям, распространению культуры в планетарном масштабе, все более многочисленным и доступным средствам массовой информации, мудрецы (или «пятые») могут отныне быстрее распространять свое влияние.

— Посмотрите, как люди жили раньше и как они живут сейчас. Раньше все боялись хищных зверей. Сегодня за ними наблюдают в зоопарках. Люди боялись голода, они были вынуждены заниматься тяжелым и неблагодарным трудом. Сегодня эти задачи выполняют роботы и компьютеры. У человека появляется все больше и больше свободного времени, чтобы думать. А когда человек думает, он задает себе вопросы.

В начале третьего тысячелетия шансы повысить сознание человечества велики, как никогда. Раньше, например в Древней Греции, в расчет принимались лишь «граждане», то есть свободные люди. Рабы и иностранцы были не в счет. Позднее мало-помалу все эти «маргиналы» получили равные права.

44. ЭНЦИКЛОПЕДИЯ

Терпимость. Каждый раз, когда люди расширяют свое понимание «себе подобных», чтобы включить в него новые категории, они начинают рассматривать существа, ранее считавшиеся низшими, как достаточно похожие, чтобы быть достойными уважения. С данного момента не только эти существа переходят на другой уровень, но и человечество в целом проходит новый этап развития.

Эдмонд Уэллс.
«Энциклопедия относительного
и абсолютного знания», том 4

45. ДОБРЫЕ И ЗЛЫЕ

Шар человечества... Я понимаю, что именно сюда возвращаются наши яйца каждый раз, когда они отправляются на северо-восток. Я понимаю также, что души, собранные таким образом вместе, разряжаются одна о другую и гармонизируются между собой. Отсюда и знаменитая фраза, которой Уэллс прожужжал мне все уши: «Достаточно подняться уровню одной души, и повысится уровень всего человечества». Может быть, именно здесь находится знаменитая «ноосфера» Тейяра де Шардена, в которой смешаны сознания всех людей?

— Но если мы, ангелы, ничего не будем делать, будут ли они развиваться сами по себе? — вдруг спрашивает Рауль.

— Мы пастухи, которые направляют стадо в правильном направлении. Но, действительно, благодаря проделанной ангелами в прошлом работе, люди уже на верном пути.

— Стало быть, в таком случае их можно было бы оставить...

Эдмонд Уэллс даже не обращает внимания на это замечание.

Рауль настаивает:

— А для нас, ангелов, каков следующий уровень развития? Мир богов?

Эдмонд Уэллс поднимает брови.

— Смеюсь я, глядя на вас, молодых ангелов. Вы все хотите узнать сразу. Не можете отказаться от старых привычек людей. Но посмотрите внимательно на ваши сферы, и вы поймете, где заключаются все привычки смертных, которые вас по-прежнему тревожат и отягчают. Вместо того чтобы снова и снова задавать себе человеческие вопросы, ведите себя как ангелы!

С этими словами, раздосадованный, наш наставник поворачивается к нам спиной и быстро удаляется. Он направляется к матери Терезе, чтобы дать ей наставления. Из того немногого, что мне слышно, я понимаю, что одним из ее клиентов является глава государства, которому она постоянно предлагает увеличить налоги на крупные состояния. Эдмонд Уэллс отчеканивает, что притеснения богатых не сделают бедных счастливее.

Я приближаюсь, чтобы лучше их слышать.

— Дорогая мать Тереза, иногда вы рассуждаете слишком упрощенно. Как говорил один мой знакомый, «недостаточно преуспеть самому, нужно еще получать удовольствие от неудач других». Он шутил, но вы действительно разделяете эту точку зрения. Вы убеждены, что человек может легче переносить свою нищету, если все человечество тоже страдает. Цель же, напротив, состоит в том, чтобы сделать всех людей счастливыми!

Мать Тереза делает гримасу обиженного ученика, уверенного, несмотря ни на что, в своей правоте.

Со своей стороны, я считаю, что она пытается, прожив всю жизнь среди бедняков, воспроизвести знакомое ей окружение. Нищих она знала всегда. С богатыми все гораздо сложнее. Святая женщина вынуждена теперь интересоваться биржевыми курсами, новостями моды, благотворительными обедами, модными ресторанами, нервными депрессиями, светским алкоголизмом, адюльтерами, талассотерапией, в общем, всеми проблемами богатых.

Мать Тереза выслушивает наставления Уэллса, нахмуриваясь, и заявляет:

— Наверное, мне следует подтолкнуть президента к тому, чтобы начать кампанию по регулированию рождаемости в бедных кварталах. Не делайте детей, о которых вы не способны позаботиться, иначе они станут преступниками и наркоманами. Вы это имели в виду?

— Продолжайте в том же духе, — вздыхает Эдмонд Уэллс. — Это уже лучше.

По-моему, наш инструктор все-таки очень терпеливый педагог. В своем роде, он уважает... свободный выбор ангелов.

Рауль вытягивает руки к горизонту и взлетает. Я следую за ним.

— Эдмонд Уэллс знает, кто такие «седьмые». Он точно знает, что находится над нами.

— Он нам ничего не скажет, ты уже видел его реакцию, — говорю я.

— Он-то будет молчать. Но есть его книга...

— Какая книга?

— Его «Энциклопедия относительного и абсолютного знания». Он начал ее, будучи смертным, и продолжает в своей небесной жизни. Ты же прекрасно знаешь, он нам постоянно цитирует отрывки из нее. Он собрал в ней все свои знания, все, что он открыл и все, что его интересует во вселенной. Три первых тома он написал на Земле, где смертные могут их прочитать. Но четвертый он пишет здесь.

— Ты к чему ведешь?

Мой друг делает петлю, затем возвращается и продолжает парить рядом со мной.

— Уэллсу так хочется распространить свою науку, что он наверняка искал способ материализовать четвертый том вслед за тремя первыми.

— У него нет больше ни карандаша, ни ручки, ни пишущей машинки, ни компьютера. Он может собрать все сведения, какие захочет, но они всегда будут бесплотными.

Эти аргументы Рауля не убеждают.

— Не считаешь же ты его настолько сумасшедшим, чтобы записать все великие секреты Рая в каком-нибудь манускрипте, спрятанном на Земле?

Рауль невозмутим.

— А помнишь отрывок из «Энциклопедии», оза-главленный «Конец эзотерик»? Там ясно сказано: «Отныне все секреты могут быть представлены широкой публике. Поскольку мы должны признать очевидное: понимают лишь те, кто хочет понять».

Мы кружимся над Раем.

— Все секреты, КРОМЕ секрета «седьмых»! Нельзя же представить, что Эдмонд Уэллс доверил человеку-медиуму на Земле тайны Рая, чтобы тот записал их в книгу...

Мой друг восхищен, как будто он ждал, что я произнесу эти слова.

— Кто знает?

46. ЭНЦИКЛОПЕДИЯ

Конец эзотерик. В прежние времена те, кто имел доступ к фундаментальным знаниям о человеческой природе, не могли их раскрыть вдруг. Пророки изъяснялись параболами, метафорами, символами, намеками, недоговоренностями. Они опасались, что знание распространится слишком быстро. Они боялись быть неправильно понятыми. Они создавали инициации для того, чтобы тщательно отбирать тех, кто достоин иметь доступ к важной информации.

Эти времени прошли. Отныне все секреты могут быть представлены широкой публике. Поскольку мы должны признать очевидное: понимают лишь те, кто хочет понять. «Желание знать» является самым мощным человеческим двигателем.

Эдмонд Уэллс.
«Энциклопедия относительного
и абсолютного знания», том 4

47. ИГОРЬ. 7 ЛЕТ

Человек в форме был милиционером. Он был красивым, большим, сильным. От него пахло чистотой. Он взял меня на руки.

Он отряхнул с меня снег и отвел в детдом. Наконец-то подальше от опасности. От мамаши. Я здесь уже два года.

В детдоме живут другие дети, брошенные родителями. Мы — отбросы общества, нелюбимые, нежеланные, кто не должен был родиться.

Плевать. Я жив.

Здесь все похоже на питомник для бездомных собак, только ветеринар заходит реже, а жратва хуже.

Другие ребята нервные. К счастью, я сильный. Когда есть проблема, я не думаю, я сразу бью. Лучше всего в живот. Меня считают зверем. Но лучше так, по крайней мере, меня боятся. Сперва тебя боятся, потом с тобой дружат. Я быстро понял, что люди думают: раз ты хороший, значит, ты слабый. Я не хороший. Я не слабый.

В комнате нас четверо. Вместе со мной здесь три «В».

Ваня — маленький украинец, которого отец-алкоголик слишком «укачивал» о стену.

Володя в нашей банде толстяк. Не знаю, почему он толстеет от того, чем нас тут кормят.

Вася молчун. Когда он говорит, то рассказывает интересные вещи, но он чаще молчит. Он научил нас играть в покер.

Покер — это клево. В один вечер можно достичь верха счастья или несчастья, все очень быстро. Когда Вася играет, лицо у него каменное. Он говорит: «Важны не плохие или хорошие карты, важно уметь играть плохими». Еще он говорит: «Важно не то, какие у тебя карты на самом деле, а то, какие они по мнению противника». Вася постоянно жует веточку.

Он учит нас подавать ложные сигналы радости или разочарования, чтобы сбить других с толку. Благодаря ему я в школе покера, и она меня многому учит, у меня развивается талант наблюдателя. Мне это нравится. Мир полон маленьких деталей, которые дают нам всю необходимую информацию.

Вася говорит:

— Некоторые профессиональные игроки даже в карты никогда не смотрят. Так они увереннее, что лицо их не выдаст.

— А как же они узнают, кто выиграл?

— В последний момент. Когда ставки сделаны, они открывают карты и узнают, счастливая у них рука или нет.

Васю родители не бросили. Его не били. Он сам убежал из дома, когда ему было шесть лет. Милиция его поймала, но он никому не признался, кто он и откуда. Тогда его отправили в детдом, ментам ведь неохота тратить время на поиски родителей какого-то беспризорника.

Вася никогда не говорит про свое прошлое. Может, у него были богатые родители, но он их больше не хочет видеть. Он ушел от них просто так, в голову что-то пришло, ради приключения. Вася — это класс.

Иногда ребята из детдома уходят, их усыновляют люди, которые хотят иметь детей. Сперва я об этом мечтал. Вдруг появляются родители, которые хотят нас спасти... Но я быстро понял, что все это надувательство. Разные слухи ходят. Говорят, что часто приемышей используют для детской проституции или заставляют в подпольных мастерских шить футбольные мячи или собирать игрушки для детей на Западе.

Ненавижу западных детей. На них весь мир работает. В подвале детдома есть мастерские, где нас заставляют собирать игрушки и электронные детали. Нас эксплуатируют задаром, да!

Когда кто-нибудь, кого усыновили, собирает вещи, над ним смеются и кричат в спину: «Ну что, проституция или подпольная мастерская?»

На самом деле мы ревнуем, потому что они, может быть, нашли родителей, а мы нет.

Вчера Ваню схватили ребята из банды Петра. Он пришел в слезах. Петр заставил его показать наш тайник, и они забрали все сигареты. Мы так этого не оставим.

Мы идем в комнату Петра. Дверь не закрыта, но внутри никого нет. Странная тишина. Где-то здесь ловушка, это точно.

Паук, поднимающийся по паутине к потолку, кажется мне знаком. Плохим знаком. Паук означает ловушку.

Поздно. Петр и его дружки спрятались под кроватями. Они внезапно выскакивают и угрожают нам ножом с выкидным лезвием.

Паук был прав.

Против ножа мои кулаки бессильны. Мы стоим, опустив руки, а Петр приказывает своим дружкам раздеть нас и поджечь одежду. Он говорит, что с этого момента половину сигарет, которые мы украдем, мы будем отдавать ему, а то получим по шее.

— Хотите мира, салаги, так делитесь.

Потом он поворачивается ко мне и, играя лезвием у пупка, говорит:

— А тебе я скоро портрет перекрою.

Я не могу ничего сделать против его ножа. Мы проходим голые мимо других ребят. Об этом уже знает весь детдом, и мы понимаем, что облажались.

На улице идет снег, приближаются праздники, но здесь никто не верит в Деда Мороза. Если бы он был, он дал бы нам родителей, которые могли нас защитить. Правда, на Новый год каждый имеет право на апельсин и кусок жесткой баранины. Я чищу апельсин и загадываю желание. Если Дед Мороз меня слышит: «Пусть Петр получит ножом в брюхо».

48. ВЕНЕРА. 7 ЛЕТ

Прошлой ночью мне приснился странный сон. Мне снилось, что дети дерутся и один из них поворачивается ко мне и бросает: «А тебе я скоро портрет перекрою».

Вчера вечером я смотрела по телевизору передачу про пластическую хирургию. Наверняка она и вызвала этот кошмар. Там как раз объясняли, каким образом перекраивают лицо. Мама просто приклеилась к экрану. Обычно, когда по телевизору показывают кровь, родители велят мне идти спать, но тут они были так захвачены зрелищем, что забыли про это.

Мама сказала, что она тоже хотела бы пойти к хирургу и переделать лицо. Она говорит, что не надо долго ждать. Чем ты моложе, тем лучше результат.

Папа возразил, что операция стоит слишком дорого, но мама сказала, что красота не имеет цены, особенно если это профессиональный капитал. Папа сказал, что его внешность тоже профессиональный капитал, но он предпочитает поддерживать свою форму с помощью спорта, а не скальпеля.

Папа упрекал маму, что она не следит за собой и тратит слишком много денег. Потом он хотел ее поцеловать, но она его оттолкнула. Она сказала, что он больше на нее не смотрит, а то бы увидел ее морщины и сам предложил их убрать. Она сказала, что женщина никогда не идеальна и что с определенного возраста она ответственна за свое лицо.

Неужели это правда? Значит, красота не дается раз и навсегда?

Они поссорились. Мама упрекала папу, что он посещает молоденькую курочку. Я, правда, никогда не видела никакой птицы в квартире. Папа сказал, что у него нет курочки, что с него хватит ее подозрений. Мама сказала, что в любом случае женщина имеет право ухаживать за своей внешностью и что, если он не хочет заплатить за ее операцию, она оплатит ее с их общего счета.

Папа сказал: «Не в твоих интересах делать это». Они произнесли ритуальную фразу: «Не перед малышкой», а затем ушли к себе в комнату. Они продолжали кричать. Били вещи об пол и стены. Потом стало тихо.

Есть много такого в поведении взрослых, что мне кажется странным. Я еще посидела немного перед телевизором, чтобы посмотреть продолжение передачи.

Потом, у себя в комнате, как часто по вечерам, я села перед зеркалом и задумалась. Если маме нужна пластическая операция, чтобы стать еще красивее, значит, мне тоже.

Что изменить, чтобы стать еще красивее? Я исследую свое лицо и прихожу к выводу: нос.

У меня слишком длинный нос. Санта-Клаус, если ты меня слышишь, вот мое желание: пластическая операция, чтобы укоротить нос.

49. ЖАК. 7 ЛЕТ

— Прекратите задавать вопросы, Немро.

— Но...

— Вы меня раздражаете, Немро. Учите урок, и все. Постоянно в облаках витает, а потом задает вопросы. А меня интересуют ответы.

104

Смех в классе. Я наклоняю голову. В школе я несчастлив. Училка заставляет нас зубрить наизусть всякие вещи, а у меня память плохая. В этом году я потратил кучу усилий на таблицы сложения и вычитания. В первом классе я с трудом выучил алфавит и научился писать свою фамилию и адрес. Не могу запомнить спряжения глаголов. Я не могу даже запомнить входного кода в собственный дом. Сколько раз я тщетно пытался набрать правильные цифры на улице, на холоде!

С другими учениками у меня тоже сложные отношения. Потому что я рыжий и ношу очки. Они обзывают меня «морковкой со стеклышками» или «ржавым гвоздем». По-моему, я ошибся планетой.

Лучше всего мне с Моной Лизой. Она всегда дает хороший совет. Вчера я решал задачу по математике с тремя возможными ответами. Так вот, Мона Лиза положила лапу на правильный!

Если я не с этой планеты, может, я с планеты кошек?

На прошлой неделе я проходил мимо магазина игрушек и увидел замечательный космический аппарат с мигающими лампочками. Может, на таком аппарате можно путешествовать в космосе и найти свою планету? Я уверен, что на моей большинство существ имеют рыжие волосы, а блондинов и брюнетов обзывают «кочерыжками» и «коровьими лепешками».

На моей планете никого не заставляют учить наизусть стихи, потому что все знают, что это бессмысленное занятие. И кодов на входной двери там нет. Скоро Рождество. Я попрошу Деда Мороза принести мне этот космический аппарат.

Я рассказал об этом Моне Лизе. Она согласна с моим выбором.

50. ЖЕЛАНИЯ

Я сижу по-турецки, паря в пространстве под бирюзовым деревом. Справа плещется озеро Зачатий. Три сферы трепещут у меня над ладонями. Каждый раз, когда я подключаюсь к клиентам, я чувствую небольшую боль. Как если бы соединение со смертными существами позволяло мне снова обрести ощущения плоти.

Подходит Эдмонд Уэллс. Он касается кончиком пальца сферы Игоря, кладет ладонь на сферу Венеры.

— Теперь ты, по крайней мере, знаешь рычаги каждого. Знаки для Игоря. Сны для Венеры. Кошка для Жака. Но будь внимателен. Иногда нужно много рычагов, иногда их нужно поменять. Не впадай в рутину. Ну, что они хотят на Рождество и Новый год?

— Игорь хочет... чтобы один его знакомый получил ножом в живот. Венера хочет пластическую операцию, чтобы укоротить нос, а Жак требует пластмассовую игрушку в виде космического корабля пришельцев. Я действительно должен выполнить все их желания?

Наставник теряет терпение.

— Решив стать ангелом, ты обязался не обсуждать это правило. Ты не должен судить о качестве их желаний, твоя роль состоит в том, чтобы их удовлетворять.

— Кто придумал такие правила? Кто заинтересован в том, чтобы их желания исполнились? Бог?

Эдмонд Уэллс делает вид, что не расслышал вопроса. Он склоняется над яйцами с обеспокоенным видом. Меняет углы наблюдения, задумывается и говорит:

— Теперь, когда ты знаешь пять рычагов, я научу тебя трем тактикам. От самой простой до самой слож-

106

ной. Во-первых, тактика «кнута и пряника». Речь идет о том, чтобы подталкивать клиента обещанием вознаграждения или угрозой наказания. Во-вторых, тактика «горячего и холодного». Быстро менять плохие и хорошие сюрпризы для того, чтобы клиент стал более податливым. В-третьих, тактика «бильярдного шара». Воздействовать на того, кто воздействует на клиента.

Удовлетворенный преподнесенной порцией мудрости, наставник уходит. Не успевает он удалиться, как появляется мой искуситель Рауль Разорбак.

— Пошли за ним.

Мы незаметно продвигаемся среди деревьев до ложбины, в которой Эдмонд Уэллс, сидя по-турецки, пристально разглядывает единственную парящую над ладонями сферу. Так, значит, инструкторы имеют на своем попечении какие-то специально отобранные души?

Яйцо поблескивает.

Уэллс шевелит губами. Он говорит сфере:

— Улисс Пападопулос, ты готов? Вот еще одна статья для «Энциклопедии относительного и абсолютного знания».

И он начинает диктовать отрывок, посвященный влиянию языков на мышление. Я не верю своим ушам. Эдмонд Уэллс диктует тексты смертному. Но не первому попавшемуся, понимаю я тут же. Рауль был прав. Наставник использует медиума для того, чтобы передать свои знания, потому что больше всего он опасается, как бы его мысли, не зафиксированные материально, не исчезли.

— Этот смертный, этот Улисс Пападопулос, значит, знает больше, чем ангелы, об их территории, — шепчет мой друг. — Давай-ка спустимся и поглядим на него. Это, должно быть, интересно.

51. ЭНЦИКЛОПЕДИЯ

Вопрос о языке. Язык, которым мы пользуемся, влияет на наше мышление. Например, французский, увеличивая количество синонимов и слов с двойным смыслом, вводит нюансы, очень полезные в дипломатии. Японский, в котором смысл слова определяется интонацией, требует постоянного внимания к настроению говорящего. Поскольку в японском, кроме того, существует множество уровней вежливости, то это заставляет собеседников с самого начала определить свое место в социальной иерархии.

Язык является не только формой образования и культуры, он содержит в себе составляющие элементы общества: управление эмоциями, коды вежливости. Количество в том или ином языке синонимов слов «любить», «ты», «счастье», «война», «враг», «долг», «природа» свидетельствует о ценностях, преобладающих у народа — носителя этого языка.

Также необходимо знать, что невозможно сделать революцию, не изменив старый язык и словарь. Поскольку именно они готовят или не готовят изменения сознания.

Эдмонд Уэллс.
«Энциклопедия относительного
и абсолютного знания», том 4

52. ЖАК. 7 ЛЕТ

На Рождество я получил свой космический аппарат. Я нашел его в коробке под елкой. Как я был рад! Я расцеловал родителей, и мы ели разные жирные вещи, чтобы «праздновать». Гусиную печень, устриц, копченую лососину с укропным соусом, индейку с каштанами, рождественский торт.

Не понимаю, что им так нравится в этих праздничных блюдах. Моя старшая сестра Сюзон говорит, что паштет из гусиной печени делают из гуся, которого насильно пичкают до тех пор, пока его печень не раздуется до огромных размеров, Матильда утверждает, что омаров бросают живьем в кипяток, а мама говорит, чтобы мы проверили, живые ли устрицы, капнув на них лимонным соком. Если они шевелятся, их можно есть.

После ужина мы рассказываем анекдоты. Папа рассказал один очень смешной.

— Одного человека сбил грузовик. Только он встал, его сбил мотоцикл. Он встал, и его сбила лошадь. Не успел он встать, как его сбил самолет. Тут кто-то как закричит: «Остановите карусель, человек ранен!»

Я не сразу понял, а когда понял, то целый час смеялся. Шутки, которые я не сразу понимаю, потом оказываются самыми смешными.

Анекдоты вроде коротких сказок. Для хорошего анекдота нужны декорации, персонаж, кризисная ситуация или напряженное ожидание, и все это нужно обрисовать очень быстро, без единого лишнего слова. Необходим еще удивительный конец, а его не так просто придумать. Нужно научиться придумывать анекдоты, мне кажется, что это хорошее упражнение.

Анекдоты хороши тем, что их можно сразу проверить. Рассказываешь его и тут же видишь, смеются люди или нет. Обмануть невозможно. Если люди не понимают или не находят это смешным, они не смеются. Я попробовал.

— Знаете, как собирают папайю?

Все сказали, что нет.

— Куку-косой!

Все усмехнулись. Никто не засмеялся. Провал.

— Какой он хороший, — сказала мама, потеребив меня по волосам.

Раздосадованный, я убежал в туалет и закрылся на задвижку. Это было моей местью. Я запретил всем входить. Меня долго уговаривали, а потом дядя предложил сломать дверь. «Ну нет», — сказал папа. Я победил. Туалет, действительно, неприступное убежище.

В течение следующих дней я очень веселился, играя с космическим аппаратом. Чтобы он приземлялся на планету, я сделал из туалетной бумаги, клея и пластиковых бутылок другой мир и пять маленьких человечков. Моя планета красного цвета, с красным небом и красной водой. Я все покрасил маминым лаком для ногтей, но она этого еще не заметила.

Затем я попробовал описать приключения своих героев. Это история про четырех астронавтов, которые высаживаются на красную планету, где живут очень сильные воины, которые ничего не боятся. Астронавты подружились с ними и выучили их кодекс чести и боевые искусства, которые очень сильно отличаются от существующих на Земле.

Мона Лиза раздавила одного астронавта. Так я решил добавить к своей истории монстра, гигантскую Ангору, от которой нужно удирать со всех ног. Теперь я хочу найти кого-нибудь, кому прочитать свою историю. Если это только для меня, то зачем писать?

53. ВЕНЕРА. 7 ЛЕТ

Все произошло очень быстро.

Я была с мамой в дорогом детском магазине на Беверли Хиллз и мерила платья, когда к нам подошел какой-то мужчина и погладил меня по голове. Мама всегда говорит: «Не разрешай к себе прикасаться, не бери у незнакомых людей конфеты, никогда не ходи с незнакомыми людьми». Но в этот раз она была со мной, и она не прогнала этого господина.

— Я хочу ее фотографировать. Я фотографирую для крупнейшего каталога детской одежды, — сказал он.

Мама ответила, что она сама модель, что она знает эту работу и не хочет, чтобы ее дочь попала в этот ад.

Затем, не знаю почему, они стали называть числа. Каждый раз, когда этот тип называл число, мама называла большее. Это было вроде игры. Последнее слово осталось за мамой, и мы вернулись домой.

Через неделю мама привела меня в очень сильно освещенное место. Все начали суетиться вокруг меня. Меня накрасили, причесали, одели. Все говорили, что я красивая. Но я это и так давно знаю. Одна дама сказала, что я «более чем красивая». Прекрасно.

Что ж, если они сами не заметили моего слабого места, моего слишком длинного носа, я им этого не скажу. Сперва меня посадили на стул и снимали под самыми разными углами. Обожаю звук вспышки. Это как рычание зверя перед прыжком, потом вспышка, и все начинается снова.

Потом я делала вид, что играю с куклой на фоне облаков. Мама смотрела на меня с гордостью. Господин был там, и они снова играли в числа, и мама снова выиграла. Мама сказала, что я сделала нечто потрясающее и в награду я могу загадать какое угодно желание.

Я сказала, что хочу быть безупречно красивой.

— Ты и так безупречна, — сказала мама.

Я всхлипнула.

— Нет. У меня слишком длинный нос. Мне нужна пластическая операция.

— Ты шутишь? — засмеялась мама.

Я продолжала настаивать:

— Ты-то сделала себе операцию. Твои «морщины», твой «жир на ляжках».

Повисла тишина. Наконец мама сказала:

— Очень хорошо. Ты войдешь в историю как самая маленькая девочка, прибегнувшая к пластической хирургии. Пойдем.

Я оказалась в специализированной клинике доктора Амброзио ди Ринальди, бывшего скульптора, ставшего хирургом. Его называют «Микеланджело скальпеля». Кажется, большинство актрис получили известность именно благодаря ему, а не своим пресс-атташе и агентам. Хирурги — это настоящие открыватели талантов. Но тсс, это секрет, публика об этом не знает. Амброзио настолько талантлив, что может сделать операцию, учитывая мой будущий рост.

Меня усыпили на столе, а когда я проснулась, все лицо было в повязках. Мне не терпелось увидеть свой нос, но нужно было подождать несколько дней, чтобы заросли швы.

Пока я ждала, когда исчезнут следы после операции, то сидела в своей комнате. Я смотрела свой любимый фильм, «Клеопатра», с Лиз Тэйлор. Лиз Тэйлор самая красивая женщина в мире. Когда я вырасту, я стану Лиз Тэйлор. У настоящей Клеопатры, кажется, тоже был слишком длинный нос. Может, это и есть проклятие самых красивых людей? Но у меня перед ней есть преимущество. Во времена Клеопатры еще не изобрели пластическую хирургию, хотя бинтовать уже умели.

Операция на носу — этой только первый шаг в завоевании публики.

Теперь я хочу стать звездой.

54. ИГОРЬ. 7 ЛЕТ

Требования Петра после его победы над нами возросли. Он распространил рэкет на все комнаты. Его нож с выкидным лезвием позволяет устанавливать свои законы.

Недавно в мастерской мы начали упаковывать сигареты. Поэтому Петр приказал нам регулярно красть по пачке и отдавать ему. Он развил такую торговлю, что теперь может подкупать большинство наших взрослых охранников.

Он окружил себя целой бандой телохранителей, которые сеют среди нас ужас еще и потому, что пользуются покровительством охранников. Когда они хотят что-то получить от нас, то обращаются к Петру, который знает, как заставить нас подчиниться. Он придумал целый набор пыток для строптивых или тех, кто не хочет платить его «петровский налог». Здесь и прижигания сигаретой, и порезы ножом, и просто избиения.

Мне осточертело это место. Даже мои друзья, три В, Вася, Ваня и Володя, в конце концов смирились с властью Петра, который требует, чтобы его называли «царевич».

Я бессилен перед его командой и его властью. Стоит мне ударить кого-нибудь из них, как на меня набрасываются все.

Петр сделал Ваню козлом отпущения. По любому поводу или без повода его колотят и пинают. Мы как-то попробовали его защитить, и тогда избили нас, а охранники просто закрыли на это глаза.

Вася отреагировал так. «Надо валить из этого чертового детдома», — сказал он. Для побега мы решили вырыть подземный ход. Наша комната недалеко от внешней стены. Если повезет, мы вчетвером улетим в другой мир, где нет ни Петра, ни его банды, ни наших охранников.

Утром меня вызвали к директору. Я пошел туда нехотя и застал его в компании с большим мужчиной в военной форме. Учитывая количество медалей на его мундире, это важный человек. Директор сказал тихим голосом:

— Игорь, мне очень жаль.

— Я ничего не делал, это не я, — сказал я автоматически, думая, что они обнаружили туннель.

Директор сделал вид, что не расслышал.

— Игорь, мне очень жаль, что ты должен покинуть наше учреждение, которое стало для тебя, я это знаю, родной семьей. Перед тобой открывается новый этап в жизни...

— Тюрьма?

— Да нет же! — воскликнул он. — Тебя усыновляют.

Мое сердце учащенно забилось. Директор уточняет:

— Присутствующий здесь господин Афанасьев захотел встретиться с тобой, чтобы впоследствии усыновить. Конечно, твое мнение тоже будет учтено.

Усыновить меня?

Я смотрю на типа. Он мне добро улыбается. Он выглядит приятно. У него мягкие голубые глаза. И все эти медали... Мужчины в униформе со множеством медалей производят на меня впечатление.

Я подхожу поближе. Он приятно пахнет. Наверняка его жена не может иметь детей, и поэтому они хотят меня усыновить. Мой будущий папа проводит пальцем у меня под подбородком.

— Вот увидишь, тебе у нас понравится. Моя жена печет отличные торты, особенно шоколадные.

Торты! Рот у меня наполняется слюной. Здесь их дают только по случаю дня рождения президента, и к тому же их делают на свином сале с сахарином, так что вкус у них довольно противный. У этих замечательных людей я буду есть их каждый день, и к тому же с шоколадом. Ух, шоколад... Я уже представляю себе будущую маму. Смешливая блондинка. С добрыми пухлыми белыми руками, чтобы месить тесто.

— Я думал, что уже слишком взрослый, чтобы меня усыновлять.

— Господин Афанасьев — полковник ВВС. Он имеет право на исключения. Он не хотел малыша, но уже взрослого ребенка с хорошим здоровьем.

В комнате никто не хочет верить в мою историю. Владимир резко говорит:

— Печальная правда в том, что они вытаскивают нас из этой тюрьмы лишь для того, чтобы отправить в еще худшее место.

— Да уж, — поддакивает Ваня. — К тому же они сами признались, что выбрали тебя только из-за твоего здоровья.

Владимир добавляет:

— Полковник ВВС... Да там торгуют молодыми новобранцами. Это все знают.

Я начинаю беспокоиться:

— Вася, а ты что думаешь?

Василий пожимает плечами и предлагает сыграть в карты. Первую партию я проигрываю. Вася забирает мою ставку и говорит с видом мудреца:

— По-моему, тебе лучше остаться здесь и копать вместе с нами туннель.

Сперва его безразличие меня обезоруживает, потому что Вася всегда дает хорошие советы, но на этот раз я считаю, что он говорит так из эгоизма.

— Вам всем завидно, потому что у меня будут папа и мама, а вы останетесь здесь взаперти.

У меня появляется желание встать и уйти, но я продолжаю играть. Владимир выигрывает двадцать сигарет, а потом говорит, не глядя на меня:

— Ты нам нужен, чтобы копать туннель.

Я взрываюсь.

— Туннель, туннель, никогда мы его не выкопаем! Вы и через год здесь будете!

Скоро я больше не буду сиротой. Скоро у меня будет настоящая семья. Мои друзья уже в прошлом. Наше расставание будет болезненным, но чем быстрее я порву все связи с тремя В, тем лучше для меня.

Теперь, когда у меня есть настоящий папа, я хочу только одного: выйти отсюда.

55. ЭНЦИКЛОПЕДИЯ

Выйти отсюда. Задача: как соединить эти девять точек четырьмя прямыми, не отрывая руки?

Решение:

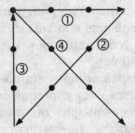

Часто мы затрудняемся найти решение, поскольку подсознательно ограничиваемся территорией рисунка. Однако нигде не сказано, что нельзя выходить за его пределы.

Вывод: чтобы понять систему, необходимо... выйти из нее.

Эдмонд Уэллс.
«Энциклопедия относительного
и абсолютного знания», том 4

56. ПАПАДОПУЛОС

Эдмонд Уэллс объявляет о конце эзотерики. И действительно, все его секреты плохо замаскированы.

Его Улисс Пападопулос — это монах-отшельник. Он построил дом, притащил туда запасы провизии, которых хватит до конца жизни, и замуровался в нем.

Свое убежище он построил не где-нибудь. Оно находится на одном из самых высоких и удаленных хребтов Кордильер в Андах, в районе местечка Куско в Перу.

Там Пападопулос медитирует и пишет. Это человек небольшого роста, с черной кудрявой бородой, непропорционально большими ногтями и чистый весьма условно. Когда десять лет живешь в комнате площадью двадцать квадратных метров, начинаешь забывать про такие привычки, как одежда или личная гигиена. К тому же затворника посещают лишь пауки.

Монах занят тем, что записывает последний афоризм Эдмонда Уэллса, когда мы заявляемся к нему. Текст гласит, что, для того, чтобы понять систему, необходимо выйти из нее. Это утверждение восхищает моего друга Рауля. Ведь мы этим самым и занимаемся, не правда ли? Когда мы приближаемся, чтобы получше разглядеть текст, Пападопулос резко прекращает писать.

— Кто здесь?

Это как холодный душ. Смертный, чувствующий наше присутствие! Скорее за шкаф.

Он нюхает воздух.

— Я чувствую ваш запах. Вы здесь, не так ли?

Этот маленький человек, несомненно, выдающийся медиум. Он вертится во все стороны, как кошка, учуявшая мышь.

— Я чувствую, что вы здесь, святой Эдмонд.

Мы стараемся подавить излучение наших аур.

— Вы здесь, святой Эдмонд. Я это знаю, я чувствую.

Мог ли я представить, что когда-нибудь стану ангелом, который боится людей...

— Я вас уже давно жду, — шепчет писарь. — Абсолютное знание — это одно, но одиночество — это другое.

Мы с Раулем не движемся.

— Я устал быть мистиком, все имеет свои границы. Вы сказали, что будете диктовать во сне все, что я должен записать. С тех пор, конечно, каждое утро у меня в голове есть готовый текст, но вот что касается того, чтобы видеть вас...

Мы съеживаемся изо всех сил. Он восклицает:

— Ну вот, я вас заметил, святой Эдмонд!

Он подходит к шкафу и собирается его отодвинуть. Потом передумывает и возвращается на середину комнаты.

— Ну что ж, если вы так, то я увольняюсь! — в гневе бросает он. — Очень жаль, но я не переношу грубости.

В крайнем возбуждении греческий монах хватает огромный молот и начинает бить им по кирпичам, которыми замурована входная дверь.

Из-за нас он решил покинуть свой скит! Я толкаю Рауля локтем.

Нельзя позволить ему сделать это. Эдмонд Уэллс нам этого никогда не простит.

— Ко мне, внешний мир! Ко мне, красивые девушки! — орет он во всю глотку, как помешанный. — Я отказываюсь от своего обета целомудрия! Я отказываюсь от всех своих обетов! От обета молчания! От обета молитвы! Ко мне, рестораны и дворцы, ко мне, настоящая жизнь!

Каждую фразу он сопровождает ударом молота.

— Потерять десять лет на переписывание философских афоризмов, премного благодарен! А потом, когда это приходит ко мне, оно не говорит ни здрасьте, ни до свидания. Да! Больше меня не заманишь. Религия — опиум для народа. А я — дурень, поспешил сделаться монахом-отшельником в горах, как только мне явилось световое существо и попросило об этом...

— Нужно, чтобы кто-нибудь из нас показался, — говорю я.

— Ты, — отвечает Рауль.

— Нет. Ты.

Продолжая размахивать молотом, грек затягивает мелодию группы «Пинк Флойд» «Стена».

— ...We don't need your education...

Куски кирпича летят во все стороны, поднимая пыль. Я решительно выталкиваю Рауля из нашего убежища за шкафом. Священник замирает как вкопанный. Он его увидел. Это настоящий медиум с многочисленными способностями. Он отупело застывает и встает на колени, сложив руки.

— Явление наконец-то! — в восхищении произносит он.

— Э-э-э... — говорит Рауль, который решил увеличить сияние ауры для лучшего эффекта.

Ну и кривляка! Но удовольствие быть увиденным людьми из плоти и крови выше всего. Улисс Пападопулос не перестает креститься. Мы, наверное, действительно производим сильное впечатление на тех смертных, которые нас видят. У меня появляется желание тоже показаться, чтобы удвоить эффект. Но отшельника и так уже чуть удар не хватил. Он начинает креститься все быстрее и быстрее и простирается у ног Рауля.

— Э-э... Ну-у... — изрекает мой друг, чтобы потянуть время. — Да-а... конечно... вот... действительно... вот и я.

— Ах, какое счастье! Я вас вижу, я вас вижу, святой Эдмонд. Я вас вижу своими собственными глазами.

Видимо, в порыве угрызения совести Рауль произносит:

— Э-э... Я не Эдмонд, я Рауль, коллега Эдмонда, того самого, который тебе диктует «Энциклопедию». Он не смог прийти, он приносит извинения. Но он уполномочил меня его представлять.

Монах его плохо слышит, и Раулю приходится повторять каждую фразу по несколько раз, даже диктуя по буквам, чтобы он понял. Он вытягивает руки в направлении этой тарабарщины.

— После святого Эдмонда святой Рауль! Святой Рауль! Святой Рауль! Я благословлен. Ко мне обращаются все святые! — заявляет Пападопулос.

— Очень хорошо, — обрывает Разорбак. — А скажи-ка, в «Энциклопедии» упоминается цифра 7?

— Цифра 7? — удивляется монах. — Э-э... Конечно, святой Рауль, конечно. Она много раз упоминается.

— Покажи мне, — приказывает ангел.

Монах бросается к столу, благоговейно слюнявит палец и начинает быстро перелистывать страницы. Сперва он извлекает текст о символике цифры 7 в картах Таро. Затем другой, подлиннее, о важности этой цифры в мифах и легендах. Третий посвящен семи ступеням в лестнице Якова...

Проблема с этой «Энциклопедией относительного и абсолютного знания» в том, что в ней чего только нет. Мысли нашего учителя направлены одновременно в самые разные стороны. «Энциклопедия» излагает философские рассуждения, но в ней есть и кулинарные рецепты, научные анекдоты, загадки, социологические исследования, словесные портреты, новые взгляды на известные факты земной истории. Что за хаос! Чтобы прочитать все, нам потребуется много путешествий!

Рауль предлагает писарю снабдить манускрипт указателем или хотя бы оглавлением с пронумерованными страницами. Он перелистывает страницы. Пропускает психологические тесты. Интервью со звездами. Наконец что-то интересное. В одном вступлении говорится о том, что географически мир «седьмых» не находится рядом с миром «шестых». Вследствие этого искать его нужно «там, где меньше всего ожидаешь его найти».

Внезапно мы, не чувствующие больше ни холода, ни жары, ощущаем ледяное дуновение.

— Неприкаянные души! — с беспокойством говорит Рауль.

Действительно, перед нами возникает с десяток фантомов. Они похожи на нас, только вместо того, чтобы сиять, они поглощают свет.

Рауль, который в Раю старше меня, объясняет, что эти эктоплазмы — самоубийцы, ушедшие до срока, или убитые, души которых так мучаются, что предпочитают остаться здесь и решить проблемы своего прошлого, вместо того чтобы вознестись на небо и очиститься в другой жизни.

— Это люди, которые даже после смерти отказываются отдать концы?

— Или не могут. Некоторые реваншисты, жаждущие мести, хотят оставаться призраками, чтобы преследовать своих мучителей.

— А нам они могут причинить вред?

— Нам не могут. А Пападопулосу могут.

Я протестую:

— Но мы же ангелы, а они просто неприкаянные души.

— Они остались ближе к людям, чем мы.

Рауль опасается, что именно мы навели их на след греческого монаха. Неприкаянные души постоянно ищут тело для преследования, а мы, высадившись на Земле, указали им медиума.

Призраки постоянно прибывают. Их уже больше тридцати. Они выглядят так же, как в момент своей смерти. Перед нами воины древних инков с ранами от аркебузов конкистадоров. Мы как будто видим роман Лавкрафта! Тот, кто, судя по всему, является их начальником, еще более ужасен. У него нет головы. Я придвигаюсь к Раулю и спрашиваю:

— Как можно их победить?

57. ВЕНЕРА. 7 ЛЕТ

Зеркало. С новым носом я нахожу себя еще красивее. Я хожу в школу для детей звезд, в которой обучение строится по методу доктора Хаткинса. Нам разрешают делать, что угодно и когда угодно, чтобы не подавлять наши желания. Чаще всего я рисую маленького человечка — заключенного.

— Кто это? — спрашивает учительница. — Твой папа? Твоя мама?

— Нет. Это Другой.

— Кто другой? Прекрасный принц?

Я уточняю:

— Нет, это Другой, он мне иногда снится.

— Ну хорошо, у этого Другого есть имя, это прекрасный принц, — сообщает мне учительница. — Я тоже его искала, а потом нашла, когда встретила своего мужа.

Ничто так меня не раздражает, как эти взрослые, которые не слушают детей и воображают, что все знают. Я кричу:

— Нет, Другой это никакой не прекрасный принц! Это узник. Он в заточении и хочет выйти. Только я могу ему помочь, но для этого я должна вспомнить.

— Что вспомнить?

Я не могу терять время. Я отворачиваюсь.

На прошлой неделе меня пригласили на фотосеанс в один журнал. Благодаря маме, которая меня рекламирует везде, куда ходит по своим делам. Я позировала два или три часа, сидя на табурете с букетом цветов. По-моему, это было для календаря. Мама была в соседней комнате и играла в эту игру, когда нужно называть все большие и большие числа и заканчивать словом «доллар».

Мама сказала, что я становлюсь кем-то очень важным. Она сказала, что я новая Ширли Темпл. Не знаю, кто эта девушка. Наверняка одна из этих стареющих актрис, которых всегда упоминает мать. Во всяком случае, мне они все, кроме Элизабет Тейлор, кажутся страшными.

58. ЖАК. 7 ЛЕТ

Уже несколько недель, как в школе появилась новенькая. Когда появляются новички, я всегда хочу помочь им.

Эта новенькая не совсем обычная. Она старше нас. Ей восемь лет. Наверняка она оставалась на второй год, хотя на тупицу и не похожа. Она живет в цирке. Она все время переезжает с места на место, и поэтому ей сложно следовать за программой.

Девочку зовут Мартин. Она благодарна за мое отношение, слушает мои советы и спрашивает, умею ли я играть в шахматы. Я говорю нет, и она достает из ранца маленькую шахматную доску, чтобы научить меня. Мне нравится в шахматах то, что доска похожа на театр, в котором фигуры танцуют и борются. Она учит, что у каждой фигуры есть свой мини-код поведения в жизни. Одни продвигаются маленькими шагами: это пешки. Другие далеко перескакивают, как бешеные. А третьи могут перепрыгивать через остальные фигуры, это кони.

У Мартин способности к шахматам. В своем возрасте она уже играет на соревнованиях с несколькими взрослыми одновременно.

— Это просто. Взрослые не ожидают, что маленькая девочка будет на них нападать, и я жму изо всех сил. Тогда они переходят в оборону. Когда они защищаются, то становятся предсказуемыми и опаздывают на один ход.

Мартин утверждает, что для победы нужно следовать трем принципам. В начале партии как можно скорее вывести свои фигуры из-за линии обороны, чтобы они могли вступить в действие. Затем занять центр. Наконец, стараться вначале укрепить свои сильные стороны, а потом уже улучшать слабые.

Шахматы становятся страстью. Мы с Мартин играем на время, когда нужно думать не на один, а на шесть ходов вперед, которые логически следуют друг за другом.

Мартин говорит, что я хорошо атакую, но не очень хорошо защищаюсь. Тогда я прошу ее научить меня лучше защищаться.

— Нет, вспомни. Лучше укреплять свои сильные стороны, чем исправлять слабые. Я буду учить тебя еще лучше атаковать, и тогда тебе не придется учиться защищаться.

Так она и делает. Я думаю все быстрее. Когда я играю, мне кажется, что пространство и время ограничиваются этой доской, на которой завязывается драма. С каждым ходом мне кажется, что в голове мечется мышь, исследующая все возможные ходы в лабиринте, чтобы скорее найти правильный.

Мартин рассказала случай, описанный Эдгаром По в «Шахматисте из Малзеля». Это история про машину, которая обыгрывает всех людей в шахматы. В конце концов выясняется, что на самом деле в ней сидит карлик. Какая отличная находка! У меня даже мурашки от удовольствия! К тому же, кажется, это настоящая история.

Мартин, Эдгар Алан По и шахматы придают новый смысл жизни. Теперь я ввожу много напряженного ожидания в свои рассказы, большинство из которых связаны с шахматами. Часто их персонажи попадают в игру, правил которой не знают, потому что ею управляют невидимые законы, которых они даже не в состоянии себе представить.

Я предлагаю Мартин прочитать мой последний рассказ. Она соглашается. Неужели я наконец нашел читателя? Я шепчу ей на ухо историю про двух лейкоцитов, ищущих в человеческом теле микроба. Когда они его ловят, то понимают, что его единственным желанием было присоединиться к обществу клеток человеческого тела. В конце концов микроба принимают в тело, но только туда, где он может быть полезен.

— То есть?

— В пищеварительную систему, чтобы он помогал переваривать пищу.

Она смеется:

— Остроумно. Как это тебе пришло в голову?

— Я посмотрел передачу про микробов по телевизору.

— Нет, я спрашиваю, как у тебя появилось желание найти лучший мир, ведь твой микроб на самом деле ищет идеальное общество.

— Мне кажется, что наш организм уже идеальное общество. Там внутри нет соревнований, нет начальников, там все разные и в то же время дополняют друг друга, и все действуют в общих интересах.

Мартин говорит, что мой рассказ очень хороший. Она целует меня в щеку, я хочу тоже поцеловать ее, но она меня отталкивает.

— Когда напишешь еще рассказы. Я хочу, чтобы ты их мне почитал, — выдыхает она.

59. ИГОРЬ. 7 ЛЕТ

Сегодня вечером за мной должны прийти мои новые родители. Я надел черный синтетический костюм, который нам выдали по случаю праздника. Начистил ботинки топленым салом. Собрал чемодан. Я ни с кем не говорю. Днем я не ем. Я боюсь поставить пятно на костюм. В библиотеке я пролистал книгу о правилах хорошего тона. Теперь я знаю, что вилку кладут слева от тарелки, а нож справа. Я знаю, что к мясу подают белое вино, а к рыбе красное. Или наоборот. Я знаю, что нужно давать свою визитную карточку другим богатым, которых встречаешь, чтобы иметь потом возможность встретиться с ними, не сталкиваясь с бедными.

Я также изучил награды. Медали моего будущего папы говорят о том, что он не только принадлежит к элите военно-воздушных сил, но и что он сбивал вражеские самолеты. ВВС... Я уже чувствую, что готов презирать пехоту, артиллерию и флот. Да здравствует авиация! Летишь над врагами и убиваешь их издалека, не видя и не касаясь. Да здравствует армия! Да здравствует война! Смерть врагам! Смерть Западу!

Когда я официально стану «сыном полковника», я буду знать все передвижения наших войск, я узнаю обо всех секретных операциях, о которых в прессе ни слова. Я уверен, что от нас скрывают все действительно интересное: бойни, внезапные нападения и все такое. Три В из нашей комнаты мне осточертели. Скорей бы стать богатым, бедные начинают действовать мне на нервы.

Полдень, час дня, пять вечера. Я говорю «до свидания» охранникам, усаживаюсь и жду девятнадцати часов в своем красивом праздничном костюме, который немного потрескивает по швам. Ваня проходит мимо, смотрит злобно и бросает:

— Твой полковник наверняка педофил.

126

— Ты так говоришь от зависти. Ты даже не знаешь, что такое шоколадный торт.

— А ты изменник!

Я понимаю, что Ваня рассчитывал на мою помощь и защиту, но я не могу постоянно быть в распоряжении всех. Я успокаиваюсь.

— Тебе когда-нибудь тоже повезет, и тогда ты будешь вести себя точно так же.

Мой новый папа должен прийти за мной ровно в девятнадцать часов. В девятнадцать тридцать я наверняка буду дома, буду есть торт с настоящим маслом и шоколадом.

Восемнадцать тридцать. Передо мной появляется Василий, вид у него странный. Он велит мне идти за ним в душевую. Там возбужденная толпа. Все смотрят вверх, а под потолком висит Володя с табличкой на шее: «Спрятал сигареты, чтобы не платить налог». Моего толстого друга, наверное, было трудно подтянуть так высоко. Он весь синий, а язык неестественно высунут, что делает всю сцену еще ужасней.

— Это Петр... Петр... его убил! — с трудом выговаривает Ваня.

Василий молчит, но взгляд у него жесткий. Он подходит ко мне, берет меня за плечо и ведет к тайнику, про который я не знал. Из куска материи он достает что-то длинное и блестящее. Нож.

Я разглядываю его. Он его не купил, он его сделал. Выковал тайком в мастерской. Похож на настоящий кинжал.

— Ты из нас самый сильный. Ты должен отомстить за Володю.

Я остолбенел. Я думаю о новом папе, полковнике ВВС. Однажды он посадит меня в свой самолет... Научит летать... Я снова вижу этого жиртреста Володю, всегда жрущего, всегда с пальцем в носу, свинья. Я снова вижу, как он ест, пускает слюни и рыгает. Володя.

— Очень жаль, — говорю я Василию. — Поищи кого-нибудь другого. Через полчаса придут мои новые родители. Меня теперь ваши разборки не касаются.

Я уже поворачиваюсь, чтобы уйти, когда слышу за спиной шепот:

— А Игорь... Игорь-то тоже налог не заплатил...

Это Петр.

— А Игорь-то как на праздник разоделся. Настоящий богатый сынок. Костюмчик какой красивый, на тряпки пойдет.

Василий тщетно пытается всунуть мне в руку кинжал. Я его не беру.

— От судьбы не уйдешь, — шепчет он на ухо.

— Ну что, Игорек, посмотрим, кто кого, или так дашь костюмчик на тряпки порезать?

Приспешники Петра гогочут.

Не отвечать на провокации. Продержаться еще двадцать минут. Только двадцать минут. Если повезет, может быть, мой новый папа придет пораньше.

Я пытаюсь уйти, но ноги не слушаются. «Царевич» и его банда приближаются. У меня еще есть выбор. Промолчать или быть смелым.

Другие ребята приближаются и образуют вокруг нас круг, чтобы посмотреть на зрелище.

— Ну что, Игорек, сдрейфил? — подначивает Петр.

Руки дрожат. Главное, не испортить все сейчас.

Петр любовно лижет лезвие своего ножа. Кинжал Василия совсем рядом с моей рукой.

— Теперь сблефовать не удастся, — шепчет бывший друг. — У тебя нет другого выхода!

Я точно знаю, чего не надо делать. Главное, не брать кинжал. Я снова думаю про шоколадный торт, полеты на самолете, медали полковника. Продержаться. Продержаться еще несколько минут. Успокоить нервы. Мозг. Как только я окажусь у полковника, все это станет только еще одним плохим воспоминанием.

— Глядите, как перетрусил. Слабак! Я тебе портрет-то перекрою.

Ноги меня предали, но не язык.

— Я не хочу драться, — говорю я униженно.

Да, да, я трус. Я хочу к новым родителям. Достаточно выбежать в коридор, и нож меня не достанет. Бежать. Бежать. Еще есть время.

Ваня вкладывает мне прямо в руку кинжал, чтобы заставить взять его. По пальцам пробегает движение. Нет, нет, нет, не сжимайтесь на рукоятке, я вам запрещаю. Ваня один за другим загибает мне пальцы.

Я вижу мамино лицо. Болит живот. В глаза бросается кровь. Я ничего не вижу. Я только чувствую, как кинжал входит в мягкую плоть, в живот Петра, как раз в то место, где мне так больно.

Петр смотрит на меня с удивлением. Как будто думает: «Не ждал этого. Ты, оказывается, не такой трусливый, как я думал».

Петр уважает только силу, в том числе в своих противниках. Возможно, он всегда искал того, кто смог бы поставить его на место.

Время останавливается. Василий улыбается уголками губ. Впервые я читаю у него во взгляде: «Ты хороший парень».

Вокруг все аплодируют. Даже приспешники Петра выражают восхищение. Опи конечно не ожидали, что победителем выйду я. Теперь я знаю, что мне нечего их бояться. Я опрокинулся в другой мир. Я упустил свой шанс получить новую семью и, однако, чувствую себя превосходно. Я издаю звериный крик. Крик победы над противником и поражения в своей судьбе.

Владимир был отомщен, а я… я все потерял.

Мои пальцы в крови Петра. Я захотел, чтобы он получил ножом в живот. Мое желание исполнилось. Как я теперь об этом жалею! Я отталкиваю приспешников, которые хотят поднять на руки нового шефа.

В этот же вечер за нами с Ваней приезжает милицейская машина, которая доставит нас к началу следующего этапа пути. Им будет колония для несовершеннолетних преступников в Новосибирске.

60. ЭНЦИКЛОПЕДИЯ

Уровень организации. Атом имеет свой уровень организации.

Молекула имеет свой уровень организации.

Клетка имеет свой уровень организации.

Животное имеет свой уровень организации и над ним планету, солнечную систему, галактику. Но все эти структуры зависят одна от другой. Атом влияет на молекулу, молекула на гормон, гормон на поведение животного, животное на планету.

Из-за того, что клетке необходим сахар, она требует от животного охотиться, чтобы получать пищу. Благодаря охоте, человек испытал желание расширить свою территорию, вплоть до того, что построил ракеты и запустил их за пределы планеты.

Напротив, поломка на космическом корабле вызовет у астронавта язву желудка, а из-за язвы желудка некоторые из атомов, находящихся в стенках желудка, потеряют свои электроны.

Увеличение, уменьшение, от атома к космосу.

С этой точки зрения смерть живого существа представляет собой лишь преобразование энергии.

Эдмонд Уэллс.
«Энциклопедия относительного
и абсолютного знания», том 4

61. ВЕЛИКИЙ ИНКА

Неприкаянные души окружают Улисса Пападопулоса. Каждая шепчет ему на ухо:

— Дай мне войти в тебя.

— Почему вы хотите войти в меня, святой Рауль? — спрашивает Пападопулос.

— Видишь, — говорит Рауль, — этот смертный легче различает послания неприкаянных душ, чем наши.

Неожиданно я говорю сам себе, что, вполне вероятно, некоторые пророки, уверявшие, что общались с ангелами, на самом деле говорили с неприкаянными душами, выдававшими себя за нас.

— Дай мне войти в тебя, — повторяет фантом.

Греческий священник поражен. Он «видит» Рауля, но не понимает, почему у того вдруг изменился голос и он предлагает такие вещи. Охваченный сомнениями, он начинает молиться. Но по мере того как он молится, его душа начинает покидать тело. Опасность.

Я вмешиваюсь:

— Эй! Призраки! Зачем вы остаетесь на Земле?

Один из них отворачивается от своей добычи, чтобы ответить:

— Нам нужно отомстить конкистадорам, убившим нас. Этот монах — один из их представителей, так что мы будем преследовать его, и, уверяю тебя, ни один изгонятель бесов не выгонит нас из его тела.

— Эй! Ребята! — восклицает Рауль. — Вам не стыдно нападать на бедного смертного? Выбирайте себе достойного противника!

Это внушение на них не действует.

— Меряться силой с ангелами? Какой смысл? Мы предпочитаем бить по вашим больным точкам. По вашим «клиентам», как вы их называете.

К несчастью, монах, не перестающий молиться, начинает буквально выходить из своего тела. Неприкаянные души собираются в кружок вокруг его головы, из которой начинает возникать вполне видимая форма его души.

Я кричу:

— Нет, оставайся в своем теле! Прекрати молитву!

Но монах меня не слышит, и призраки суетятся вокруг него, чтобы помочь как можно быстрее покинуть тело. Бедного Пападопулоса теперь соединяет с телом лишь тонкая серебристая нить. Наивный полагает, что он находится в мистическом экстазе, тогда как его попросту устраняют.

Чтобы выиграть время, я пытаюсь завязать диалог с противником. Призраки удивлены, что я интересуюсь ими.

Они соглашаются выпустить добычу и объясняют нам, что они страдают. Страдание — это основное качество неприкаянных душ. Они подробно рассказывают нам о своих злоключениях.

Пападопулос приходит в себя и падает в обморок.

Рассказ призраков об их предыдущем существовании патетичен. Благодаря ему я вижу их страдания и понимаю их. Я вхожу в контакт с их древней культурой. Я вижу их мирную жизнь до нашествия захватчиков с Востока. Я вижу Куско до катастрофы, повседневную жизнь этой развитой цивилизации, культ Солнца. Я начинаю понимать инков, и, действительно, мое участие их отвлекает, а потом успокаивает.

— Вы можете помочь нам попасть на небо? — спрашивает в конце концов один из древних воинов.

Я отвечаю, что не знаю. Но затем закрываю глаза и понимаю, что могу. Это одно из преимуществ ангелов. Чтобы призраки попали в Рай, достаточно позволить им пройти сквозь нас и выйти через нашу макушку.

Но призраки инков говорят, что не могут уйти до тех пор, пока их сюзерен не получит обратно свою голову. Этот призрак без головы — Атахульпа, последний Великий Инка, убитый Франциском Пизарро в 1533 году. Испанец, задушив врага, отделил голову от тела именно для того, чтобы его жертва не попала в Рай. Захватчик знал веру инков. Для них реинкарнация была невозможна, если тело представало перед богами не целым. Так что Пизарро специально спрятал голову, чтобы все население ужаснулось.

Один из призраков говорит, что между телом и головой возник «светящийся путь», который поможет их соединить.

— Не этот ли миф вдохновлял маоистское революционное движение в Перу, называвшее себя «Светящийся путь», которое заставило много говорить о себе в восьмидесятые годы?

— Действительно. Мы вдохновляли этих повстанцев. В то время мы были готовы на все, чтобы соединить тело нашего короля с его головой.

Рауль и я пытаемся решить проблему. Мы находим голову, просмотрев секретные архивы библиотеки Ватикана. Она закопана в котловане неподалеку от Кипайяна, места последней победы Великого Инки над врагами. Мы наводим американскую археологическую экспедицию на мысль выкопать ее и присоединить к телу, находящемуся в перуанском музее.

Как только тело Великого Инки восстановлено, его душа начинает светиться.

Сколько он ждал этого... В ответ он предлагает помочь нам, насколько это в его силах. Ему объясняют смысл наших поисков: мы ангелы и хотим знать, что находится над нами.

Атахульпа погружается в раздумье.

Он говорит, что как император Инков и Сын Солнца, естественно, знает космогонию своего народа. Он думает, что над ангелами находится бог, но он не знает, как мы это можем проверить.

Рауль говорит, что над ангелами находится страна «седьмых». Не говорит ли эта цифра ему что-нибудь?

В этот момент император говорит нам, что однажды, когда его неприкаянная душа прогуливалась по посольству Кореи в Перу, она встретила выдающуюся девушку. Она, кажется, не только знала много вещей, но и пришла очень издалека. Судя по тому, что заметил Атахульпа, мир, преследующий ее в предыдущих жизнях, выше мира людей и мира ангелов. Его не удивило, что простая смертная содержит в глубине своей души секрет страны «седьмых». Ведь мы и сами видели в случае с Пападопулосом, что световые существа любят иногда использовать людей, чтобы прятать свои секреты и сокровища. Они погружают их на дно подсознания людей, которые становятся их тайниками.

— Кто этот человек? — спрашивает Рауль.

Атахульпа наклоняется к нам и говорит шепотом:

— Натали Ким, дочь посла Кореи в Перу.

С этими словами древний император делает строгое выражение лица и приказывает своим воинам построиться вокруг него. Во всем блеске, готовые лететь в Рай.

Один за другим, инки входят в нас через ноги, проходят через тело и выходят из макушки. Рауль и я корчимся от боли, потому что каждый раз, когда неприкаянная душа проходит сквозь нас, мы чувствуем вспышки их прошлых страданий.

Когда они все уже далеко и мы снова одни, я спрашиваю:

— Натали Ким? Ты ее знаешь? Кто это?

— Одна из моих клиенток, — отвечает Рауль задумчиво.

62. ВЕНЕРА. 8 ЛЕТ

У меня припадки лунатизма. По ночам я встаю и хожу по крыше. Ненавижу, когда мое тело меня не слушается. Как будто Другой, заключенный во мне, охвачен желанием двигаться.

Когда я просыпаюсь, меня мучает мигрень. Другой, наверное, не нагулялся и продолжает грызть меня изнутри...

После первых выступлений в качестве модели предложений становится все больше. Меня хотят все больше и больше. Мама занимается формальностями и ведет переговоры с агентствами от моего имени.

Мне восемь лет, и я сама зарабатываю на жизнь. Мы все должны были бы быть на вершине счастья, однако папа и мама не перестают ругаться. Они говорят о «бабках малышки». Они наверняка намекают на меня, еще одно взрослое слово, которое я не понимаю. Мама говорит, что, поскольку она ведет все переговоры, нормально, что она имеет право на свои проценты как агент. Папа отвечает, что «этого ребенка мы ведь вдвоем сделали» и добавляет: «К тому же она больше похожа на мою мать, чем на тебя».

Мне нравится, что родители оспаривают мою красоту, как свое собственное достижение. Но мама кричит все громче и громче. Она заявляет, что наняла частного детектива, чтобы он следил за папой, и швыряет ему в лицо его фотографии — «голого с его курочкой».

Папа сказал маме:

— Бедняжка, ты стареешь, и я должен подумать о замене.

Мама сказала папе, что он не умеет заниматься любовью. Это неправда. Я обожаю, когда он покрывает меня поцелуями и говорит, что любит меня. Папа сказал маме, что не бывает бессильных мужчин, а бывают неумелые женщины.

Мама дала ему пощечину.

Папа дал ей в ответ другую.

Мама сказала, что раз так, то она уезжает к своей матери. Она схватила статуэтку и бросила в него. Тогда они произнесли свое любимое выражение: «Только не перед малышкой». Они пошли в свою комнату, кричали изо всех сил, потом стало тихо и мама стонала «да» и «нет» и «о, о, о», а потом снова «да, да» и «нет, нет», как будто не могла принять решение.

Никто не пришел поцеловать меня в кровати или рассказать мне сказку на ночь. Я плакала одна в своей комнате, а потом помолилась. Я хочу, чтобы родители меньше ругались и больше занимались мной.

63. ЖАК. 8 ЛЕТ

— Эй, малыш! Подраться хочешь?

— Нет, — говорю я отчетливо и категорично.

— Боишься нас?

— Да.

— Э-э... Очень боишься?

— Очень.

Моя реакция удивляет хулиганов. Обычно мальчики отвечают им, что не боятся. Просто так, из удальства. Чтобы казаться невозмутимым. А мне плевать на невозмутимость. Мне не нужно показывать свою храбрость.

Главарь банды ждет, что я посмотрю ему в глаза с вызовом, но я смотрю на голубую линию горизонта, как будто их не существует.

Мартин научила меня не смотреть в глаза злым собакам, хулиганам и пьяницам, потому что они считают это вызовом. Напротив, при игре в шахматы нужно смотреть на нос противника, прямо между глаз. Это приводит его в замешательство. «У него появляется ощущение, что ты видишь его насквозь», — говорит Мартин.

Эта девочка научила меня многим вещам. Она также научила меня уважать противника. По ее словам, настоящая победа всегда достается с трудом. «Если победить противника слишком легко, это не в счет».

— Ты что, смеешься над нами?

— Нет.

Еще один совет Мартин. Достаточно говорить разумно с перевозбужденными людьми, чтобы они почувствовали себя неловко.

Я спокойно продолжаю идти. Хулиганы колеблются. Когда нападающий колеблется, он опаздывает на один ход. Я это знаю по шахматам. Я пользуюсь этим, чтобы невозмутимо пройти мимо.

Мое дыхание ровно, сердце бьется нормально. Ни малейшего прилива адреналина. Я с честью прохожу испытание, и в то же время я знаю, что через несколько минут, когда я осознаю опасность, которая миновала, почувствую прилив страха. Мое сердце забьется, и я начну дрожать. Но тогда враг будет далеко, и он будет лишен удовольствия, что напугал меня.

Это странно, но я всегда испытываю страх с запозданием. Сперва, что бы ни произошло, я сохраняю хладнокровие, кажусь спокойным, а через четверть часа у меня в голове все как будто взрывается.

Забавно.

Я рассказал об этом Мартин. Она говорит, что это форма реакции, которую я выработал совсем маленьким. Когда я впервые стал жертвой агрессии, я, должно быть, так испугался, что мой мозг выработал свой способ защиты. Она думает, что моя склонность писать рассказы тоже связана с этим старым страхом. Когда я пишу, я мщу, я освобождаюсь от комплексов. Скольких злодеев, монстров, драконов, убийц я разнес на куски с помощью ручки!

Писательство моя защита, мое спасение. Пока я буду писать, злодеи не напугают меня. И я очень рассчитываю на это.

Я пишу еще один рассказ для Мартин. Это история малодушного и трусливого мальчика, который встречает девочку, и она открывает ему самого себя и его защищает.

64. ИГОРЬ. 8 ЛЕТ

Я жаловался на детдом в Санкт-Петербурге, и я был не прав. Колония для несовершеннолетних преступников в Новосибирске намного хуже. В детдоме нас кормили обрезками мяса, но, по крайней мере, они были свежими. Здесь они тухлые. За то время, что я здесь, у меня наверняка выработалась иммунная суперзащита.

В детдоме белье было влажным. Здесь оно кишит клопами толщиной с палец. Даже мыши их боятся. В детдоме везде пахло мочой, здесь везде воняет тухлятиной.

Я долго жалел, что отомстил за Владимира вместо того, чтобы уйти с полковником. Недавно я узнал, что мой бывший будущий папа арестован. Он действительно входил в сеть педофилов. Мои друзья были правы. Если даже военным медалям нельзя больше верить...

В первый же день, пока я спал, у меня украли все вещи. Ночью отовсюду раздаются звуки. Вдруг слышатся крики, и мое воображение начинает рисовать ужасы, а я не могу успокоиться.

Ваня тоже здесь. Поскольку он передал мне кинжал, директор решил, что он мой сообщник. С первого же дня ему разбили морду. Он словно притягивает удары. Я вмешался, чтобы помочь. Он говорит, что на всю жизнь мне обязан. Ваня стал мне как младший брат.

Здесь мы тоже работаем в мастерских. Сироты, преступники, заключенные, все это дешевые рабочие руки для промышленников. Я делаю игрушки для западных детей.

65. ПО ПОВОДУ НАТАЛИ КИМ

Я проверил на Венере тактику горячо-холодно, перемежая радости работы модели и огорчения родительских ссор.

Я проверил тактику бильярда на Игоре, заставив его друзей подтолкнуть его к самоутверждению во время стычки с Петром.

Я проверил тактику кнута и пряника на Жаке, внушив ему желание понравиться Мартин, одновременно напугав его бандой хулиганов. Их души крепнут. Я завершаю работу с помощью интуиции, снов и кошек. В то же время я отдаю себе отчет в том, что лишь способствую развитию вещей в их естественном направлении. Эдмонд прав, стадо движется само по себе. Я зажигаю сферы и вижу, что результат, однако, не так хорош, как я ожидал. На самом деле стадо не так уж и движется. А когда движется, не разбирает пути.

Рауль забавляется, видя мою разочарованность.

— Им нельзя помочь по-настоящему. Можно лишь уберечь их от совершения самых глупых ошибок.

Зная наизусть пораженческие настроения моего друга, я предпочитаю сменить сюжет разговора.

— А эта знаменитая Натали Ким, о которой говорил Великий Инка?

Рауль говорит, что изучил ее случай и что в этой девушке нет ничего необычного. По крайней мере, он не видит, что в ней такого особенного. И в карме, и в наследственности, и в своих первых свободных решениях она как человек проявляет себя самым классическим образом.

— То есть?

— То есть делает все больше глупостей.

Он протягивает мне ее яйцо, чтобы я его изучил.

Фамилия: Ким

Имя: Натали

Национальность: кореянка

Волосы: черные

Глаза: темно-коричневые

Отличительная черта: очень смешливая

Отрицательная черта: наивность

Положительные черты: очень зрелая, очень храбрая.

Лицо, напоминающее Луну, длинные черные косички, черные миндалевидные глаза. В свои двенадцать лет Натали Ким — озорная девчонка. Она одевается по моде хиппи семидесятых годов, носит сабо и индийские платья и живет со своей семьей в Лиме, в Перу, где ее отец занимает пост посла Южной Кореи.

Хорошие родители, хорошее детство, количество пунктов при рождении: 564.

Я подскакиваю.

— 564! 564 из 600! Да она... она уже практически ангел.

Рауль Разорбак делает разочарованную гримасу.

— Да что ты! Это просто старая душа. Оставалась на второй год несколько раз, как плохой ученик, и наконец прогрессировала. Но в конце концов перед конечной чертой они все начинают топтаться на месте.

— Красавица, богатая, умная, родители ее любят. Кто же она на самом деле, твоя Натали Ким, «Роллс-Ройс» всех клиентов?

— Я не очень-то тешу себя иллюзиями.

Еще раз я вглядываюсь в удивительное яйцо. В посольской резиденции Натали обучают вместе с ее двумя старшими братьями частные преподаватели. В Перу они скучают, они не могут ходить одни куда захотят и поэтому придумывают себе разные игры. В данный момент Натали читает братьям книгу под бесхитростным названием «Гипноз для всех». Я склоняюсь над яйцом и вижу, что она хочет проверить один из уроков на старшем брате, Джеймсе, пятнадцати лет.

Она велит ему закрыть глаза, расслабиться и представить, что он — твердая доска. Джеймс закрывает глаза, пытается сконцентрироваться, а потом покатывается со смеху.

— Не получается! — с сожалением говорит Натали.

— Попробуем еще раз, обещаю, больше смеяться не буду, — говорит Джеймс.

Но Натали неумолима.

— В книге написано, что если человек в первый раз засмеялся, значит, он не поддается гипнозу.

— Да нет же, давай снова, все получится.

— Очень жаль, Джеймс. Слишком мало людей чувствительны к гипнозу, меньше двадцати процентов населения, согласно этой книге, и ты к ним не принадлежишь. Тебе этого не дано. Гипнотизируемый должен быть заинтересован, чтобы все получилось, потому что именно он делает всю работу. Гипнотизер только показывает ему, что он способен войти в это состояние.

Тринадцатилетний Вилли вызывается добровольцем для новой попытки. Он зажмуривает глаза с тем большим упорством, что его старший брат провалился, и хочет доказать сестре, что уж он-то «гипнотизируем». Как если бы это был почетный титул.

— Ты твердый, как доска, — чеканит Натали монотонным голосом. — Все твои мускулы окаменели, ты не можешь шевельнуться.

Мальчик сжимает кулаки, зажмуривает веки, напрягается и судорожно сжимается.

— Ты твердый, жесткий, сухой, ты теперь кусок дерева...

Натали делает знак Джеймсу встать за ним и заявляет:

— Ты доска, а раз ты доска, ты сейчас упадешь назад.

Вилли, прямой и негнущийся, начинает падать назад. Джеймс хватает его за плечи, а Натали за ноги. Они кладут его голову на один стул, а ноги на другой. Ничто его не поддерживает, однако он не падает.

—Получилось! — восклицает Джеймс, потрясенный.

— В книге сказано, что тело настолько твердое, что на нем можно сидеть.

— Ты уверена? А мы ему позвоночник не сломаем?

Девочка забирается на своего неподвижного брата, и он не прогибается. Она встает ему на живот. Джеймс осмеливается присоединиться к ней. Подростки восхищены своей проверкой, что «Гипноз для всех» работает.

— Человеческое сознание таит в себе неизвестные силы, — возбужденно восклицает Натали. — Теперь давай поставим его на место.

Они снова берут Вилли за ноги и плечи. Его глаза по-прежнему закрыты, а тело твердое.

— Теперь я начну обратный отсчет, и, когда дойду до нуля, ты придешь в себя, — объявляет Натали. Три, два, один... ноль!

У Вилли ничего не движется, ни тело, ни веки. Игра явно становится менее смешной.

— Ничего не понимаю. Он не просыпается, — беспокоится Натали.

— Он, наверное, умер. Что же мы скажем родителям? — тоскливо говорит Джеймс.

Девочка нервно берет книгу.

— «Если субъект не просыпается, снова начните обратный отсчет очень уверенным тоном и громко хлопните в ладоши, сказав ноль».

Они снова начинают отсчет, громко хлопают в ладоши, и на этот раз их «гипнотизируемый» брат открывает глаза.

142

Облегчение.

— Что ты чувствовал? — спрашивает гипнотизерка.

— Ничего, я ничего не помню. Но было скорее приятно. А что произошло?

Рауль Разорбак делает сомневающееся выражение лица. Что до меня, то мне кажется, в этой Натали Ким действительно что-то есть. Я подробнее исследую траекторию ее прошлого. До этой жизни кореянка была танцовщицей на Бали. Она утонула.

До того она прожила много других артистических жизней: барабанщица в стране Берег Слоновой Кости, художница-миниатюристка на Мальте, скульптор по дереву на острове Пасхи. Когда я был человеком, я не особенно верил в реинкарнацию. Меня удивляло, что все люди видели себя в прошлом военачальниками, исследователями, художниками, звездами, куртизанками или священниками. Короче, героями исторических книг. Если учесть, что до 1900 года девяносто пять процентов населения было занято сельскохозяйственными работами, это может показаться удивительным.

Я отмечаю, что между двумя жизнями Натали Ким, как правило, проводила много времени в Чистилище.

— Почему ей требовалось столько времени для реинкарнации?

Рауль предлагает свое объяснение:

— Некоторые души нетерпеливы и расталкивают толпу локтями, чтобы как можно скорее предстать перед трибуналом. Другие не торопятся, ты сам это видел.

Я вспоминаю, что действительно встречал в оранжевом мире души, которые двигались к своему суду безо всякой спешки, как-то неторопливо.

— Для некоторых этот путь занимает века и века. Для других — как только одна жизнь закончена, хоп! И они снова спешат на ринг, чтобы попробовать получить главный приз и выйти из цикла реинкарнаций. В предыдущих жизнях Натали это наверняка испытала. Так что она теперь не торопится получить новую оболочку из плоти.

Рауль сообщает, что Натали уже была реинкарнирована сто тринадцать раз и что в конечном счете у нее было только восемь интересных жизней.

— И что это значит, «интересные жизни»? А что происходит в «неинтересных жизнях»?

— Ничего особенного. Люди родятся, женятся, делают детей, находят себе непыльную работу и умирают в собственной кровати в восемьдесят лет. Это жизнь ни для чего, без цели, без особой задачи, без преодоления больших трудностей.

— Значит, эти жизни совершенно бесполезны?

Рауль так не считает. Он думает, что такие невинные существования предназначены для того, чтобы отдохнуть между «важными» жизнями. Некоторые мученики, непонятые художники, бойцы за проигранное дело попадали в Рай настолько уставшими, что умоляли, чтобы им предоставили реинкарнации для отдыха.

— У моей Натали было сто пять жизней для отдыха и восемь интересных, но очень трудных.

Я замечаю, что, если бы собрать в одном музее все произведения, автором которых она была от жизни к жизни, получилось бы много больших и разнообразных залов.

— Тогда почему же ее не освободили от цикла реинкарнаций?

— Она почти достигла цели, — говорит Рауль. — Но ее поведение никогда не было достаточно духовным, чтобы позволить ей пересечь последнюю черту.

— Чего же в нем не хватало?

— Мало любви. Душа Натали слишком чувствительна к рискам страстей. Была ли она мужчиной или женщиной, она всегда опасалась своих партнеров. Она никогда не отдавалась полностью и, впрочем, была права. Но, избегая впадать в эти «ошибки», она

лишилась информации, переживаний, всего того, что
дает любовь, когда отдаешь себя целиком.

Я понимаю пессимизм друга. Его клиентке мешает не глупость, а как раз здравомыслие.

Мы возвращаемся понаблюдать за ней в корейское
посольство в Лиме. Там подают полдник. Старший
брат обожает лимонные пирожные, младший шоколадный мусс, а Натали «плавающие острова».

66. ЭНЦИКЛОПЕДИЯ

Рецепт «плавающих островов»: начните с изготов-
ления желтого сладкого «океана», английского кре-
ма, в котором будут плавать острова.

Вскипятите молоко. Возьмите 6 яиц и отделите
белки от желтков. Сохраните белки. Взбейте в одно-
родную массу желтки с 60 граммами сахарного пес-
ка. Влейте горячее молоко. Перемешайте. Дайте кре-
му загустеть на слабом огне, постоянно помешивая.
Не доводите до кипения.

Океан готов принять «остров»: белый айсберг.
Взбейте белки с 80 граммами сахара и щепоткой соли.

Растопите 60 граммов сахара в карамель. Влейте
взбитые белки. Подержите 20 минут на паровой бане.
Остудите. Налейте крем в глубокое блюдо и осторожно положите сверху белки. Подавайте охлажденным.

Эдмонд Уэллс.
«Энциклопедия относительного
и абсолютного знания», том 4

67. СТАРЫЙ ДРУГ

Рауль Разорбак продолжает думать, что Натали
Ким такая же клиентка, как и остальные. Чтобы про-
двинуть наши дела, у него есть другая идея.

Мы летим вместе на юго-восток. На холме проходит ассамблея ангелов, собравшихся как фанаты вокруг любимого певца. Мастер колоритен и говорит, размахивая руками. Я его тут же узнаю...

Фредди Мейер!

Старый слепой раввин не изменился. Маленький, толстый, лысый, с носом картошкой, поддерживающим большие темные очки. Здесь слепота его не смущает. Слепой ангел видит так же, как другие.

Рауль толкает меня локтем. Ненужная подсказка, я и так все помню. Благодаря Фредди наше предприятие по обнаружению, открытию и исследованию приняло разнообразные формы. Он был самым настойчивым, самым вдохновенным, самым требовательным из героев эпохи танатонавигации. Он придумал связывать вместе серебряные нити, чтобы обеспечить надежность групповых полетов. Он изобрел первые стратегии войн между фантомами. Что может быть увлекательнее, чем снова отправиться вместе с ним на поиски приключений!

Мы присоединяемся к небольшой толпе и слушаем старого друга. Он рассказывает... анекдот.

— Это история про альпиниста, который сорвался со скалы и висит на одной руке над пропастью. «Помогите! Помогите! Спасите меня кто-нибудь», — кричит он в отчаянии. Появляется ангел и говорит: «Я твой ангел-хранитель. Верь мне. Я тебя спасу». Альпинист задумывается ненадолго, а потом говорит: «М-м-м... а больше здесь никого нет?»

Ангелы покатываются со смеху. Я тоже. Это ангельский юмор. Мне нужно к этому привыкать.

Я ужасно рад вновь встретить старого сообщника. Кто говорит, что в Раю скучно? С Фредди мы спасены. Я делаю ему незаметный знак. Он замечает нас и подбегает.

— Мишель! Рауль!

Мы обнимаемся.

Мне на память приходят воспоминания: наши первые встречи, наши самодельные приспособления, наши первые взлетные кресла, первые экспедиции в сторону Рая, первые войны с фантомами хашишинов.

— Разрешите представить мою новую команду друзей! — восклицает Фредди.

Группа световых существ окружает нас, и я различаю среди них много знакомых лиц: Гручо Маркс, Оскар Уайльд, Вольфганг Амадей Моцарт, Бастер Китон, Аристофан, Рабле...

— Нас называют командой комиков из Рая. До того как попасть сюда, я не знал, что Моцарт был таким шутником. Всегда имеет в запасе какую-нибудь сальную шутку. Ничего общего с Бетховеном, тот только скуку навевает.

Я спрашиваю:

— А твои клиенты?

Фредди пожимает плечами. Он больше не верит в свою работу ангела и почти не занимается своими душами. Слишком много клиентов его разочаровали. Люди ему надоели. Спасти их? Он в это больше не верит. Как и Рауль, он убежден, что заставить людей эволюционировать — непосильная задача даже для самых одаренных ангелов.

Аристофан говорит, что у него уже шесть тысяч пятьсот двадцать седьмой клиент, и все провалились. Бастер Китон жалуется, что у него одни лапландцы, деморализованные отсутствием света. Оскар Уайльд отвечает ему, что это ничто по сравнению с его индусами, с их свекровями, поджигающими сари невесток для получения страховки. Гручо Маркс худо-бедно выкручивается с красными кхмерами, никак не могущими уладить свои разногласия в джунглях. Рабле воздевает руки к небу, говоря о детишках из Сан-Пауло, которые нюхают клей с утра до вечера и редко доживают до четырнадцати лет.

Похоже, что самые тяжелые случаи поручают комикам.

— Это слишком тяжело. Большинство из нас в конце концов просто плюют на все. Людям помочь нельзя.

Я привожу аргумент Эдмонда Уэллса:

— Однако само наше присутствие здесь доказывает, что можно выйти из цикла реинкарнаций. Если мы смогли, значит, и другие на это способны.

— Возможно, с людьми дело обстоит так же, как со сперматозоидами, — изрекает Рауль. — Только одному из тридцати миллионов удается попасть в яйцеклетку. Но у меня недостаточно терпения, чтобы перепробовать тридцать миллионов душ, перед тем как мне разрешат наконец пройти через Изумрудную дверь.

Мой друг явно рад, что он не одинок в желании все бросить, Фредди Мейер вместе с ним. Он тоже больше не занимается ни своими душами, ни собственным развитием. У него больше нет амбиций. Он хочет провести остаток своего существования смеясь, забыв про мир смертных. Он потерял всякую веру в человечество. Он верит только в юмор.

Что должно было произойти для того, чтобы веселый эльзасский раввин превратился в такое разочарованное световое существо?

— Холокост, — выдыхает он. — Геноцид евреев во время Второй мировой войны.

Он обессиленно опускает голову.

— Отсюда лучше видно. Все понимаешь. Есть доступ к любой информации. Я теперь знаю все, что произошло в действительности, и это за пределами ужаса.

— Я...

— Нет, ты не знаешь. Очереди перед газовыми камерами, дети, которых вырывают из рук матерей, чтобы бросить в печь крематория, медицинские эксперименты на людях... Нужно подняться сюда, чтобы все видеть и все чувствовать. Я не могу забыть эти образы.

Я пытаюсь дать свое объяснение:

— Может быть, все эти жестокости произошли из-за того, что ангелы перестали интересоваться своей работой, как ты сейчас.

Но Фредди меня больше не слушает.

— Не хочу больше ничего знать. Хочу только смеяться, смеяться и смеяться... опьянеть от смеха и анекдотов до конца времен. Давайте смеяться, друзья. Будем смеяться и забудем все.

Как он изменился, мой дорогой Фредди! Заразителен ли юмор? Он хлопает в ладоши.

— Эй, здесь становится скучно. Быстро хороший анекдот! АНЕКДОТ! — требует бывший раввин и танатонавт.

Трудно настроиться на нужный лад после подобных упоминаний, однако Оскар Уайльд наконец пытается рассеять тяжесть от жутких воспоминаний Фредди.

— Это история про Иисуса, путешествующего со своей матерью. Они приезжают в деревню и видят, как изменившую жену хотят забросать камнями. Тогда Иисус вмешивается и говорит: «Кто из вас без греха, пусть первым бросит в нее камень». Шушуканье в толпе, потом все опускают камни. Иисус хочет освободить молодую женщину под аплодисменты, как вдруг огромный камень взлетает в воздух и расквашивает несчастную. Иисус оборачивается и говорит: «Ну, мама, вам не кажется, что иногда вы перебарщиваете?..»

Раздаются немного натужные смешки.

— Хорошо, что Иисуса нет поблизости, — замечает Бастер Китон с обычной серьезностью. — Ему не нравятся анекдоты про мать...

Слово берет Гручо Маркс:

— А вот история про одного типа, который все время жаловался, что ему не везет в лотерею. Его ангелхранитель появляется и говорит: «Послушай, я очень хочу помочь тебе выиграть, но... купи хотя бы один билет!»

Все уже знают этот анекдот, но тем не менее хохочут.

Мы с Раулем не участвуем во всеобщем веселье, которое нам кажется немного искусственным.

В этот момент появляется Мэрилин Монро. Она бросается в объятия Фредди. Став ангелом, она сохранила все то же изящество, ту же магию, которые превратили Норму Джин Бейкер в легенду. Я думаю о несправедливости того, что звезды, умершие в расцвете лет, остались здесь такими же прекрасными, в то время как те, кто умер в старости, как Луиза Брукс или Грета Гарбо, навсегда сохранили непоправимое оскорбление времени.

— Я не представляю вам эту мадемуазель, — задиристо говорит раввин.

Он гладит ее чуть ниже спины, и если бы я не знал, что все мы здесь лишены сексуальности, то легко предположил бы наличие интимной связи между ними. На самом деле они развлекаются, имитируя старые интимные движения, хотя их пальцы не могут встретить ничего, что можно ощущать. Я спрашиваю себя, что эта красавица могла найти в круглом лысом человечке, и ответ приходит сам собой — юмор. Мэрилин дает Фредди свою прелесть. В ответ он дает ей свой смех.

— Мисс Монро, образумьте его, — говорит Рауль.

— Сожалею, но я тоже травмирована ужасами холокоста. Знаете, я ведь приняла иудаизм, перед тем как выйти замуж за Артура Миллера.

Я хотел бы спросить об истинных обстоятельствах ее смерти, но момент для этого совсем неподходящий.

— Вначале, — продолжает Мэрилин, — Фредди спускался в бывшие концентрационные лагеря, чтобы помочь душам, до сих пор обитающим там, подняться в Рай. А потом он все бросил, их там слишком много. Слишком много людей перенесли слишком тяжелые страдания при полном безразличии неба и народов. Вид, способный на совершение подобных преступлений, недостоин спасения. Со своей стороны, я его понимаю и тоже ничего не хочу больше делать для людей, — отрезает она с плохо скрытым бешенством.

— Вместо того чтобы впадать в отчаяние, не лучше ли попытаться понять? — предлагает Рауль.

— Очень хорошо. Тогда я задам тебе вопрос. Почему подобные преступления остались безнаказанными? Я спрашиваю тебя: почему? Почему? ПОЧЕМУ??!! — кричит Фредди.

Озадаченный, Рауль отвечает:

— Потому что система сложнее, чем кажется. Мы должны определить, кто принимает решения над нашим миром ангелов. Если мы не откроем космические законы в их полноте, холокост останется загадкой и даже сможет повториться. Чем замыкаться в своей боли, лучше помог бы нам открыть секрет мира «седьмых». Это предотвратило бы новые массовые бойни.

Но раввин Мейер упорствует:

— Человечество не способно развиваться. Все идет к саморазрушению. Люди не любят друг друга. Они не желают друг другу добра. Повсюду фанатизм, национализм, экстремизм... ничего не изменилось. Ничего не изменится. Нетерпимость, как никогда, на повестке дня.

Наступает мой черед заступиться за смертных:

— Человечество продвигается ощупью. Три шага вперед, два назад, но в результате оно идет вперед. Оно находится на уровне 333, а перейдет, как мне кажется, на 334. Это неопровержимо. И если даже мы, ангелы, откажемся, кто же сможет спасти людей?

Фредди неожиданно поворачивается спиной, как будто утомленный нашими рассуждениями.

— Оставим смертных самим себе. Когда они достигнут дна, может, в них пробудится инстинкт самосохранения, чтобы подняться на поверхность.

Присоединяясь к друзьям, он вновь восклицает:

— Пошли, ребята, будем смеяться, и предоставим человечество его судьбе!

151

68. ЭНЦИКЛОПЕДИЯ

Вануату. Архипелаг Вануату был обнаружен в начале семнадцатого века португальцами в одной из неисследованных зон Тихого океана. Его население состоит из нескольких десятков тысяч человек, живущих по особым правилам.

Например, там большинство не навязывает свой выбор меньшинству. Если между жителями нет согласия, они будут обсуждать проблему до тех пор, пока не придут к единогласному решению. Естественно, каждое такое обсуждение требует времени. Поэтому жители Вануату проводят треть своей жизни в разглагольствованиях, чтобы убедить друг друга в обоснованности своих мнений. Когда дебаты касаются земли, они могут продолжаться годами, а иногда и веками, перед тем как будет достигнут консенсус. До этого момента вопрос остается нерешенным.

Когда через двести или триста лет все приходят к согласию, проблема действительно решена и ни у кого не будет озлобленности, поскольку нет проигравших.

Общество Вануату построено по клановому принципу, причем каждый клан занимается своим делом. Есть клан рыболовов, клан, специализирующийся на сельском хозяйстве, на изготовлении глиняной посуды и т.д. Кланы обмениваются продукцией друг с другом. Рыбаки, например, в обмен на доступ к морю получат доступ к источнику пресной воды в лесу.

Когда в сельскохозяйственном клане родится ребенок, обладающий талантом к гончарному делу, он покинет своих и будет принят в семью гончаров, которые помогут ему развить свой талант. Так же будет и с ребенком гончаров, которого привлекает рыбная ловля.

Первые западные исследователи были шокированы подобной практикой, поскольку сперва подумали, что жители Вануату крадут детей друг у друга. Однако никакого воровства здесь нет, речь идет лишь об обмене в интересах оптимального развития каждого индивидуума.

В случае частного конфликта жители Вануату используют сложную систему союзов. Если мужчина из клана А изнасиловал девушку из клана В, эти два клана не начнут воевать между собой. Они обратятся к своим «военным представителям», то есть к другим кланам, с которыми они связаны клятвой. Клан А, таким образом обратится к клану С, а клан В, к клану D. Благодаря этой системе посредников в битву вступят люди, у которых мало мотивов для резни, поскольку они непосредственно не обозлены друг на друга. Как только пролилась первая кровь, каждый предпочтет прекратить битву, считая свой долг перед союзником выполненным. Таким образом, на Вануату войны проходят без ненависти и ожесточения.

Эдмонд Уэллс.
«Энциклопедия относительного
и абсолютного знания», том 4

69. ЖАК. 14 ЛЕТ

Школьный мир — это моя тюрьма. Туалет — мое убежище. Когда я там нахожусь, я отдыхаю. Мои отметки в школе стали немного лучше, но без очень хорошей памяти я никогда не смогу стать отличником.

Мартин покинула лицей. Цирк, в котором работают ее родители, уехал. Ее отец Сибелиус гипнотизер. Я, кажется, видел его по телевидению. После турне в окрестностях Перпиньяна артисты улетели в Перу. Перед тем как расстаться, Мартин снова повторила мне:

— Развивай свои сильные стороны, вместо того чтобы пытаться улучшить слабые.

153

И вот Мартин уехала, а у меня такое впечатление, что с ней я потерял часть своей силы. В этом году французский преподает молодая женщина с длинными рыжими волосами, носящая блузки в обтяжку, мадемуазель Ван Лизбет. Все влюблены в это чудесное создание. Чтобы лучше с нами познакомиться, она предлагает написать сочинение на свободную тему.

Шум в классе. Существующая школьная система не приучила нас к самостоятельности. Ученики ворчат. Некоторые жалуются.

— Но, мадемуазель, мы не умеем этого. Дайте нам тему.

— Все-таки попробуйте. Вы сами увидите результат.

Впервые преподаватель дает нам полную свободу. Это меня полностью устраивает. Я начинаю сочинять историю под названием «Почти папа». Я представляю, что на ближайшем конклаве среди кардиналов, претендующих на папский сан, будет компьютер. Нет лучшего выбора, чем компьютер, чтобы представлять христианскую религию. Не будет больше различных компромиссов с экономическими или политическими кругами. Не будет обостренных личных амбиций. Таким образом, кардиналы закладывают все основные принципы христианства в программу, помещенную в робота-гуманоида, которого называют Пий 3,14. В его избрании Папой Римским они видят лишь преимущества. Только Пия 3,14 можно избрать пожизненно без боязни, что он преждевременно одряхлеет. Если в него выстрелит какой-нибудь псих, его всегда можно починить. К тому же Пий 3,14 не замыкается в каком-то ограниченном периоде истории человечества, он может быть информирован по мере развития общества. Робот сам себя постоянно «реформирует», чтобы приспособиться к новым нравам. Так, благодаря современным технологиям, христианство становится религией, наиболее соответствующей своим адептам.

Пий 3,14, естественно, оборудован искусственным разумом, который позволяет ему выработать свою логику, исходя из правильно понятых идей Иисуса Христа и собственных наблюдений и размышлений.

В конце сочинения электронный Папа Пий 3,14 начинает понимать, что такое на самом деле Бог, что, по-моему, и является истинной задачей Папы. Проблема в том, что он обнаруживает, что Бог так же может ошибаться и лучше было бы его тоже заменить компьютером.

Когда на следующей неделе мадемуазель Ван Лизбет раздает сочинения, сложенные по мере убывания оценок, она оставляет мое и просит меня остаться после занятий.

— То, что ты написал, просто удивительно, — говорит она. — Сколько воображения! Ты это все из телевидения знаешь?

— Скорее из книг.

— Из каких книг?

Я перечисляю:

— Кафка, Эдгар Алан По, Толкиен, Льюис Кэрролл, Джонатан Свифт, Стивен Кинг...

— Зачем ограничивать себя фантастикой и не интересоваться классической литературой?

Она наклоняется, роется в ящике стола и протягивает мне «Саламбо» Гюстава Флобера.

— Держи, почитай это. Да, еще вопрос. Какие у тебя обычно отметки по французскому?

— Между 6 и 9 по 20-балльной системе, мадемуазель, но... чаще 6.

Она протягивает мое сочинение с оценкой красными чернилами 19/20 и пометкой на полях: «Много оригинальных идей. Я с удовольствием прочитала ваше сочинение».

Мадемуазель Ван Лизбет любит беседовать со мной после занятий. Мы говорим об истории литературы разных стран мира. Идет ли речь о расследованиях судьи Ти, описанных Ван Гуликом, или о «Махабхарате», она открывает мне новые горизонты. Однажды она предлагает подвезти меня до дома. Я удивлен, потому что она едет в другом направлении, но я не осмеливаюсь ничего сказать. Она останавливает машину в пустынном месте и смотрит мне прямо в глаза. Я продолжаю молчать, когда ее рука отпускает руль и ложится на мою.

— Ты далеко пойдешь в литературе, — говорит она.

Потом ее рука опускается и расстегивает мою рубашку.

— Я люблю быть первой. Я ведь первая, да?

— Я... ну... смотря в чем... м-м-м... то есть... — бормочу я.

Ее рука продолжает свое исследование со стесняющей медлительностью.

— Ты уже читал эротические тексты Жана де Лафонтена?

— Э-э... нет... это хорошо?

Вместо ответа ее рука устремляется в очень чувствительную область. Я не мешаю, впечатленный как ее инициативой, так и странностью этой ситуации. Как маленький шустрый зверек, ее правая рука освобождает мое тело от пут, а левая — ее собственное от разных пуговиц, материй и застежек.

Потом ужасная паника, необъяснимый страх, за которыми следует постепенно нарастающая уверенность в себе и, наконец, живейший интерес к текстам Жана де Лафонтена, от которых я, очевидно, слишком быстро уклонился.

70. ИГОРЬ. 14 ЛЕТ

Я начал пить. Чем больше я пью, тем больше ненавижу Запад. Однажды будет война между нами и богатыми западными странами. Мне не терпится увидеть это. Когда меня достают, когда я давлю клопа, когда мне навязывают все новые ограничения, я говорю себе, что в этом виновата Франция, Англия и США.

В какой-то газете я прочитал статью о девушке по имени Венера Шеридан. Ей столько же лет, сколько и мне, и она топ-модель и миллионерша в Америке. Я говорю себе, что, когда мы захватим эти загнивающие страны, я ей покажу, на что способен крепкий и работящий славянский парень. Не то что козлы, которые ее там наверняка окружают.

Ночью я смотрю из окна на звезды. Там наверняка есть планета Венера. В мыслях я занимаюсь любовью с американской звездой. Я знаю, что однажды встречу ее во плоти. И тогда...

71. ВЕНЕРА. 14 ЛЕТ

«С днем рождения, Венера».

Целая армия нахлебниц, подруг моей матери, наполнила салон. Даже речи быть не может о том, чтобы я вышла из комнаты. Вчера у меня впервые были месячные. Желая сделать мне приятное, мама сказала, что теперь я «наконец настоящая женщина» и что я могу «познать любовь мужчин».

Ненавижу это тело. По много дней я остаюсь взаперти в своей комнате, не хочу никого видеть и не пытаюсь взять себя в руки.

Но зов юпитеров сильнее. Я убеждаю себя, что жизнь продолжается.

С детской одеждой покончено. Теперь я подросток, звезда, которую хотят видеть везде. Я снимаюсь в ролике, рекламирующем какой-то газированный напиток. Я должна украсть баночку у красивого молодого человека и пить у него на виду, чтобы его раздразнить.

Дома по вечерам крики не прекращаются. Родители теперь друг друга ненавидят в открытую. Между ними объявлена война.

Я наконец поняла, что «капуста» означает деньги, и что чем больше я их зарабатываю, тем больше родители ссорятся. Но ведь эти доллары не принадлежат ни папе, ни маме, а мне одной.

Я очень надеюсь, что они не будут их трогать, а положат на счет, чтобы они приносили проценты, пока я не достигну возраста, когда смогу ими распоряжаться.

Я уже знаю, как потратить мои сокровища. Я куплю ювелирные украшения и сделаю новые операции (ямочка на подбородке мне очень пойдет, Амброзио сделает это талантливо).

Пока что мне особенно нужны затычки для ушей. Каждый вечер дома орут. Всякий раз я слышу, как папа или мама заявляют: «Если бы не малышка, меня здесь давно бы не было».

Эта ругань начинает меня доставать.

Однажды утром мне пришла в голову мысль, как привлечь их внимание. Перестать есть.

За ужином я испробовала этот метод. Я отказываюсь от всего. Их реакция превзошла все мои ожидания. Они со мной говорят. Только со мной и оба вместе. Такого давно не было. Они говорят: «Тебе надо поесть». Я отвечаю: «Для манекенщиц чем меньше еды, тем лучше». Мама говорит, что нет. Папа ворчит на маму, что это она мне вбила в голову все эти идиотские мысли. Они снова на грани ссоры, но я смотрю на них, и что-то их удерживает. Они снова пытаются меня уговорить поесть хоть чуть-чуть.

Я соглашаюсь, но в следующие дни увеличиваю напряжение, все больше сокращая порции.

Я довольна. Я нашла средство контролировать родителей. Когда я не ем, они перестают ругаться и начинают интересоваться мной.

Они у меня в руках!

Конечно, трудно отказывать себе в этом маленьком удовольствии — еде, но игра стоит свеч. Впрочем,

чем меньше я ем, тем меньше хочется. Это все идет мне на пользу, потому что мое тело становится именно таким, какое требуется, чтобы преуспеть в профессии топ-модели. Я становлюсь изящной и тонкой, как веточка. Супер! Я могу влиять на свое тело, не прибегая к хирургии.

Что еще важнее, с тех пор как я перестала есть, у меня больше нет месячных. Двойное вознаграждение. Если бы я открыла раньше этот простой метод, чтобы одновременно контролировать и собственное тело, и родителей.

Теперь, когда они мной интересуются, я не хочу больше слышать, как они ссорятся.

72. БЛАГОЧЕСТИВЫЕ ПОЖЕЛАНИЯ

Я устраиваюсь на берегу озера Зачатий под большой бирюзовой сосной. Я поворачиваю ладони вверх, и три сферы появляются и медленно вращаются передо мной. Отражения моих душ колышутся. Я увеличиваю углы обзора и подвожу итог их четырнадцати лет. Жак плохо учится, но он пишет рассказы. Сочинение о папе удалось, я отправляю ему во сне еще более оригинальные истории.

Венера легкомысленна, но она уже сама зарабатывает на жизнь, позируя как фотомодель. Она хочет, чтобы ее родители перестали ссориться... хм... я подтолкну их к разводу.

Игорь застрял в колонии для несовершеннолетних, но он легко находит друзей и уже очень зрелый для своего возраста. Я попробую эффект «бильярдного шара», чтобы подействовать на его окружение и вытащить его из этого заведения. Ему пора узнать других людей.

Передо мной появляется силуэт Эдмонда Уэллса.

159

— Ну как твои клиенты?

Я показываю мой выводок, довольный тем, что они еще не попали в крупные передряги.

— Я должен тебя кое-чему научить, — говорит инструктор. — Эти трое, их тебе поручили не случайно. Они отражают твою природу, твою глубинную душу. Каждый соответствует одному из твоих качеств, которые нужно улучшить. Сумма личностей трех клиентов составляет суть личности ангела. Игорь плюс Жак плюс Венера равно Мишелю. Ты есть триединство.

Вот оно что! Ухаживая за своими сферами, я проходил что-то вроде суперпсихоанализа... Эдмонд Уэллс, очевидно привыкший к эффекту, который производит это открытие, берет меня за руку.

— Ты разве не замечал общих черт со своими клиентами? Как и Жак, ты хотел писать. Как и Игорь, ты хотел быть сильным. Как и Венера, ты хотел нравиться.

— Таким образом, Жак — это мое воображение, Игорь — моя храбрость, а Венера — моя соблазнительность...

— Точно так же, как Жак — твоя трусость, Игорь — твоя жестокость и Венера — твоя самовлюбленность. Твои клиенты вместе — это твое искупление и твое осознание себя таким, какой ты есть на самом деле.

Действуя на них, я таким образом опосредованно действую на самого себя. В очередной раз у меня создается впечатление, что я понимаю правила игры лишь наполовину, настолько они сложны. Эдмонд Уэллс удаляется, появляется Рауль Разорбак.

— Он тебе сказал? Теперь сечешь? Я не знаю, кто там наверху дергает за веревочки, но какое извращенное развлечение! Эти «седьмые», или эти боги, развлекаются за наш счет. Они сталкивают нас с нашими разными ликами и смотрят, как мы реагируем.

— Ты имеешь в виду, что «седьмые» вербуют ангелов, как мы вербуем смертных?

Мой друг снисходительно кивает.

— Все включает в себя само себя, как русские матрешки. Контролер контролируем. За наблюдателем наблюдают.

— Тогда не исключено, что за «седьмыми» наблюдают «восьмые» и так далее.

— Ха-ха! Ты занимаешься научной фантастикой, — дразнит Рауль. — На данный момент ограничим себя теми, кто нами манипулирует, — «седьмыми»!

Рауль произнес это слово с оттенком вызова. Отныне они для него противники. Я его знаю, он ненавидит, когда его заставляют делать, что бы то ни было, против его воли. Его высшая гордость заключается в том, что он свободен!

Рауль рассматривает яйца.

— Ты исполняешь все их желания?

— Да.

Он смеется.

— Сперва я тоже строил из себя доброго папу. И вот результат. Чем больше хочешь им понравиться, тем больше они капризничают.

— Ну и что, у нас нет другого выбора, не так ли?

— Не строй иллюзий, — заявляет Рауль. — Мы ведь можем им посылать «испытания». Эдмонд должен был тебе рассказать о кнуте и прянике. После многих провалов с мягким обращением я решил подгонять их пинками. И это действует лучше, чтоб мне пусто было! Они все как дети. Только битье и понимают.

— А на практике, что означает твое «битье»?

— Конечно, я исполняю их желания, но и подвергаю их испытаниям, которые заставляют себя превосходить или, по крайней мере, задавать себе вопросы. Один совет: не бойся ставить их в кризисные ситуации, которые заставят их подвергнуть сомнению правильность своей жизни. Эдмонд Уэллс сам упоминает этот метод в «Энциклопедии». Он называет это «Кризис от постановки себя под сомнение».

— И как ты предлагаешь это делать?

— Вместо того, чтобы защищать своих клиентов, поставь их в опасное положение. Вместо того, чтобы оберегать их от пропасти, подтолкни их в нее, это научит их лучше знать свои возможности и таким образом повысит веру в себя. Уверяю тебя, я своих клиентов не жалею, и в конечном счете они начинают функционировать лучше. Они начинают больше ценить жизнь. Их желания становятся более осмысленными: выжить, не болеть... Все великие души страдали, преодолевая великие препятствия. Именно это сделало их легендарными.

Я по-прежнему не убежден окончательно.

— Не думаю, что я могу быть жестоким со своими клиентами. Я слишком к ним привязан.

Рауль в отчаянии закатывает глаза.

— Тогда продолжай их баловать, и в конце мы посмотрим, чьи клиенты, твои или мои, получат высшие кармические оценки.

— Это что, вызов?

— Если хочешь, — благосклонно соглашается он. — Каждому ангелу свой метод контроля, а в конце посмотрим, кто победит!

Я спрашиваю, как у него дела с Натали. Он вызывает яйца, и мы внимательно разглядываем их души, как рыбок, снующих в круглых аквариумах.

— Ты понял, почему Великий Инка посоветовал нам рассматривать ее как ключ к загадке «седьмых»?

— Если бы, — вздыхает Рауль. — С тех пор я не перестаю за ней наблюдать. Натали, Натали, Натали... Девчонка, бездельничающая в посольстве в Латинской Америке.

— А до своих людских жизней, кем она была?

— На своем животном уровне она была устрицей-жемчужницей. Ее так и не выловили. Она умерла от старости вместе с жемчужиной.

162

Я кружусь вокруг сферы.

— Давай-ка еще раз прокрутим фильм всех ее предыдущих жизней. Наверняка есть что-то, на что мы не обратили внимания. Не может быть, чтобы кто-то настолько ясновидящий, как Великий Инка, ошибся.

Мы смотрим фильм со всеми предыдущими кармами девочки. Вдруг меня словно бьет током. Даты! Есть огромные промежутки между датами ее смертей и рождений. И мы ошиблись, она провела это время не в Чистилище.

— Ну да, — одобряет Рауль. — Ты прав. Ни на Земле, ни в Раю... Но где же она тогда была? Еще одна скрытая от нас часть космогонии... Кроме Земли и Рая, существует еще место, куда могут отправляться души...

— Зарезервированное для сверходаренных, как Натали Ким? И ты думаешь, что это может быть миром «седьмых»?

Почему бы нет? Она одна это знает.

73. ЭНЦИКЛОПЕДИЯ

Культ женщины. В основе большинства цивилизаций лежит культ богини-матери, прославляемой женщинами. Их ритуалы связаны с тремя основными событиями в жизни женщины: 1) месячные; 2) роды; 3) смерть. Впоследствии мужчины пытались копировать эти примитивные религии. Священники стали носить длинные женские одежды.

Так же сибирские шаманы продолжают одеваться в женские одежды для обряда инициации, да и во всех культах существует богиня мать-основательница.

Чтобы лучше содействовать распространению католицизма среди язычников, христианские миссионеры выдвинули на первый план святую Марию.

Оригинальность этой новой богини была в том, что она девственница.

Лишь в средние века христианство решило порвать связи с женскими культами прошлых времен. Во Франции был отдан приказ преследовать поклонников «черных девственниц», повсюду запылали костры, на которых сжигали «колдуний» (гораздо больше, чем «колдунов»).

Отныне мужчины пытаются всеми средствами исключить женщин из области мистики. Не только не существует культа женщины, но нет больше и женщин-священнослужительниц. Крестным знамением осеняют себя во имя Отца, и Сына, и Святого Духа.

Эдмонд Уэллс.
«Энциклопедия относительного
и абсолютного знания», том 4

74. ЖАК. 16 ЛЕТ

В этом году мадемуазель Ван Лизбет перевели далеко от Перпиньяна. Я чувствую то же уныние, что и после отъезда Мартин. Почему женщины покидают меня в тот момент, когда я их начинаю больше всего ценить?

Перед отъездом мадемуазель Ван Лизбет, как и Мартин, дала мне совет: «Ищи свое место. Когда ты найдешь его, тебе не нужно будет бороться». И она дала мне для размышлений страничку машинописного текста.

Оставшись один, я внимательно исследую свое наследство. Скопированный на ксероксе листок является отрывком из «Энциклопедии относительного и абсолютного знания» Эдмонда Уэллса, том 2.

В отрывке, выбранном мадемуазель Ван Лизбет, речь идет об опытах над крысами, проводившихся в 1989 году в городе Нанси. Вот что в нем говорится:

«Крысы — прекрасные пловцы. Чтобы проверить эту способность, ученые из отдела по изучению поведения университета Нанси оборудовали клетку с единственным выходом, туннелем, проходящим под водой в небольшом бассейне. Невозможно подняться на поверхность, она закрыта крышкой. Таким образом, крысы должны плыть, задержав дыхание, чтобы пересечь бассейн и добраться до пищи в расположенной на другом его конце кормушке с зернами. Вначале все крысы пробуют плавать. Но мало-помалу они распределяют между собой роли. В клетках с шестью крысами спонтанно появляются две крысы-эксплуататора, две эксплуатируемых, одна автономная и одна крыса — козел отпущения.

Эксплуатируемые плывут за зернами, а эксплуататоры отнимают их добычу. Когда эксплуататоры наедятся, эксплуатируемым разрешается поесть самим.

Автоном сам плывет за зернами и жестоко дерется за право самому их и съесть. Что до козла отпущения, который не способен ни сам плыть за пищей, ни терроризировать других, то у него нет другого выбора, как подбирать оставшиеся крошки.

Все крысы мучают козла отпущения и все эксплуататоры бьют эксплуатируемых, без сомнения, для того, чтобы напомнить каждому его роль. Но самым волнующим является то, что, если поместить всех эксплуататоров в одну клетку, они будут драться всю ночь, а наутро снова появятся: два эксплуататора, два эксплуатируемых, автоном и козел отпущения.

То же самое произойдет, если собрать вместе эксплуатируемых, автономов или козлов отпущения. Во всех случаях это распределение берет верх.

Экспериментатор увеличил число крыс до нескольких сот в одной клетке. Длинная ночная битва. Наутро появился класс суперэксплуататоров, создавших несколько подчиненных себе слоев, чтобы властвовать, еще меньше утруждая себя. Им даже не нужно было больше терроризировать эксплуатируемых, это делали за них другие. Еще сюрприз: на другом конце козлы отпущения были еще больше замучены. В качестве назидания троих из них разорвали на куски и повесили на решетке клетки.

Ученые из Нанси пошли еще дальше в своих исследованиях. Они вскрыли черепа подопытных крыс и препарировали их мозги. Они обнаружили, что больше всего молекул стресса было не у козлов отпущения или эксплуатируемых, а именно у эксплуататоров, которые боялись потерять свой статус привилегированных и быть вынужденными сами плавать за пищей».

Я читаю и перечитываю несколько раз этот отрывок, чтобы хорошо понять его смысл. Почему мадемуазель Ван Лизбет дала мне прочитать именно этот текст? Наверняка для того, чтобы помочь мне «найти свое место», как она выразилась. У людей, как только их больше двух, тоже появляются эксплуататоры и эксплуатируемые. Именно так повстанцы «Баунти», сперва революционеры и идеалисты, в конце концов поубивали друг друга. Это могло бы также объяснить крах коммунизма, крах христианства. Крах любого политического движения, будь оно повстанческим, утопическим или духовным.

То, что описывает этот Эдмонд Уэллс, является проклятием групповой жизни. Каковы бы ни были первоначальные намерения, люди всегда будут шагать по головам других. И если эксплуататоры отказываются играть свою роль, эксплуатируемые заставляют их это делать! Рабочие требуют у хозяев, ученики у гуру, граждане у президентов. Люди так боятся свободы, им так страшно думать самим, они боятся самоутверждаться...

Я хочу быть Автономом.

Автоном... и еще три А: Анархист. Агностик. Автодидактик (самоучка. — *Примеч. пер.*).

75. ВЕНЕРА. 16 ЛЕТ

Мое желание осуществилось. Родители перестали ругаться. Шесть месяцев назад, вместо того чтобы сказать «до свидания», папа закричал: «Я не могу больше жить с истеричкой и с истязающей себя голодом! Я подаю на развод, мой адвокат свяжется с вами». Мне шестнадцать лет. Я большая. Я сама зарабатываю на жизнь. Я не собираюсь больше попусту молиться, желая, чтобы они помирились. Предпочитаю просить то, что будет приятно мне самой.

Вчера мне приснилось, что я победила на конкурсе красоты. Все были у моих ног и говорили, что я самая стройная и красивая. Кажется, это моя новая цель. Быть выбранной на конкурс «Мисс Вселенная»... Как будто члены жюри уверены, что, кроме Земли и землян, во всем космосе нет другой красоты.

76. ИГОРЬ. 16 ЛЕТ

В колонии я учусь еще лучше играть в покер. Я могу расшифровывать не только выражения лица, но и малейшие движения рук, плеч, сокращения зрачка.

Даже не глядя на человека, я чувствую, как его брови поднимаются от удивления или удовлетворения. Я могу читать и по венам на лице: вдруг жилка забилась быстрее. Или кадык, указывающий на сглатывание. Но больше всего мне могут рассказать губы.

Просто невероятно, как эти два розовых мускула выдают мысли моих противников. Мало кто из игроков может управлять своим ртом. Что касается меня, то я придумал одну штуку, я отпустил усы, тень от которых падает на рот. К тому же они прячут ямочку под носом, которая у меня слишком глубокая и напоминает заячью губу.

Я играю с охранниками на сигареты. Они предлагают выпить водки, думая, что я напьюсь и мне перестанет везти. Они не знают, что я знаком с водкой еще с материнской утробы. Я изображаю легкое опьянение. И снова выигрываю.

— Помогите!

Я узнаю голос Вани. Я бегу, оставив на столе «флэш», на который поставил двести сигарет. Мой друг опять влип в историю. Какой-то здоровяк уже добивает его. Как всегда, я спасаю своего друга, но Ваня, пользуясь тем, что я схватил здоровяка сзади, бьет его бутылкой по башке. Тот тяжело падает.

Прибегают охранники. Через несколько минут появляется начальник. Он спрашивает, кто это сделал. Ваня указывает на меня. Внезапно я понимаю, что он меня ненавидит. Он ненавидит меня с Санкт-Петербурга и детдома, потому что всегда был мне всем обязан. И каждый раз, когда я приходил ему на помощь, он ненавидел меня еще больше. Не в состоянии отдать мне накопившиеся долги, он стал ненавидеть.

Можно многое простить другому, кроме того, что он тебе помог.

Это второй урок, который я выучил в колонии. Помогать только тем, кто может это вынести и не упрекать тебя потом. Таких людей немного.

Дальше все происходит очень быстро. Я даже не утруждаю себя оправданиями, я знаю, они мне не поверят. Когда посмотришь на Ваню, сразу видно, что он хлюпик. Ну а я сильный, ежу понятно, кто из нас прикончил здоровяка.

Я не хотел оставаться в этой колонии. Все так и вышло. Меня переводят на принудительное лечение в психбольницу для буйных в Брест-Литовске.

77. СИБЕЛИУС

Маленький зал затянут в красное. Вместе со своими братьями Натали Ким пришла на сеанс гипноза. Как и подобает настоящим любителям спектакля, они заняли места в первом ряду.

Выступает Сибелиус, гипнотизер из Франции. Он появляется в свете прожекторов в черном смокинге, отороченном шелком, и, как только поднимается занавес, начинает превозносить силу внушения. Он пускается в научные рассуждения, из которых следует, что достаточно заявить что-либо с сильным убеждением, чтобы люди вам поверили. Он утверждает, что способен убедить любого из присутствующих превратиться в доску. Он требует добровольца для опыта. Сбоку, хлопнув откидным сиденьем, встает молодой человек в джинсах.

Сибелиус быстро убеждается, что подопытный поддается гипнозу. «Вы одеревенели, вы совершенно одеревспсли», — чеканит он и заявляет: «Вы доска! Вы тверды, как доска, вы не можете больше двигаться, вы неподвижны, вы доска, доска!» С помощью ассистентки-подростка, которая не старше Натали, он кладет загипнотизированного между двух стульев, головой на один и ногами на другой. Затем он приглашает трех зрителей забраться на живот подопытному, который, как и положено доске, не прогибается.

Овация.

Натали Ким хлопает в ладоши изо всех сил. Это представление для нее является одновременно признанием ее собственных достижений. Иначе говоря, она со своими скромными средствами может то же, что и профессионал.

Сибелиус просит подняться на сцену пять добровольцев. Натали, в индийской муслиновой юбке и топе цвета незабудок, с длинными и жесткими чер-

169

ными волосами, спадающими на плечи, выходит первой.

Гипнотизер раздает добровольцам бананы и предлагает их очистить и попробовать. Один за другим, они жуют и глотают.

— Какой вкус у этого фрукта? — спрашивает он.

— Вкус банана, — отвечают они хором.

— Очень хорошо. А теперь я вам скажу, что это не банан, а лимон. Лимон, лимон, кислый лимон!

Натали внимательно рассматривает банан, который она держит в руках, и Сибелиус немедленно обращает на нее внимание.

— У вас очень красивые золоченые очки, мадемуазель. Вы близоруки или дальнозорки?

— У меня близорукость, — отвечает девушка.

— Тогда очень жаль. Этот опыт нельзя проводить с близорукими. Возвращайтесь на место. Другой доброволец, пожалуйста, и по возможности без очков.

Натали возвращается к братьям:

— Он меня отослал обратно, потому что я обнаружила жульничество. В кожуре маленькая дырка. Он, наверное, шприцем впрыснул туда лимонный сок.

На сцене добровольцы очищают и едят бананы, и все по очереди говорят, что действительно почувствовали вкус лимона.

Аплодисменты. Натали Ким встает и громко заявляет:

— Это обманщик! — в ярости восклицает она и в ответ на вопросительные возгласы раскрывает обман.

После минутного потрясения в зале раздаются выкрики: «Верните деньги, верните деньги». Сибелиус спешит удалиться за кулисы под свист и неодобрительные выкрики. Занавес падает, а смущенные добровольцы спускаются в зал.

Натали, пользуясь всеобщим замешательством, проскальзывает в гримерку, где артист, сидя перед туалетным столиком, снимает с себя грим, стараясь не запачкать концертный костюм.

— Какая наглость являться сюда! Я не буду благодарить вас, мадемуазель. Вы свели на нет все мои усилия. Прошу вас, немедлено покиньте мою гримерку.

На Натали это не производит никакого впечатления.

— Вы дискредитируете гипноз, как жаль! Наверняка вы недостаточно в него верите, но я знаю, что он существует и что этот метод должен из цирковых номеров и сцен варьете перейти в университеты и лаборатории.

— Вы правы, — говорит Сибелиус уже спокойнее, продолжая вытирать лицо тампоном. — Гипноз работает, но не всегда. Однако я не могу рисковать и провалить представление. Так что я вынужден принимать свои «меры предосторожности».

— Какие меры предосторожности?

— Поскольку вы интересуетесь гипнозом, то знаете, что он действует лишь на двадцать процентов людей. Зигмунд Фрейд убедился в этом, когда применял данный метод к своим пациентам. Так что для представлений я должен прибегать к помощи подставных лиц, за которыми следуют настоящие добровольцы.

Натали Ким хмурит брови.

— Значит, вы хорошо знаете гипноз?

— Конечно! — восклицает артист. — Я изучал его очень серьезно. Я даже проводил научные опыты.

Видя неодобрение на красивом лице собеседницы, он вздыхает:

— Нужно ведь зарабатывать на жизнь. У меня же семья! Не судите людей по первому впечатлению. Посмотрите, как вам придется выкручиваться, когда нужно будет кормить своих детей.

Чтобы ничего не пропустить, мы с Раулем чуть ли не прижались лбами к яйцу. Как зачарованный, мой друг заявляет, что представляется случай разгадать тайну Натали, сейчас или никогда.

— С помощью этого шарлатана?

— Он вовсе не шарлатан, — отвечает Разорбак. — Он даже неплохой медиум. Я чувствую, что могу на него влиять.

— Правда?

— Да, да, я подключился. Как к кошке.

И правда, там, внизу, у Сибелиуса, кажется, началась мигрень. Когда он взялся за лоб, Натали собралась уходить.

— Останьтесь, — говорит Сибелиус. — Вы мне не мешаете, просто... что-то говорит мне, что я обязательно должен вас загипнотизировать...

Я начинаю улавливать идею Рауля. Действительно, это уникальный случай, чтобы узнать побольше о Натали.

— Вы знакомы с гипнозом? — спрашивает у нее Сибелиус.

— Да, не хочу хвастаться, но мы с братьями научились гипнозу по книге и добились довольно хороших результатов.

Сибелиус прерывает ее:

— Вы уже пробовали регрессию?

— Нет, а что это?

— Это возврат к своим предыдущим жизням, — объясняет он.

Натали кажется заинтригованной. Ей одновременно страшно и в то же время хочется согласиться на предложение гипнотизера.

— А это не опасно? — спрашивает она, чтобы выиграть время.

— Не опасней, чем обычный гипноз, — отвечает артист, снова накладывая грим.

— Что вы заставите меня снова пережить?

— Рождение и, возможно, предыдущую жизнь.

Рауль подталкивает девушку к тому, чтобы принять предложение. Она соглашается как бы через силу. Тогда Сибелиус закрывает на ключ дверь в гримерку, отключает телефон и приказывает девушке закрыть глаза и расслабиться.

Опыт начинается.

Он заставляет ее увидеть лестницу и приказывает спуститься на десять ступеней в направлении своего подсознания. Как в подводном плавании, он действует поэтапно. Спуск на десять ступеней: легкое расслабление. Еще десять ступеней: глубокое расслабление. Еще десять: легкий гипноз. Через сорок ступеней она в состоянии глубокого гипноза.

— Увидьте ваш вчерашний день и расскажите мне.

С закрытыми глазами Натали рассказывает про обычный день, проведенный с братьями в посольстве. Они читали книги про тибетский буддизм и шаманизм.

— Теперь вспомните ваш день ровно неделю назад.

Она рассказывает про другой такой же, ничем не примечательный день.

— А теперь расскажите мне, что было ровно месяц назад.

Немного поколебавшись, она вспоминает точно так же и год, и пять, и десять лет назад. Натали задумывается ненадолго, потом рассказывает. Сибелиус решает заставить ее пережить свое рождение.

Голосом одновременно удивленным и возбужденным кореянка рассказывает, что видит, как она появляется из живота матери.

— Очень хорошо. Теперь рассмотрите свое лицо зародыша и наложите на него предыдущее лицо, лицо того, кем вы были в предыдущей жизни. Всмотритесь в него, переживите его последние моменты.

Натали начинает дрожать. У нее поднимается температура, а на щеках появляется нервный тик. Рауль указывает Сибелиусу, что именно нужно спрашивать. Он его прекрасно контролирует.

173

Я спрашиваю друга:

— А мы имеем на это право?

— Не знаю. Посмотрим.

Худенькое тело его клиентки сотрясается от спазмов. Девушка как будто борется.

— Прекрати, Рауль. Ты ведь видишь, она мучается. Вели Сибелиусу прекратить этот сеанс.

— Это невозможно. Раз уж начали, нужно идти до конца.

Натали раскрывает глаза, но она больше не видит комнату, в которой находится. Ее взгляд повернут в прошлое.

— Что вы видите?

Натали кажется охваченной паникой. Она дышит с трудом, почти задыхается. На одежде проступает пот.

— Прекрати, Рауль. Прекрати.

— Вблизи от цели? Об этом не может быть и речи. Иначе придется все начать сначала.

— Что вы видите? Что вы видите? — чеканит гипнотизер.

Натали еще немного дергается, а потом успокаивается, как бы напуганная ужасным видением. Она начинает говорить другим голосом, не похожим на тот, которым говорила перед этим:

— Я умираю. Я тону. Я задыхаюсь. Помогите!

— Все хорошо, я здесь, — успокаивает ее Сибелиус. — Погрузитесь глубже в предыдущую жизнь, и вы выйдете из воды.

Она берет себя в руки и медленно начинает рассказывать, как утонула. Она купалась на острове Бали и большая волна унесла ее далеко от берега. Она не могла вернуться. Она чувствовала, как вода наполняет ее легкие. Вот почему у нее эта боязнь воды и приступы астмы.

Такое разрешение загадки предыдущей жизни придает Натали уверенности и подталкивает идти дальше.

Она рассказывает о повседневной жизни на этом острове индонезийского архипелага, местной музыке, пище, сложных правилах жизни общества, своей карьере танцовщицы, трудностях, связанных с тем, чтобы накопить денег для покупки сценического костюма, тяжелой работе по приданию наибольшей гибкости пальцам с помощью упражнений с зернышками.

— Есть! — ликует Рауль. — Мы в самом центре ее души. Никто кроме нее не имеет доступа к этому интимному сейфу.

Натали рассказывает про свою жизнь балийской танцовщицы, а затем про предыдущие жизни барабанщицы с Берега Слоновой Кости, художницы-миниатюристки на Мальте, скульптора по дереву на острове Пасхи.

Рауль концентрируется, чтобы лучше управлять медиумом.

— Что произошло между двумя этими жизнями? — спрашивает Сибелиус.

Натали медлит с ответом.

— Что было между двумя жизнями? — настаивает гипнотизер.

Молодая кореянка молчит. Она не движется и еле дышит. Она кажется безмятежной, как будто достигшей нормального состояния, которое ее больше не пугает.

— Я...

— Где вы были?

— Я... я... я... была не здесь.

— Но где? Где? На каком континенте?

Она содрогается.

— Не здесь. Не на Земле.

Я почти слышу голос Рауля, умоляющего Сибелиуса.

— Не на Земле?

— До... этой жизни... я жила... я жила... на другой планете.

78. ЭНЦИКЛОПЕДИЯ

Три реакции. В своей книге «Похвала бегству» биолог Анри Лабори пишет, что перед лицом испытания у человека есть три выбора: 1) бороться; 2) ничего не делать; 3) бежать.

Бороться: это наиболее естественная и здоровая реакция. Тело не терпит психосоматических повреждений. Полученный удар превращается в нанесенный удар. Но такое отношение имеет несколько неудобств. Человек попадает в спираль повторяющихся агрессий. В конце концов находится кто-то сильнее и отправляет вас в нокаут.

Ничего не делать — значит проглотить свою горечь и делать так, как будто не заметил агрессии. Это наиболее распространенное в современном обществе отношение. Это называют «торможением действия». Ты хочешь разбить лицо противнику, но, учитывая риск показать себя в неприглядном свете, получить сдачи и войти в спираль агрессий, ты проглатываешь обиду. Теперь этот ненанесенный противнику удар кулаком ты наносишь сам себе. Подобные ситуации ведут к расцвету психосоматических болезней: язве, псориазу, невралгии, ревматизму...

Третий путь — это бегство. Оно бывает различным.

Бегство химическое: алкоголь, наркотики, табак, антидепрессанты, транквилизаторы, снотворное. Оно позволяет ликвидировать или, по крайней мере, уменьшить перенесенную агрессию. Человек забывает. Начинает бредить. Спит. И все проходит. Однако этот тип бегства растворяет реальность и мало-помалу индивидуум перестает выносить реальный мир.

Бегство географическое состоит в постоянных перемещениях. Человек меняет работу, друзей, любовников, жилище. Так он заставляет свои проблемы путешествовать. Он их не решает, а лишь меняет их декорации, что само по себе уже является облегчением.

Наконец, бегство артистическое — оно состоит в трансформации своего бешенства, ярости, боли в произведения искусства, фильмы, музыку, романы, скульптуры, картины... Все, что человек не позволяет сделать себе сам, делает его вымышленный герой. Это может впоследствии вызвать эффект катарсиса. Его получат те, чьи герои отомстят за полученные ими самими оскорбления.

Эдмонд Уэллс.
«Энциклопедия относительного
и абсолютного знания», том 4

79. ФРЕДДИ С НАМИ

— Другая планета! Вы шутите!

На этот раз Фредди Мейер задет за живое. Конечно, наш друг уверен, что человечество идет к гибели, однако любопытство превозмогает. Он хочет посмотреть, как функционирует «другое человечество». Он хочет знать, свойственно ли саморазрушение всем планетам, где существует разумная жизнь, или это право зарезервировано лишь за землянами.

Он усаживается и предлагает занять места рядом с ним. Сидячее положение на самом деле не дает особого комфорта, поскольку мы в невесомости, но мы любим эту земную привычку. Несомненно, в память о тех длинных дискуссиях, в которые мы пускались все вместе за обедом вокруг огромного стола в Бютт-Шомоне.

— Отыскать эту планету будет нелегко, — бормочет себе под нос раввин. — Только в нашей галактике, Млечном Пути, насчитывается 200 миллиардов звезд. Вокруг каждой из них вращается в среднем десяток планет. Да, друзья, здесь работы по горло.

Рауль напоминает, что поскольку мы нематериальны, то можем путешествовать с поразительной скоростью.

— Да, но в космосе это все равно что медленно ходить по небольшой территории... Все относительно, — подчеркивает Фредди.

— И потом, с чего начать? Куда направиться? Найти населенную планету среди всех ненаселенных это все равно что искать иголку в стоге сена, — жалуюсь я в свою очередь.

Мое замечание как будто разбудило Фредди.

— Это лишь вопрос метода. Чтобы найти иголку в стоге сена, достаточно сжечь сено и провести магнитом над пеплом.

Его лицо сияет. Если бы он не был ангелом и слепым, я бы, наверное, узнал тот же огонь, который вдохновлял нас раньше, когда мы вместе отправлялись завоевывать неизвестные миры.

— Ну же... вперед, чтобы отодвинуть границы неизвестного!

Рауль, дрожа от нетерпения, добавляет:

— Вперед, на завоевание... страны Богов!

2. СФЕРЫ И ЗВЁЗДЫ

80. ВЕНЕРА. 17 ЛЕТ

С тех пор как папа ушел, я живу с мамой, и это действительно не легко. Все ее ежедневные заскоки для меня просто невыносимы.

По вечерам мы чаще всего ужинаем вдвоем и ругаемся. Мама упрекает меня в том, что я недостаточно слежу за своей фигурой. Должна признаться, что после анорексического периода у меня наступил период булимии. Именно папино отсутствие вызывает у меня голод. Я поедаю горы пирожных. Они помогают мне переносить жизнь, мать и все более невыносимую атмосферу фотостудий.

Управлять своим телом хорошо, а распуститься еще лучше.

Мне семнадцать лет, и кажется, что я уже много пожила и много съела. Раньше я довела свой вес до тридцати пяти килограммов. Теперь я вешу уже восемьдесят два. Надо сказать, что когда я ем, я ем. И не только пирожные. Фасоль с томатным соусом, которую я глотаю банками, не разогревая. Сахар кусками. Майонез, который я высасываю прямо из тюбика, как из соски. А потом хлеб с маслом, посыпанный какао. Я могу есть это тоннами.

Мать говорит со мной только для того, чтобы упрекать. А я ей отвечаю, что чем больше она на меня орет, тем больше мне хочется есть. Это как эффект бумеранга. Обнаружив способность управлять собой посредством ограничения в пище, я начала испытывать все больше отвращения к своему телу. Оно мне кажется помойным ведром, которое я наполняю, чтобы наказать себя.

У меня постоянно что-то во рту, то жвачка, то конфета, то лакричная палочка, и я не перестаю жевать.

Как только я потолстела, модельные агентства перестали настаивать на том, что хотят меня. Были даже маленькие хитрости, когда мне предлагали напечатать мои фото после и до, чтобы потом в рекламе сказать, что это до и после. Таким образом рекламировались бы чудодейственные диеты, которые якобы помогли мне похудеть.

Мать осыпает меня упреками. Я не только больше не зарабатываю денег, но в придачу мои пирушки стоят дорого. И чем больше мать меня поучает, тем больше мне хочется есть.

Мое единственное утешение — Джим. Он замечательный парень. Однажды, когда мать бросала в меня тарелки, чтобы убедить в своей правоте, я хлопнула дверью, решив уйти из дома. И встретила Джима, нашего соседа. Он студент географического факультета. И поскольку я из-за своей преждевременной карьеры модели училась не слишком много, то на меня это производит впечатление.

Мы долго говорили о разных дальних странах. Он рассказал мне, как огромен мир и как незначительны по сравнению с этим мои проблемы. Мне это понравилось. Мы целовались под луной.

Через неделю мы занимались любовью. У меня это было в первый раз. Мне не очень понравилось.

Я стараюсь есть меньше, но у меня это не получается. Моя борьба с едой очень напряженна. Поэтому я решаю принимать слабительное. Недавно я разработала неплохую технику, чтобы тошниться. Достаточно засунуть два пальца в горло, и все сразу оказывается в унитазе.

Я спрашиваю Джима, не слишком ли я полная.

— Мне нравятся полные, — отвечает он.

Я говорю, что до того, как потолстеть, я была такой красивой, что работала топ-моделью и хотела стать Мисс Вселенной. Он отвечает, что для него я самая красивая девушка во вселенной.

Чтобы сохранить это приятное впечатление, я предлагаю не заниматься любовью в этот вечер, и мы расстаемся, ограничившись поцелуем. Это удваивает мою решимость. Я возьму свое тело в руки. Я стану Мисс Вселенной!

Я уговариваю мать сделать мне липосакцию. Мной опять занимается Амброзио ди Ринальди, этот Микеланджело скальпеля. Под местной анестезией я вижу все, что происходит. Мне в ляжки вставляют толстые трубки, потом включают насос. Со звуком дизельного двигателя он начинает выплевывать жидкость в прозрачные цилиндры. Вначале я удивлена тем, что он качает только кровь, и я опасаюсь, что останусь совсем без крови. Но постепенно жидкость становится прозрачнее и светлее и, наконец, делается слегка розоватой и густой. Как шантийи с гренадином. Амброзио ди Ринальди объясняет, что должен вводить трубки в различные места, чтобы не было дырок, или, как это называется на его жаргоне, «эффекта волнистого железа».

Возможно, что Амброзио стоит очень дорого, но, к счастью, он считается мастером по борьбе с волнистым железом.

После густой консистенция становится пастообразной. Мне удаляют излишки с ляжек, что особенно меня радует, поскольку даже в анорексический период я больше худела сверху, чем снизу.

После выхода из клиники Джим приносит мне цветы. Но теперь, когда я худая и красивая, не может быть и речи о том, чтобы оставаться с типом, которому нравятся толстые!

Я хочу быть Мисс Вселенная.

81. ИГОРЬ. 17 ЛЕТ

Я жаловался на колонию для несовершеннолетних в Новосибирске, и был не прав. Дурдом в Брест-Литовске намного хуже.

В колонии нам давали тухлые обрезки, здесь мяса нет совсем. Кажется, это возбуждает психов.

В колонии матрасы кишели клопами. Здесь мы спим в гамаках из стальной проволоки.

В колонии воняло гнильем, здесь пахнет эфиром. Там все было грязное, здесь все чистое.

Я жаловался, что в колонии по ночам раздаются крики. Здесь раздается смех. Это ужасно — смех.

Здесь у меня только один сосед. Александрей.

Он говорит сам с собой всю ночь. Он утверждает, что мы все умрем. Что четыре всадника Апокалипсиса уже оседлали коней. Огонь, железо, вода и лед пройдут сквозь нас, и мы заплатим за свои ошибки. Потом он становится на колени и молится. Потом часами орет: «Искупление! Искупление!» — и бьет себя в грудь. Вдруг он останавливается, замолкает, а потом хнычет всю ночь: «Я умрууууууу».

Вчера Александрей умер. Я его убил. Я против него ничего не имел. Я скорее хотел оказать ему услугу. Я его задушил носком, чтобы избавить от этой жизни, в которой он потерялся. В его взгляде я прочел скорее благодарность, чем злобу.

После этого санитары потащили меня в отделение нервно-сенсорной изоляции. В сталинские времена это использовалось в качестве пытки. Таким образом убирают с глаз долой сумасшедших, которых невозможно контролировать. Санитары говорят, что после месяца нервно-сенсорной изоляции пациенты забывают, как их зовут. Если их поставить перед зеркалом, они говорят: «Здравствуйте!»

Меня хватают. Я отбиваюсь. Вчетвером они заталкивают меня в камеру.

— НЕЕЕЕТ!

Клацает задвижка.

Белая комната без окон. Нет ничего. Стены белые. Лампочка под потолком горит день и ночь, и выключателя нет. Никакого шума. Никаких звуков. Никаких признаков человеческого присутствия, кроме того, что через каждые восемь часов открывается окошечко и через него появляется светло-коричневая похлебка. Из чего она? Похоже на пюре, одновременно и сладкое, и соленое, вроде комбикорма для животных. Поскольку это всегда одно и то же неопределимое блюдо, я не знаю, что сейчас — завтрак, обед или ужин.

Я теряю ощущение времени. В голове все путается. Я даже не могу покончить с собой, стучась головой о стену, — все стены мягкие. Я все-таки попробовал проглотить свой язык, но у меня еще остались рефлексы, и я начал кашлять, чтобы дышать.

Я думал, что достиг дна. Теперь я понимаю, что можно опуститься еще ниже.

На этот раз, даже напрягая все свое воображение, я не могу представить, как мое положение может стать еще хуже. Если я окажусь в камере пыток, там, по крайней мере, будет какое-то оживление. Там будут палачи, с которыми можно поговорить, разные инструменты и приспособления, в общем, обстановка.

Здесь же нет ничего.

Ничего.

Ничего, кроме лица матери, которое появляется передо мной каждый день и говорит: «Ты был плохим мальчиком, и за это я тебя закрою в шкафу на всю жизнь».

Со мной обращаются хуже, чем с животным. Никто бы не осмелился закрыть животное на годы в белом звуконепроницаемом помещении и продолжать его кормить. Его бы просто бросили подыхать, и все. А меня кормят, чтобы я не подох, а сгнил с головы. Здесь не лечат психов. Здесь сводят с ума нормальных людей. Может быть, это средство для контроля над населением?

Нужно держаться.

Такое ощущение, что у меня в голове огромная библиотека, и книги в ней постоянно падают. Есть маленькие книги, когда они падают, я забываю слова.

Есть большие книги воспоминаний о моей жизни, и они падают. Что было раньше? Я вспоминаю покер, Петра (или его звали Борис?), троих В (Василий, Ваня... и, черт, как звали третьего, толстого?)... Я держусь за то, что не падает. В покере есть пара, две пары, каре и... (черт, как называются три одинаковые карты и две одинаковые карты?)

В моем сознании появляются какие-то мысли, потом они начинают прыгать, как игла на исцарапанном диске, и появляются другие. Ни одну мысль я не могу додумать до конца.

Только мать остается как приросшая, как будто ее выжгли в моем мозгу каленым железом. Я вспоминаю все выражения ее лица в день, когда она оставила меня на церковной паперти. Я держусь за эту боль. Спасибо, мама, ты хоть для этого пригодилась. Мать является единственным доказательством моей идентичности. Я определяю себя благодаря злости на нее. Может быть, однажды я забуду свое имя, не узнаю себя в зеркале, не вспомню о своем детстве, но я вспомню о ней.

Наконец в одно прекрасное утро-день-вечер-ночь (прошла неделя, месяц, год?) дверь открывается. Меня вызывают к директору заведения.

186

По дороге я наслаждаюсь любой информацией, поступающей в мозг. Запах хлорки, облупившаяся краска в коридорах, далекий смех, звук шагов по твердому полу, кусочки зарешеченного неба, руки держащих меня санитаров, мои руки, связанные за спиной смирительной рубашкой. Каждый лай: «Вперед», «За мной» — кажется мне прекрасной музыкой.

Меня вталкивают в кабинет директора. Рядом с ним человек в униформе. Кажется, я снова и снова переживаю ту же сцену, когда какой-то милиционер спас меня на паперти, когда полковник ВВС пришел за мной в детдом, чтобы взять в семью. А этот что мне предложит?

Директор смотрит на меня с гадливостью. Я думаю о матери. Может быть, она догадывалась, кем я стану, и хотела избавить от всех этих страданий?

— Хотим дать тебе последний шанс исправиться. В Чечне снова начались бои. Потери больше, чем предполагалось. Армия нуждается в добровольцах. Присутствующий здесь полковник Дюкусков возглавляет спецподразделения. Так что у тебя есть выбор: остаться здесь в полной изоляции или пойти в передовые отряды спецназа.

82. ЖАК. 17 ЛЕТ

Мне удается продать мои рассказы научно-фантастическому журналу, и таким образом я зарабатываю собственный первый небольшой гонорар. Чтобы сделать себе подарок, я отправляюсь на каникулы на баскское побережье. Там я встречаю Анаис.

Анаис — невысокая изящная брюнетка, немного напоминающая Мартин, но у нее более круглое лицо. Когда она улыбается или смеется, на щеках у нее образуются две ямочки.

С Анаис у нас постоянно возникают припадки бешеного хохота. Мы ничего не говорим, просто смотрим друг на друга и неожиданно начинаем хохотать, безо всякой причины. Наше постоянное веселье раздражает окружающих и еще больше сближает между собой.

В конце каникул мы даем обещание встречаться как можно чаще. Но она живет в Бордо, а я в Перпиньяне.

Я работаю над большим проектом, книгой, в которой рассказывается о человечестве с точки зрения «нечеловеческого взгляда». Это детектив, героями которого являются... крысы, ведущие расследование в канализационных трубах. Естественно, я досконально описываю в нем все царящие в крысиных сообществах законы. Я уже закончил первую часть объемом в две сотни страниц, которую принес Анаис, чтобы она ее прочитала.

Она читает быстро.

— Забавно. Твой главный персонаж — крыса с прядью рыжих волос на голове.

— Все первые романы немного автобиографичны, — говорю я. — К тому же мне нравятся мои рыжие волосы.

— А почему крысы?

Я объясняю, что крысы — это только предлог, что речь идет о всеобъемлющем рассуждении относительно жизни в обществе. Я ищу формулу идеального общества, в котором всем хорошо. Раньше в одном из рассказов я выбрал в качестве героев двух лейкоцитов, которых поместил в идеальное общество человеческого тела. Теперь же, напротив, я хочу показать, как функционирует жестокое общество. Крысы являются примером эффективного общества, но оно абсолютно лишено сострадания. Они систематически уничтожают слабых, больных, стариков, хилых детенышей. Конкуренция постоянна, и в ней выживает сильнейший. Описывая этот малоизвестный мир, я надеюсь вселить в читателей осознание той их части, которая делает их близкими к крысам.

Во время моего следующего приезда Анаис знакомит меня со своими родителями. У них внушительная квартира. Картины старых мастеров, антикварная мебель, ценные фолианты. Я никогда не видел такого шика. И отец, и мать дантисты, и дела у них идут явно неплохо. Анаис тоже хочет учиться на зубного врача. Только ее младший братик еще не определился со своим будущим. Он говорит, что хочет заниматься информатикой, но меня удивит, если он будет продолжать на этом настаивать. А может быть, он в конце концов станет специалистом по информатике в области зуботехники.

Вся семья демонстрирует прекрасные белые зубы. За обедом отец спрашивает меня, чем я собираюсь зарабатывать на жизнь. Я отвечаю, что хочу стать писателем.

— Писателем... но почему бы вам не выбрать себе более... нормальную профессию?

Я говорю, что это моя страсть и что я предпочитаю зарабатывать меньше, но заниматься делом, которое меня развлекает. Но отец Анаис не смеется. И она тоже.

После обеда ее отец начинает расспрашивать меня о моих родителях. Книготорговцы. Он наклоняет голову и говорит о своих любимых писателях: Селин, Маргерит Дюра... Я признаюсь, что уже пролистал произведения Дюра и Селина и что они мне показались довольно скучными.

Тут я должен был бы заметить, что мать нахмурила брови. Анаис делает мне знаки, которые я вовремя не замечаю.

Ее отец спрашивает, кто из писателей мне нравится. Я называю По и Кафку, и он восклицает: «Ах, да, я понимаю». После этого мне было бы лучше помолчать, а не распространяться о прелестях научной фантастики и детектива.

Он признается, что никогда не читал подобные произведения. Тут я чувствую, что что-то не так. В знак примирения я заключаю:

— Ну, в конце концов, есть только два вида литературы — хорошая и плохая.

Все смотрят себе в тарелки.

Взмахнув юбкой, мать идет за десертом.

Затем Анаис заявила, что я спец по шахматам, и отец настаивает, чтобы мы сыграли партию. Он скромно говорит, что играет лишь от случая к случаю.

Я выигрываю в четыре хода с помощью «удара пастуха», которому меня научила Мартин. Отец не требует реванша.

После этого вечера мы видимся с Анаис все реже. Однажды она мне признается, что отец не представляет ее замужем за «скоморохом».

Конец идиллии.

Я любуюсь на фотографии Анаис. На каждой она смеется. Я просто допустил ошибку, согласившись встретиться с ее родителями.

Чтобы отвлечься от человеческих огорчений, я погружаюсь в написание книги и всеми силами стремлюсь понять, что может чувствовать крыса в своей каждодневной жизни.

83. ЭНЦИКЛОПЕДИЯ

Точка зрения.

Анекдот: «Один тип приходит к доктору. На нем высокая шляпа. Он садится и снимает шляпу. Врач замечает лягушку, сидящую на лысом черепе. Он приближается и видит, что лягушка будто приросла к коже.

— И давно это у вас? — удивляется он.

Тогда лягушка отвечает:

— Знаете, доктор, сперва это было просто небольшой бородавкой на ноге».

Этот анекдот иллюстрирует концепцию. Порой люди ошибаются в анализе события, потому что ограничиваются единственной точкой зрения, которая кажется очевидной.

Эдмонд Уэллс.
«Энциклопедия относительного
и абсолютного знания», том 4.
(Анекдот Фредди Мейера)

84. ЯЙЦА

Прежде чем отправиться в космос на поиски другой планеты, мне необходимо урегулировать все проблемы со своими сферами.

Я проверяю, исполнились ли их желания. Игорь хотел покинуть психиатрическую больницу в Брест-Литовске, и теперь он в армии. Жак хотел погрузиться еще глубже в литературу, и теперь он пишет свой первый роман. Венера взяла себя в руки.

— Как поживает твой выводок? — интересуется Рауль.

Я показываю ему яйца с видимым удовлетворением.

— Лучше не бывает.

Рауль заявляет, что мне не следовало бы так радоваться. На самом деле не все у них так уж и хорошо. Их желания исполнились, но лучше им от этого не стало. У Венеры больше нет семьи, нет любви, нет даже приличного образования, которое помогло бы ей в жизни. Это просто изнеженная и недалекая девушка.

Психиатрическая больница довела Игоря до состояния почти растительного. Он страдает от катастрофического отсутствия любви. Он одинок, у него нет денег, нет друзей, ни одна женщина ни разу не поцеловала его даже в щеку, а ведь ему уже семнадцать! Его отправили на передовую в Чечню с подразделениями Дюкускова, состоящими из отбросов общества, чтобы выполнять самые опасные задания. Что касается Жака, то из-за того, что он живет в мире своих фантазий, он теряет ощущение реальности и постепенно становится инвалидом, не способным к повседневной жизни.

— И ты называешь это «лучше не бывает»?

Взглянув еще раз на эти три человеческие души, которые должны представлять три стороны моей личности, я чувствую ужас.

— Ха-ха! Добро пожаловать в Рай, — иронизирует Рауль. — Непыльная работенка, как говорится. Фуфло все это! Проще заставить минерал превратиться в растение, чем вывести человека на более высокий уровень развития.

Рауль принимает озабоченный вид.

— Как бы то ни было, для нас эта бюрократическая работа закончена. Мы покидаем этот манерный Рай и отправляемся за приключениями.

У него этот странный взгляд, который меня завораживал и пугал раньше, когда мы были из плоти и крови. Этот взгляд как бы говорит: «Совершим все возможные ошибки, потому что иначе мы не узнаем, почему их не надо было делать».

Я прошу Рауля немного подождать, чтобы я смог наладить жизнь своих клиентов. Я устраиваю так, чтобы председатель жюри конкурса «Мисс Вселенная» выбрал кандидатуру Венеры. Я создаю дружескую атмосферу в спецподразделении Дюкускова «Волки», где служит Игорь. Во сне я посылаю Жаку несколько забавных сцен для его романа.

— Да не теряй ты время на них, — ворчит Рауль. — Тебя ждет вся вселенная.

Он склоняется у меня над ухом и шепчет:

— И вообще, смертные иногда справляются со своими проблемами гораздо лучше без нас.

85. ВЕНЕРА. 17 С ПОЛОВИНОЙ ЛЕТ

Переделав тело с помощь пластической хирургии, я восстановила его как старый автомобиль. Я его перекрасила, починила двигатель и электрику. Я снова в форме. Я постоянно мажу помадами и кремами живот, ляжки и зад. Я снова занимаюсь спортом: плаванием, джоггингом, стретчингом. Постепенно я начинаю регулировать и свой аппетит.

Наконец, я снова в фотостудиях. Начинаю с рекламных кампаний различных продуктов, потом одежды, джинсов и — наконец-то! — высокая мода. Классический путь топ-моделей.

Вторая попытка более удачна, чем первая. Падение в пропасть, последовавшее за моими первыми успехами, придало мне сил. Я больше не позволяю наступать мне на ноги. Я научилась заставлять уважать себя.

В любовники себе я выбрала манекенщика. Хотя мы занимаемся одним и тем же делом, у него не очень получается. Ему стыдно позировать и ходить по подиуму. Эстебан говорит, что для него это временно.

Я выбрала его исключительно за физическую красоту. Он очень живописен, в стиле «латино». Я дала ему понять, что, как только он мне надоест, я выплюну его, как косточку от вишни. Эта перспектива его не только не оттолкнула, а еще больше привязала ко мне. «Ах, Венэра, ты одна мена понымаешь...» Мужчинами так легко манипулировать. Мне кажется, я поняла, как они устроены. Женщине достаточно быть независимой от них, чтобы они захотели зависеть от нее.

В постели Эстебан настоящий атлет, стремящийся выиграть гонку. Он напрягается изо всех сил. Я подозреваю даже, что он употребляет допинг. И все это для моего удовольствия! Сперва я пыталась его успокоить, но быстро поняла, что лучше оставить его наедине со своими сомнениями. Я все время требую большего, и ему это нравится.

В конце концов, я этого заслуживаю. Мне семнадцать с половиной лет, и я восхитительна.

Чтобы расслабиться после съемочных площадок, я начала курить. Сигарета помогает снять напряжение, а потребность в никотине обставляет необходимым образом моменты отдыха. Она к тому же сближает. Мама тоже курит. Только когда мы курим вместе, мы по очереди предлагаем друг другу зажигалку и не ссоримся из-за нее.

Я знаю, мама любит меня, и все же я чувствую, что в глубине души она ставит мне в вину уход папы. С тех пор все ее другие романы кончаются катастрофой. Такое впечатление, что как только она остановит на ком-нибудь свой выбор, то уже готова к разрыву. Ее компаньоны наверняка это чувствуют, и это их бесит.

Мне необходимо освободиться от ее влияния. К тому же, когда я смотрю на ее карьеру, есть от чего прийти в отчаяние. В профессиональных кругах ее уже считают «старухой». Ее снимают только для каталогов по продаже товаров почтой.

Дома она попивает виски и смотрит фильмы ужасов по видео. Тяжелый случай.

Кажется, я поняла законы профессии. Поднимаются быстро и опускаются тоже, но чем выше ты поднялся, тем больше у тебя шансов остаться наверху.

Мне необходимо подняться очень высоко. Я должна стать Мисс Вселенной. С этим титулом я получу пожизненный доступ в лучшие модельные агентства и ко всем тем, кого захочу использовать.

Я очень внимательно слежу за своим питанием. Я ем много овощей, потому что они полезны для мышц, много фруктов для мягкости кожи и пью много минеральной воды, чтобы выводить из организма сахар и жиры.

86. ЖАК. 17 С ПОЛОВИНОЙ ЛЕТ

Вступительный экзамен по философии. Вопрос: «Свобода мысли, существует ли она?»

Выслушав мой ответ, экзаменатор говорит:

— Вы ссылаетесь на дзен, на буддизм, на даосизм... Нет необходимости искать отправные точки в Азии. Перечитайте Монтеня, Спинозу, Ницше, Платона, и вы констатируете, что они все поняли.

Я раздражаюсь:

— В восточном мышлении меня интересует то, что оно основывается на пережитом опыте духовности. Когда монах дзен остается неподвижным в течение часа, чтобы сделать голову пустой, когда йог замедляет дыхание и биение сердца, когда адепт даосизма смеется до обморока, то это не просто слова, это пережитый опыт.

Экзаменатор пожимает плечами.

— Ступайте, я не хочу вас больше слушать.

С этими словами он проводит руками по своему шикарному пиджаку, как бы разглаживая несуществующие складки.

Я чувствую, как во мне поднимается волна, которая накроет меня с головой. Освободившаяся вдруг древняя ярость. Этот человек олицетворяет все, что с детства выводило меня из себя. Все эти типы, думающие, что все знают, полные уверенности и в особенности не желающие слышать ничего, что может поставить под сомнение их маленькие, сто раз переже-

195

ванные истины. Этот экзаменатор с его удовлетворенным видом человека, наделенного маленькой властью, которую он рассчитывает использовать для оправдания своего существования, меня удручает.

Я взрываюсь:

— Вы задаете мне вопрос: «Свобода мысли, существует ли она?», а на самом деле вы ее как раз и запрещаете! Вы смеетесь над оригинальностью моих идей. Все, что вас интересует, это проверить, думаю ли я так же, как вы, или, по крайней мере, могу ли я вам подражать.

— У Спинозы есть прекрасное выражение, объясняющее ваше заблуждение. Он сказал что...

— Ваши мысли — лишь бледная копия размышлений великих, которых вы цитируете. А вы спрашивали себя, какие у вас есть собственные мысли, кроме мыслей этих признанных гигантов? Хоть раз в жизни вам приходила в голову оригинальная идея? Нет. Вы просто... просто... (я ищу самое обидное оскорбление) просто факс-машина.

Я выхожу, хлопнув дверью. Впервые в жизни я открыто восстал. От этого у меня отвращение к самому себе. Как этот ничем не интересный экзаменатор мог вывести меня из себя?

Я провалил экзамен. Я должен добиться успеха другим путем.

Все больше я ощущаю себя «крысой-автономом». Я предпочитаю выйти из Системы.

Родители меня сурово отчитывают. Им надоела моя лень и мои причуды. Передо мной три возможности: сражаться, отступить или бежать.

Я решаю бежать.

На следующий день я собираю пожитки, пересчитываю заработанные на гонорарах деньги и сажусь на поезд в Париж вместе с моей кошкой Моной Лизой и моим компьютером. За день я нахожу комнату на седьмом этаже без лифта рядом с Восточным вокзалом. Кровать занимает девяносто процентов помещения.

Мона Лиза в ярости, потому что у меня нет телевизора. Она прыгает как бешеная. Она царапает когтями розетку и разъем телеантенны, как если бы я их еще не заметил.

Через несколько дней без телевизора Мона Лиза впадает в прострацию. Она не ест, отказывается от ласки, не мурлычет и шипит, когда я приближаюсь.

Вчера я нашел ее мертвой на столе, куда мог бы поставить телевизор... Я хороню ее за зарослями в общественном саду. В качестве надгробия я кладу на маленький холмик пульт управления, подобранный на помойке. Затем я иду в приют для бездомных животных и беру Мону Лизу II, которая как две капли воды похожа на Мону Лизу I в молодости: такая же шерсть, такой же взгляд, такие же повадки.

На этот раз я не повторяю ту же ошибку. Я экономлю на еде, чтобы заплатить первый взнос для покупки в кредит маленького подержанного телевизора. Я оставляю его включенным с утра до вечера, и Мона Лиза сидит перед ним как приклеенная, томно моргая глазами.

По-видимому, это одно из последствий глобальной эволюции мира. В моих кошках не осталось ничего от дикого хищника. Осталось просто толстое животное, приспособленное не к джунглям, а к телевизору, к комнатам с покрытым коврами полом, которое отказывается от сырого мяса и ест только сухой корм.

Я все же замечаю небольшое различие между двумя кошками: если первая любила игры с вопросами, то вторая жмурится от удовольствия, когда передают новости. Не знаю, почему ей так нравятся войны, экономические кризисы и землетрясения. Несомненно, извращенка.

Однако за жилье и телевизор надо платить. Гонораров за рассказы не хватает. Я пытаюсь подрабатывать. Распространителем рекламных объявлений по почтовым ящикам. Доставкой пиццы на дом.

Официантом в пивной.

Я работаю с часа дня до полуночи. Невеселая жизнь. На кухне все раздражительны, клиенты капризны и нетерпеливы. Хозяин лишь усиливает напряжение. Сочувствующий коллега объясняет мне, что, для того, чтобы не страдать с риском для здоровья, нужно мстить. Он показывает, как это делается. Один из его клиентов оказался неприятным типом. Он тут же плюет в его тарелку.

— Пустячок, а приятно. К тому же помогает от язвы на нервной почве.

Бегая из зала на кухню и из кухни в зал, я натер себе ноги. Чаевые мизерны. Вечером я возвращаюсь разбитый и смотрю новости.

Война в Чечне.

Паника в Европе из-за свиного бешенства. (Употребление в пищу зараженного мяса приводит к разрушению клеток мозга с симптомами, похожими на болезнь Паркинсона.) Фермеры протестуют против решения Еврокомиссии в Брюсселе забить и уничтожить зараженный скот.

Убийство знаменитой актрисы маньяком, который имеет слабость к самым красивым женщинам Голливуда. Он их душит шнурком.

Рост курса акций на бирже. Еще одна реформа налоговой системы, которая приведет к их увеличению. Забастовка на общественном транспорте. Выборы Мисс Вселенной. Выборы нового Папы Римского...

Папа... Какое-то время я думаю о том, чтобы вернуться к моему рассказу «Почти Папа» и сделать из него роман. Но, учитывая скорость эволюции мира, эту научную фантастику может легко превзойти ре-

198

альность. Они ведь и вправду могут избрать Папой компьютер. Так что я возвращаюсь к роману о крысах.

Я придумываю правила работы. Я решаю писать каждый день с восьми утра до половины первого дня, что бы ни случилось, где бы и с кем бы я ни был. Я покупаю в кредит ноутбук с плоским экраном и записываюсь на курсы машинописи, чтобы научиться печатать еще быстрее.

87. ИГОРЬ. 17 С ПОЛОВИНОЙ ЛЕТ

Я бью типу поддых до тех пор, пока он не начинает говорить. Он наконец признается, что противотанковая батарея спрятана в ригах на горе. Ребята меня поздравляют.

Потом они его прикончат в кустах. Нас отправили на южный фронт после короткого, но интенсивного трехнедельного обучения.

Я быстро освоил новую работу. Мы нападаем, убиваем, захватываем пленных, пытаем их. Они раскалываются, и так мы узнаем задачу на следующий день.

Излишне говорить, что после психушки война в Чечне — это рай.

Полковник Дюкусков назвал наше подразделение «Волки». У всех нас на униформе эмблема в виде головы волка. Мне хорошо в этой шкуре. Лес, сражения, братство с другими волками, кажется, всегда были во мне. Я просто разбудил спящего зверя.

Мы устроили лагерь и обедаем у костра. В этом подразделении я не единственный сирота. И не единственный, кто побывал в исправительной колонии для несовершеннолетних или в дурдоме для буйнопомешанных.

Нам не нужно говорить друг с другом. В юности мы получили страшные раны, и здесь мы как раз для того, чтобы наносить их другим.

Нам больше нечего терять.

Старший сержант учил: «Сила не имеет никакого значения, важна скорость». Он придумал девиз «Волков»: «Быстрый или мертвый».

Еще он говорил: «Между тем моментом, когда противник готовится тебя ударить, и тем, когда ты получишь в рожу, проходит бесконечность».

С тех пор я могу сделать массу вещей в мгновение между странным блеском во взгляде и полученным ударом.

Сержант заставляет нас делать самые разные упражнения для развития этого чувства времени. Кроме всего прочего, он научил нас жонглировать. Жонглируя, подбрасываешь в воздух пулю, и до того как она упадет — вторую, и так далее. Понятие секунды растягивается. Если большинство людей за секунду могут досчитать до двух, то я — до семи. Это значит, что у меня больше шансов остаться в живых, чем у «большинства людей».

Вскоре к нам должны присоединиться два других подразделения. Вместе мы составим группу в тридцать пять человек, задачей которой является занять позицию на вершине горы, где укрепились пятьдесят чеченцев, поддерживаемых местным населением.

В который раз тыловые стратеги из главного штаба не вмешиваются и дают нам полную свободу действий. Тем лучше! Я рассматриваю в бинокль нашу цель. Это не подарок. Неподалеку лес, и там может скрываться подкрепление.

Баночки с камуфляжной краской переходят из рук в руки, и лица покрываются боевыми узорами.

88. ВЕНЕРА

Я накладываю макияж. Подчеркиваю линию век карандашом. Крашу губы в красный цвет с легким блеском и очерчиваю контуры коричневым.

Я еще недостаточно вооружена. Чтобы быть безупречной, я купила силиконовую подкладку для увеличения груди, хотя это и запрещено правилами.

Победителей не судят.

89. ЭНЦИКЛОПЕДИЯ

Победа. Большинство образовательных систем учат бороться с поражением. В школе детей предупреждают, что у них могут быть трудности с получением работы, даже если они будут иметь диплом. Дома их стараются подготовить к мысли, что большинство браков кончается разводом и что большинство компаньонов по жизни в конце концов тебя разочаруют.

Страховые компании поддерживают общий пессимизм. Их кредо: есть немало шансов, что вы попадете в аварию, случится пожар или наводнение. Так что будьте предусмотрительны, застрахуйтесь.

Оптимистам средства массовой информации напоминают с утра до вечера, что повсюду в мире люди беззащитны. Послушайте предсказателей — все говорят об Апокалипсисе или войне.

Всемирное поражение, локальное поражение, личное поражение... Слышат лишь тех, кто говорит о безрадостном будущем. Какой пророк осмелится объявить, что в будущем все будет лучше и лучше? А на индивидуальном уровне, кто осмелится учить детей в школе тому, что надо делать, получив «Оскара» за лучшую роль? Как реагировать, победив в мировом турнире? Что делать, если ваше маленькое предприятие выросло до международной корпорации?

Результат: когда победа приходит, человек оказывается лишен ориентиров и часто он настолько ошеломлен, что быстро сам организует собственное поражение, чтобы оказаться в знакомой «нормальной» обстановке.

Эдмонд Уэллс.
«Энциклопедия относительного
и абсолютного знания», том 4

90. ЖАК

Я надеваю тапочки, закрываю дверь на два оборота, отключаю телефон, усаживаюсь в кресло, сажаю на колени кошку, закрываю ненадолго глаза, чтобы сконцентрироваться на месте действия. Я готовлюсь писать. Персонажи уже начинают действовать в воображении.

91. ИГОРЬ

Я их вижу. Они на гребне горы. Враги. Я надеваю патронташи, закрепляю нож на ноге. Вставляю в отверстие в зубе маленькую капсулу с цианистым калием. Это правило. Говорят, чечены садисты, но меня сильно удивило бы, если бы им удалось заставить меня говорить. У меня толстая кожа. Спасибо, мама, ты мне дала хоть это.

92. ВЕНЕРА

Черт, я сломала ноготь. Черт, черт, черт! Нет времени приклеить накладной. Мне подают знак, что сейчас моя очередь. Не паниковать.

93. ИГОРЬ

Сигнал. Ну, теперь наша очередь. Станислас у меня справа. Почему я так с ним сдружился? Потому что это парень, у которого огнемет. Если я не хочу получить по ошибке струю горящего бензина, нужно быть сбоку от него. Я дружу с теми, от кого зависит жизнь. Опыт с Ваней научил выбирать друзей не по тому, что я могу им дать, а по тому, что они могут дать мне. Хватит жалости, важен лишь личный интерес.

Я еще раз внимательно разглядываю в бинокль нашу цель, гребень горы.

— Это будет не подарок, — говорю я Станисласу.

— Я ничего не боюсь, — отвечает он. — Меня ангел-хранитель защищает.

Ангел-хранитель...

— Да-а. Он у всех есть, только многие забывают о нем, когда он нужен. А я не забываю. Перед атакой я его всегда зову и чувствую себя защищенным.

Он достает позолоченный медальон с изображением ангела с расправленными крыльями и подносит к губам.

— Святой Станислас, — говорит он.

На медальоне, который я ношу на шее, портрет моего отца. Но если я его найду, то уж благословлять не стану.

Я делаю несколько глотков водки, чтобы согреться. Вставляю в плеер любимую кассету. Не какую-нибудь западную декадентскую музыку. Это наша классика, она трогает славянскую душу: «Ночь на Лысой горе». И подходит к случаю, потому что там, на этой лысой чеченской горе, сегодня наступит их ночь.

94. ТЕХНИКА КОНТРОЛЯ СКОРОСТИ

Вместе с Фредди, Раулем и Мэрилин Монро мы отрабатываем подходящую к нашему состоянию ангелов технику навигации в космосе. Для тренировки

203

мы удаляемся от Рая и упражняемся над Солнечной системой, в зоне звездной пустоты.

Сперва пробуем движение вперед.

Естественно, лишенные материального тела, мы не испытываем трения и перемещаемся в тысячи раз быстрее человеческих ракет. Но расстояния так велики, что все это кажется слишком натужным.

В ходе испытаний мы достигаем скорости в одну тысячу километров в секунду, затем в пять тысяч.

— Мы может ускориться еще больше, — говорит Фредди.

Я думаю о большем расстоянии, глядя вдаль. Все вместе, мы разгоняемся. десять тысяч километров в секунду, тридцать тысяч километров в секунду, сто тысяч километров в секунду.

Сто тысяч километров в секунду! От одной мысли голова кружится.

Рауль, как обычно, подбадривает:

— Триста тысяч километров в секунду, скорость света, вот чего надо достичь.

— Попытка не пытка, — говорит Фредди.

Мы снова разгоняемся все вместе. Сто, сто пятьдесят, двести тысяч, есть: триста тысяч километров в секунду! На этой скорости мы видим частицы света, знаменитые фотоны, которые летят вместе с нами. Они позволяют узнать нашу собственную скорость. Когда фотоны неподвижны, у нас та же скорость. Мне удается даже их немного обогнать!

Все мое тело — сплошная скорость, текучесть. Я скольжу по космосу, как если бы это был огромный стол, немного деформированный под грузом лежащих на нем звезд.

Мы летим быстро.

Очень быстро.

«Быстро» — это слово недостаточно сильное для описания ощущения. Мы словно снаряды, пересекающие космос. Это уже не путешествие. Мы больше не просто быстро двигающиеся существа. Мы... световые лучи.

95. ЭНЦИКЛОПЕДИЯ

Дилемма заключенного. В 1950 году Мелвин Дрешер и Меррил Флад обнаружили так называемую дилемму заключенного. Вот ее суть: двое подозреваемых арестованы перед банком и содержатся в разных камерах. Чтобы заставить их признаться в планировавшемся ограблении, полицейские делают им предложение.

Если ни один из них не заговорит, обоим дадут по два года тюрьмы. Если один выдаст другого, а другой не заговорит, тот, кто выдал, будет освобожден, а тому, кто не признался, дадут пять лет.

Если оба выдадут друг друга, оба получат по четыре года.

Каждый знает, что другому сделали такое же предложение.

Что происходит дальше? Оба думают:

«Я уверен, что другой расколется. Он меня выдаст, я получу пять лет, а его освободят. Это несправедливо». Таким образом оба приходят к одинаковому выводу: «Напротив, если я его выдам, я, возможно, буду свободен. Незачем страдать обоим, если хотя бы один может выйти отсюда».

В действительности в подобной ситуации большинство людей выдавали друг друга. Учитывая, что сообщник поступил точно так же, оба получали по четыре года.

В то же время, если бы они как следует подумали, они бы молчали и получили только по два года.

Еще более странно следующее: если повторить опыт и дать возможность обоим посовещаться, результат остается таким же. Двое, даже выработав вместе общую стратегию поведения, в конце концов предают друг друга.

Эдмонд Уэллс.
«Энциклопедия относительного
и абсолютного знания», том 4

96. ЖАК

Мне не хватает чего-то еще, чтобы полнее погрузиться в жизнь моих персонажей. Музыки. Я обнаружил, что музыка помогает мне писать. Я слушаю ее в наушниках. Наушники не только позволяют лучше слышать звуки, но и и отгораживают от внешнего мира, где слышны «нормальные» шумы этой реальности. Музыка становится поддержкой моей мысли. Она придает ритм письму. Когда музыка резкая, рубленая, я конструирую короткие фразы. Во время длинных инструментальных соло фразы удлиняются. Для мирных сцен я выбираю классическую музыку, для боевых — хард-рок, а для описания снов — нью эйдж.

Музыка — очень тонкий инструмент. Довольно малого, чтобы ее помощь превратилась в препятствие. Иногда несколько неподходящих слов могут сбить меня с ритма.

По опыту я знаю, что лучшей музыкой для писания являются саундтреки к фильмам, поскольку они уже сами по себе несут эмоции и напряженное ожидание. Иногда, когда музыка совпадает по фазе с описываемой сценой, я чувствую себя как в ожившем сне.

97. ВЕНЕРА

Первые такты «Так говорил Заратустра» означают начало представления кандидаток на звание «Мисс Вселенная». У меня страх перед выступлением.

Главное не дрожать, это будет заметно. Я бросаюсь к рюкзаку и достаю баночку с транквилизаторами. Я знаю, мама часто этим пользуется. Максимум две таблетки в день, говорится в аннотации. Глотаю сразу шесть. Я такая нервная.

Я должна получить титул «Мисс Вселенная». Просто обязана. Едва качая бедрами, я иду на прожектора.

98. ИГОРЬ

Наступает рассвет. Небо еще темно-красное. Мы замечаем слабые огоньки на горном хребте, как огненные точки в небе цвета крови. Из труб идут дымки. Блеют бараны в овчарнях. Настала очередь волков удивить их.

99. КОСМИЧЕСКИЙ ПОЛЕТ. НАПРАВЛЕНИЕ

Мы научились контролировать скорость. Теперь необходимо разработать средство, которое позволит ориентироваться в пространстве. Мы должны создать трехмерную карту космоса. Задача тем более трудна, что космос бесконечен. А бесконечность трудно изобразить на карте.

Какую методологию выбрать?

Фредди предлагает провести воображаемую черту на уровне Рая и считать это «полом», или «низом». Все, что находится над ней, будет «сверху». Таким образом, чем дальше мы будем удаляться от галактики, тем больше будем «подниматься». Для «право» и «лево» мы решаем применять правила навигации. Все, что находится справа от направления, будет «по правому борту», а все, что слева, — «по левому борту».

— А как указывать промежуточные направления?

— Как летчики, будем указывать градус подъема, — говорит Рауль. — Один час — это слегка вправо, три часа — перпендикулярно правому борту, девять часов — перпендикулярно левому.

Теперь, как во времена танатонавтики, у нас есть метод контроля за направлением полета, с помощью которого мы попробуем расширить нашу Terra incognita.

100. ЖАК

Чтобы лучше представлять сцены в канализации и пещерах, я делаю рисунки. На каждом я изображаю различные предметы, расположение персонажей, источники света.

101. ВЕНЕРА

Я стою под прожекторами рампы и чувствую на себе взгляды зрителей и жюри. Они разглядывают все мои детали, до мочек ушей и волос. Организаторы дали мне плакатик с номером. Мне объяснили, что я должна держать его высоко над собой, чтобы жюри и публика могли меня идентифицировать. Я поднимаю плакат. Никогда в жизни мне не было так страшно. Мне холодно.

102. ИГОРЬ

Медленно наступает утро. Небо из красного становится оранжевым. Вокруг свистят пули. Повсюду палят длинными очередями. Трудно в разгар битвы понять, что действительно происходит. Мы, пехота, наверняка хуже всего понимаем ход событий. Чтобы судить о нем, нужно видеть все глобально, с высоты.

Здесь мы как близорукие. Мы настолько близко к действительности, что больше ее не различаем. Хуже всего то, что завтра лучшие изображения наших подвигов опять получат на Западе с помощью спутников наблюдения. Скорей бы вторгнуться к ним и отобрать у них все это.

Я едва успеваю укрыться от выстрела из подствольного гранатомета. Сейчас не время философствовать.

103. ВЕНЕРА

Хочется есть. Я играю свою роль. Легкое покачивание бедрами, улыбка, три шага, я замираю. Снова покачивание бедрами, еще улыбка, легкое движение головой, чтобы обратить внимание на прическу. Немного поднять подбородок. Хотя...

104. КОСМИЧЕСКОЕ ПУТЕШЕСТВИЕ. РОМБ

Впереди сверкает звезда. Это Альтаир. Мы держим курс на нее.

— Десять часов по левому борту вперед!

Вчетвером мы летим, вытянувшись в цепочку.

Фредди предлагает улучшить технику наших перемещений. Мы приближаемся друг к другу и образуем ромб. Рауль, самый отважный, впереди. Фредди справа, я слева, а Мэрилин Монро сзади. Мы расставляем руки в стороны, как будто планируем. Так легче определить расстояние друг до друга. Наши тела образуют летательный аппарат, рассекающий пространство.

— Два часа по правому борту, — предлагает Фредди.

Мы летим направо, но под слегка разными углами. Нужно приспосабливаться друг к другу.

— Левый борт, восемь часов.

Мы делаем разворот. На этот раз мы действуем в унисон. С изменением направления единственным ориентиром остается созвездие Лебедя.

Я внезапно осознаю все сложности, с которыми сталкиваются авиационные акробаты при синхронизации их движений в воздухе. А при движении со скоростью света это еще труднее. Лучше выполнять вираж нам помогает предупреждение «внимание, готовы?» перед командой «два часа» или «восемь часов».

— Внимание, готовы? Назад, шесть часов, — предлагает Монро.

Наш ромб разворачивается, как кусок ткани. Монро не двигается, а Рауль совершает оборот вверх на 180 градусов. Мы снова лицом к Альтаиру. Мы горды своими успехами.

Мертвые петли, спирали, восьмерки. Мы увеличиваем количество пируэтов, чтобы опробовать самые разные способы полета, самые трудные геометрические фигуры.

105. ЭНЦИКЛОПЕДИЯ

Геометрический тест. Небольшой психологический тест, чтобы лучше узнать человека с помощью геометрических фигур. Разбейте лист бумаги на шесть клеточек.

В первую поместите круг.

Во вторую треугольник.

В третью ступеньки.

В четвертую крест.

В пятую квадрат.

В шестую цифру «3», перевернутую как буква «м».

Попросите вашего собеседника дополнить каждую геометрическую фигуру так, чтобы получился не абстрактный рисунок.

Затем попросите написать рядом с каждым рисунком прилагательное.

Когда задание выполнено, рассмотрите рисунки, зная, что:

Рисунок вокруг круга означает, как человек видит себя сам.

Вокруг треугольника: как он представляет отношение других к себе.

Вокруг ступеней: как относится к жизни в целом.

Вокруг креста: как он видит свой духовный мир.

Вокруг квадрата: как относится к семье.

Вокруг перевернутой тройки: как относится к любви.

Эдмонд Уэллс.
«Энциклопедия относительного
и абсолютного знания», том 4

106. ИГОРЬ

Я чувствую ненависть. Прыгаю на чечена. Бью его лбом в лицо. Сухой деревянный звук. Он в крови, которая пачкает мою одежду. Передо мной уже другой. Я занимаю боевую стойку. Как предупреждение в моем мозгу проскакивает фраза: «Проходит вечность между моментом, когда противник решил ударить, и тем, когда ты получишь удар».

В его взгляде появляется блеск. Не упускать его из вида. Его взгляд опускается. Правая нога! Он надеется попасть мне ногой в живот. Я начинаю воспринимать время замедленно. Теперь все будет происходить как в кино, кадр за кадром.

Его правая нога поднимается. Легкое движение бедрами, и я уже к нему в профиль. Выкидываю руки вперед.

Он не замечает моего движения и продолжает поднимать ногу, в соответствии с первоначальной идеей.

211

Я хватаю его за ботинок, продолжаю движение вперед и бросаю в воздух. Он глухо падает оземь. Я бросаюсь на него. Рукопашная. Он меня кусает. Я выхватываю нож. Он тоже. Мы как два хищника, дерущихся за добычу. Чувства и информация наполняют мозг. Сердце бьется быстрее. Ноздри раздуваются. Мне нравится это.

В ушах громко звучит «Ночь на Лысой горе» Мусоргского. Мой противник ревет, чтобы придать себе сил. Его крик гармонирует с музыкой.

Дуэль на ножах.

Удар ногой. Его нож отлетает в сторону. Он хватает пистолет.

Недостаточно быстрый, чтобы меня взволновать. Коротким движением выворачиваю его руку. Поворачиваю в его сторону. Заставляю самого нажать на курок. Выстрел. В его зеленой куртке появляется дыра.

Он не был достаточно быстрым. Он мертв.

107. ЖАК

Сцены крысиных драк в канализационных трубах меня не удовлетворяют. Они не правдоподобны. Перечитав текст, я не ощущаю себя там.

Неожиданно я слышу в голове фразу, как будто нашептанную ангелом: «Показывать, а не объяснять».

Я должен постоянно заставлять героев действовать. Их психология будет определяться поступками, а не диалогами. Я изучаю крыс более тщательно.

Я еще недостаточно хорошо знаю их. Нужно понимать их до конца, иначе читатель почувствует непоследовательность. Я иду в зоомагазин и покупаю шесть крыс. Четырех самцов и двух самок. Един-

ственный способ быть честным — это наблюдать за реальностью.

Кошка встречает этих новых обитателей с угрожа-
ющими передними резцами недружелюбным взглядом. Я не знаю, помнит ли Мона Лиза о том, что это
она должна на них охотиться, но судя по ее поведению, создается обратное впечатление.

Шести моим новым сожителям не нужно плавать
за своим пайком. Однако я замечаю, что роли между
ними уже распределены. Один из самцов всех терро-
ризирует, а самка служит козлом отпущения.

Я колеблюсь, но не осмеливаюсь вмешиваться. Мы
не в мультике Уолта Диснея. Если в природе не все
приятны, я не изменю поведение вида, нарушая правила.

Так что я стараюсь быть нейтральным наблюдателем и точно записывать то, что вижу, а также возможные объяснения такого поведения. Стараясь как можно больше избегать антропоморфизма. Эти записи
насыщают роман.

Чтобы добиться визуального эффекта, я рисую их
морды. Рисунки множатся. Я как бы мысленно снимаю их на камеру под разными углами. На рисунках
отмечаю маршруты передвижения крыс, крупные
планы, указатели. Это очень помогает. Теперь в битвах, какими бы литературными они ни были, есть
крупные планы ощерившихся морд, панорамные
виды канализаций. Камера скользит между бойцами,
чтобы показать их в самые напряженные моменты.
Так же я поступаю для перехода от одних сцен к другим.

Я создаю специальное письмо, написание образа-
ми. Битвы в воде канализационных труб я режисси-
рую, как хореографию Эстер Вильямс, резвящейся с
напарницами в лазурном бассейне. Только здесь вода
мутная и зеленоватая, в ней плавают отбросы, а ког-

да сражение становится ожесточенным, она окрашивается в красный цвет. Стрелочками и пунктирами я обозначаю движения крысиных армий и действия героев в главной битве моего романа.

108. ВЕНЕРА

Завершив свое короткое дефиле по сцене, я жду, когда окончат выступление другие девушки. Две или три мне кажутся более красивыми, чем я сама. Лишь бы судьи не проголосовали за них. Если бы я только могла сделать им подножку, чтобы они свалились со своих шпилек и сломали себе шею! У них вид претенциозных героинь. Они нахально крутят бедрами. Да за кого они себя принимают? Ненавижу их. Я представляю, как расцарапываю их лица ногтями.

Я должна победить.

Я молю Бога, чтобы получить титул Мисс Вселенной. Если меня кто-то там наверху слышит, я умоляю его вмешаться и помочь.

109. КОСМИЧЕСКИЙ ПОЛЕТ. ОПАСЕНИЯ

— Внимание, готовы? Все на правый борт! — командует Рауль, беря на себя роль командира эскадрильи.

Меня охватывает возбуждение, и однако я не могу не думать о моих клиентах. Где они сейчас? Я слишком далеко, чтобы воспринимать их просьбы и мольбы.

Рауль понимает мою обеспокоенность и кладет руку на плечо.

— Не волнуйся, старик, ничто никогда не безысходно. Люди, они как кошки. Когда падают, всегда приземляются на лапы.

110. ИГОРЬ

Я поднимаюсь. Рычу как волк, чтобы придать себе храбрости. Если это привлечет внимание врага, тем хуже. Другие «волки» мне отвечают. Свора сильна и быстра, это семья. Мы все рычим на фоне все более светлеющего оранжевого неба с овалом убывающей луны.

Появляются чеченские подкрепления, скрывавшиеся в лесу. Они прибывают с тяжелым вооружением: на джипах с крупнокалиберными пулеметами. Чечены бросаются на нас. Их много. Придется драться один против десяти.

Десяток моих товарищей сразу убиты. Нет времени написать им эпитафию. Волки умирают по-волчьи, с оскаленной пастью и окровавленной шерстью, на земле, покрытой их жертвами.

Что до меня, то я намерен остаться живым. Я прячусь. Живой солдат, даже трусливый, сделает врагу больше вреда, чем мертвый и храбрый.

Я заползаю под сгоревший БТР. Сержант выжил. Из-за стенки, где он спрятался, сержант делает мне знаки, чтобы я присоединился к нему. Внезапно раздается взрыв гранаты, отрывающий протянутую ко мне руку. Я вижу, как его голова взлетает в воздух.

Неужели так испускают дух?

Не знаю почему, может, из-за этой музыки в наушниках, этих декораций из крови и взрывов вокруг, но мне хочется шутить. Возможно, так каждый человек чувствует необходимость снять напряжение и успокоится перед лицом ужаса.

Я хохочу. Наверное, я сошел с ума. Нет, это нормально, это просто выход напряжения. Бедняга сержант, жаль его все-таки! Он не был достаточно быстрым. Он мертв.

Пулеметы начинают стрелять в моем направлении. На этот раз у меня пропадает всякое желание смеяться. Я закрываю глаза и говорю себе, что если я дожил до сегодняшнего дня, то у меня тоже обязательно есть ангел-хранитель. Что ж, если это так, ему самое время появиться. Святой Игорь, теперь твоя очередь.

Я произношу короткую молитву: «Эй, наверху, ты понял? Сейчас или никогда, вытащи меня из этой мясорубки!»

111. ВЕНЕРА

Ведущий вызывает меня для второго выхода на сцену. Некоторые члены жюри еще колеблются. Я отвожу руки назад, чтобы подчеркнуть грудь. Не улыбаться. Мужчинам не нравятся милашки, они любят стерв. Так мне всегда говорила мама. На этот раз я осмеливаюсь посмотреть в зал. В первом ряду вижу мать, которая снимает меня на видеокамеру. Как она будет гордиться, если мне удастся победить. Я также вижу Эстебана. Бравый Эстебан! Слишком бравый Эстебан!

Повернувшись два раза, я застываю на месте. Все. Остается только молиться. Если там наверху есть кто-то, кто беспокоится обо мне, я призываю его на помощь.

112. КОСМИЧЕСКИЙ ПОЛЕТ. ПЕРВАЯ БОЛЬШАЯ ПРОГУЛКА

У меня такое чувство, что один из клиентов меня зовет. Наверняка это просто чувство вины из-за того, что я их покинул.

Рауль меня обгоняет. Мы несемся со скоростью света. Триста тысяч километров в секунду. Фотоны из ближайшей звезды летят рядом с нами, потом отстают. Мы быстро достигаем Проксима Центавра, ближайшей к нашей солнечной системе звезды, расположенной в 4,2 светового года. Пересекаем ее систему и начинаем исследовать планеты.

Там нет ничего живого.

Со скоростью триста тысяч километров в секунду отправляемся в направлении Альфа Центавра.

Тоже ничего. Надо расширять зону поиска.

Сделав вираж под острым углом, летим к Сириусу. Несколько теплых планет. Немного лишайников. Много аммиака.

Процион? Пусто.

Кассиопея? Пыль и газы.

Тау Сети? Лучше не спрашивайте.

Дельта Павонис? Не ходите туда, там ничего нет.

Мы движемся быстро, от звезды к звезде, от планеты к планете. Мы даже пронизываем насквозь крупные метеориты, чтобы посмотреть, не там ли вдруг спрятались боги.

Проблема в том, что только в нашей галактике сто миллиардов звезд, а ее диаметр составляет сто тысяч световых лет. Так что мы движемся по ней как улитки по футбольному полю. Каждой травинке соответствует планета.

Я постоянно думаю о клиентах. Хорошо, если бы я им был не нужен. Я уверен, что они в опасности. Жак слишком чувствителен. Игорь чересчур гордый. Венера очень хрупка.

Рауль посылает мне успокаивающую мысль. Он советует сконцентрироваться на исследовательской работе. Я постоянно запаздываю на секунду на виражах. Хорошо. Я обещаю так и поступить.

Рауль, Фредди, Монро и я посещаем сотни планет. Иногда мы спускаемся на поверхность и ничего там не находим, кроме камней. Ни малейших признаков разума.

Я предлагаю «приземляться» только на планеты с умеренным климатом, где есть океаны и атмосфера. Рауль отвечает, что планета, на которую отправлялась Натали, совсем не обязательно идентична нашей, но Фредди меня поддерживает. Мои критерии позволяют сократить в десять раз число исследуемых планет. Вместо двухсот миллиардов остается только двадцать миллиардов...

Мы не ожидали, что будем остановлены этим противником: огромностью космоса.

113. ЖАК

Чем больше я пишу, тем больше испытываю странных ощущений. Когда я пишу, то дрожу от эмоций и по телу бежит дрожь, как во время физической любви. В течение нескольких минут я «где-то». Я забываю, кто я.

Сцены пишутся сами, как будто персонажи освободились от моей опеки. Я наблюдаю за их жизнью в романе, как за рыбками в аквариуме. Это приятно и в то же время пугающе. Я чувствую, что играю со взрывчаткой, способов обращения с которой не знаю.

Когда я пишу, забываю, кто я, забываю, что я пишу, я забываю все. Я нахожусь со своими персонажами, я живу вместе с ними. Это как сон наяву. Эротический сон наяву, потому что все мое тело испытывает радость. Чувство экстаза. Транса. Чудесное мгновение длится недолго. Несколько минут, а иногда несколько мгновений.

Однако я не могу определить, когда наступят эти мгновения экстаза. Они приходят, и все. Они даруются мне, когда приходят хорошие мысли, или хорошая музыка, или хорошая сцена. Когда они прекращаются, я весь в поту, ошалевший. Потом я как будто сбит с ног. Ностальгия, сожаление, что чудесные мгновения не продлились еще. Тогда я делаю музыку потише и опьяняю себя телевизором, чтобы забыть боль от того, что не живу постоянно с таким ощущением.

114. ИГОРЬ

Я прыгаю и бросаю гранату в самый центр группы чеченов, появившихся передо мной. Потом убегаю. Я не думаю о свистящих рядом пулях. Я бегу к колодцу в центре деревни и цепляюсь за висящее над ним ведро.

Поголовье «волков» резко сократилось. Я не вижу даже Станисласа. Я делаю потише звук в наушниках. «Ночь на Лысой горе» угасает. Я слышу собственное дыхание и вдали звуки выстрелов, крики, приказы, просьбы раненых о помощи.

115. ВЕНЕРА

Члены жюри молча меня разглядывают. А я со сцены разглядываю их. В центре чемпион мира по боксу в тяжелом весе уставился на мою грудь. Рядом с ним несколько старых, забытых всеми актеров, телеведущие, режиссер эротических фильмов, несколько фотографов, специализирующихся на художественных снимках обнаженной натуры, и футболист, давно не забивавший голов.

И это судьи? Это они будут решать мою судьбу? Меня вдруг охватывают сомнения. Но десятки телекамер показывают представление на всю страну. На меня смотрят миллионы людей. Я им улыбаюсь и даже набираюсь смелости, чтобы подмигнуть. Правилами это не запрещено, я это знаю.

Мне страшно. Так страшно. К счастью, я напичкалась транквилизаторами.

116. ЭНЦИКЛОПЕДИЯ

Я не знаю, что хорошо, а что плохо (маленькая басня дзэн):

Один крестьянин получил в подарок для сына белого коня. К нему приходит сосед и говорит: «Вам сильно повезло. Мне никто никогда не дарил такого красивого белого коня». Крестьянин ответил: «Я не знаю, хорошо это или плохо».

Позднее сын крестьянина сел на коня, тот побежал и сбросил своего седока. Сын крестьянина сломал ногу.

«О, какой ужас! — воскликнул сосед. — Вы были правы, сказав, что это, возможно, плохо. Наверняка тот, кто подарил коня, сделал это нарочно, чтобы навредить вам. Теперь ваш сын будет на всю жизнь хромой!»

Однако крестьянина это не смущает. «Я не знаю, хорошо это или плохо», — бросает он в ответ.

Тут начинается война, и всех молодых людей мобилизуют, кроме сына крестьянина со сломанной ногой. Снова приходит сосед и говорит: «Ваш сын единственный из деревни, кто не пойдет на войну. Ему крупно повезло». Тогда крестьянин отвечает: «Я не знаю, хорошо это или плохо».

Эдмонд Уэллс.
«Энциклопедия относительного
и абсолютного знания», том 4

117. ИНВЕНТАРИЗАЦИЯ

В созвездии Ориона пустота.

В созвездии Льва только несколько одноклеточных микробов. Уровень сознания недалек от камня.

В созвездии Большой Медведицы планеты даже не до конца сформировались.

А вокруг звезды Луйтена? Ледяные метеориты.
Мы теряем время.

Боже мой! А что тем временем делают мои клиенты?

118. ИГОРЬ

Я сжался в комок за стенкой колодца. Вдруг какой-то тип бросает туда на всякий случай гранату. Я ловлю ее правой рукой и быстро изучаю. Афганская модель G34, с плиточным корпусом. Не долго думая, бросаю ее обратно. Тип понял, что там кто-то прячется, и спешит снова бросить гранату мне. Без колебаний снова запускаю ее в игру.

Вопрос нервов. К счастью, сержант научил меня жонглировать. Поскольку противник настаивает, я внимательней рассматриваю гранату и вижу, что чеку заело. Плохой материал. В современных технологиях афганцы не ювелиры. Эта граната никогда не взорвется. Тогда я хватаю одну из своих, хорошую русскую гранату, сделанную хорошей русской женщиной. Я прекрасно знаю, как она действует. Я отсчитываю пять секунд, точно рассчитываю траекторию и бросаю ее противнику. Он хватает ее, чтобы отправить обратно, но на этот раз она взрывается у него в руке.

Война — это не для дилетантов. Это работа, в которой нужно быть методичным и ритмичным. Например, я знаю, что в этом колодце нельзя засиживаться. Поэтому я выпрыгиваю наружу, подбираю снайперскую винтовку убитого товарища и бегу в один из домов. Там местные жители. Пригрозив им оружием, я закрываю все семейство на кухне. Потом занимаю позицию у окна и спокойно осматриваюсь. Благодаря лазерному прицелу у меня огромное преимущество перед противником. Снова надеваю наушники и включаю «Ночь на Лысой горе». Вражеский солдат попадает в мое поле зрения. Вдруг у него над бровью появляется красная точка. Я нажимаю на курок. Первый готов.

119. ЖАК

Я разглядываю крыс в стеклянной клетке. Они разглядывают меня. Кошка держится на расстоянии. Такое впечатление, будто они понимают, что я пишу о них. Они начинают устраивать мне что-то вроде спектакля за стеклом. Жаль, что я не могу прочесть им то, как я их описал.

Мона Лиза трется о меня, чтобы проверить, не заменил ли я ее в своем сердце этими монстрами с острыми резцами.

Я перечитываю написанное.

На самом деле в этом романе есть всего понемногу. Непонятно, почему сцены чередуются именно так, а не иначе. Я понимаю, что необходимо создать конструкцию, которая будет поддерживать весь ход истории и выстроит сцены в совершенно определенном порядке, а не как попало. Использовать геометрическую структуру? Построить роман в форме круга? Я пробую. В конце рассказа персонажи оказываются в таких же ситуациях, как и в начале. Дежа вю. История в форме спирали? Чем дальше, тем больше рассказ расширяется и выходит в бесконечность. Опять дежа вю. Построить историю в форме линии? Банально, все так делают.

Я думаю о более сложных геометрических фигурах. Пятиугольник. Шестиугольник. Куб. Цилиндр. Пирамида. Тетраэдр. Десятигранник. Какая геометрическая фигура самая сложная? Кафедральный собор. Я купил книгу о соборах и обнаружил, что их формы соответствуют структурам, связанным с рас-

222

положением звезд в космосе. Прекрасно. Я напишу роман в форме собора. В качестве модели я выбрал Шартрский собор, настоящую жемчужину тринадцатого века, насыщенную символами и скрытыми посланиями.

Я тщательно рисую на большом листе бумаги план собора и стараюсь сделать так, чтобы развитие романа шло в соответствии с его многовековыми ориентирами. Пересечения интриг соответствуют нефам, а важнейшие события — замкам сводов. Этот метод подсказывает мне увеличить число параллельных историй. Письмо становится более ровным, траектории персонажей прекрасно вписываются в эту идеальную структуру.

Я слушаю музыку Баха. Иоганн Себастьян Бах тоже использовал для создания своих произведений структуры соборного типа. Иногда две мелодические линии пересекаются, так что появляется иллюзия, что слышишь третью, хотя никакой инструмент ее не играет. Я пробую воспроизвести этот эффект в романе, когда две интриги накладываются одна на другую, создавая впечатление наличия третьей, на этот раз воображаемой.

Шартрский собор и Иоганн Себастьян Бах являются моей секретной конструкцией. Поддерживаемые этой структурой персонажи обретают объем, и письмо ускоряется. Мне удается писать по двадцать страниц в день вместо обычных пяти. Роман становится все толще и толще. Пятьсот, шестьсот, тысяча, тысяча пятьсот тридцать четыре страницы... Это уже не просто роман, это «Война и Мир у крыс».

Наконец мне это кажется достаточно основательным для того, чтобы быть прочитанным.

Остается только найти издателя. Я отправляю манускрипт по почте в десяток крупнейших парижских издательских домов.

120. ВЕНЕРА

Члены жюри голосуют. Я грызу сломанный ноготь. Жизнь бы отдала за сигарету, но правилами это запрещено. В этот момент решается моя судьба.

121. ИГОРЬ

Целюсь. Стреляю. Убиваю второго. Убиваю третьего. Четвертого. Хорошо работать под музыку! Я благодарю загнивающий Запад за то, что они придумали плееры. Образ мамаши колышется передо мной. Я целюсь не в сердце, а в голову. Каждый раз, когда думаю о матери, хочется нажать на курок.

122. ЖАК

С более или менее длинными интервалами я нахожу в почтовом ящике ответы издателей. Первый считает сюжет слишком эксцентричным. Второй советует переписать произведение, выбрав в качестве героев кошек, поскольку «широкая читательская аудитория им больше симпатизирует».

Я смотрю на Мону Лизу II.

Можно ли написать роман о Моне Лизе, самой декадентской кошке Запада?

Третий предлагает издать роман за мой счет, за счет автора. Готов сделать скидку.

123. ВЕНЕРА

Объявляют оценки. Они скорее строгие. Самая высокая в районе 5,4 из 10 баллов. Ну вот, теперь моя очередь. Члены жюри объявляют по очереди свои оценки: 4, 5, 6, 5... На моем лице застывшая улыбка, но я в отчаянии. Если никто не оценит меня выше этих несчастных цифр, я пропала. Какая несправедливость! Ненавижу этих лицемерных людишек. К тому же девушка с самым лучшим на данный момент результатом полна целлюлита. Они что, этого не заметили?

124. ЭНЦИКЛОПЕДИЯ

Идеосфера: идеи как живые существа. Они рождаются, растут, встречаются, размножаются, сталкиваются с другими идеями и в конце концов умирают.

А если у идей, как и у живых существ, есть собственная эволюция? Что, если у идей существует отбор, чтобы исключать слабых и воспроизводить сильных, как в дарвинизме? В книге «Случай и необходимость» Жак Моно в 1970 году выдвинул гипотезу, что идеи могут обладать автономией и, как органические существа, быть способными к воспроизводству и размножению.

В 1976 году Ричард Доукинс в «Эгоистическом гене» выдвигает концепцию «идеосферы».

Идеосфера является для мира идей тем же, чем биосфера для живых существ.

Доукинс пишет: «Когда вы сажаете плодотворную идею в мое сознание, вы паразитируете на моем мозгу, превращая его в средство распространения этой идеи». В подтверждение он приводит идею Бога, идею, которая однажды родилась и с тех пор постоянно развивалась и распространялась, подхваченная и усиленная словом, письменностью, потом музыкой, потом искусством. Священнослужители воспроизводили и интерпретировали ее таким образом, чтобы приспособить к месту и времени, в котором жили.

Однако идеи меняются быстрее живых существ. Например, концепция или идея коммунизма, родившись в мозгу Карла Маркса, за довольно короткое время распространилась на половину планеты. Она развивалась, менялась, и в конце концов сократилась до того, что ее придерживаются все меньше и меньше людей. Совсем как вымирающее животное.

В то же время, она заставила измениться идею «капитализма».

Наша цивилизация вырастает из борьбы идей в идеосфере.

Сейчас компьютеры намного убыстряют процесс изменения идей. Благодаря Интернету идея может быстрее распространиться в пространстве и времени, встретить своих соперниц и грабительниц.

Это замечательно для распространения хороших идей, но и для плохих тоже, поскольку понятие «идея» не включает в себя понятия «мораль».

Впрочем, в биологии эволюция также не подчиняется морали. Вот почему необходимо дважды подумать, прежде чем распространять идеи, «лежащие на поверхности». Ведь тогда они становятся сильнее, чем придумавшие и передавшие их люди.

Впрочем, это только идея...

Эдмонд Уэллс.
«Энциклопедия относительного
и абсолютного знания», том 4

125. ЖАК

Четвертый издатель звонит по телефону. Советует проявлять настойчивость. «Литература требует большого жизненного опыта. Невозможно иметь его достаточно в восемнадцать с половиной лет», — говорит он.

Пятый упрекает за батальные сцены, которые не ценятся женщинами. Он напоминает, что большую часть читательской аудитории составляют женщины и девушки и что им больше нравятся романтические моменты. Почему бы не подумать о версии «Любовной истории у крыс»?

Я смотрю на них. Самец как раз спаривается с самкой. Он до крови кусает ее за шею, придавливает голову к полу и вцепляется когтями в зад. Бедняжка визжит от боли, но самца это, кажется, только еще больше возбуждает.

Любовная история у крыс? Вряд ли это реалистично...

126. ИГОРЬ

Пять. Шесть. Семь. Вот и десять, первый тур за мной. Я прикончил всех вражеских солдат, которые появились у меня в поле зрения. Полдень. Небо белое. Деревня дымится, и мухи слетаются на еще теплое мясо бойцов.

Враги мертвы, но и друзья тоже. Ни одного из наших не видно. Я рычу по-волчьи. Никакого ответа. Думаю, мне повезло. Наверное, есть кто-то там, наверху, на небе, кто меня защищает. Конечно, я быстрый, но все-таки я много раз чудом избежал того, чтобы наступить на мину или получить шальную пулю.

Да, наверняка у меня есть ангел-хранитель. Святой Игорь, спасибо.

Я знаю, что меня отправят в лагерь и определят в новое подразделения «волков». Мы снова будем выполнять миссии, похожие на эту. Воевать — это единственное, что я могу хорошо делать. Каждому свое. Я снова надеваю наушники и включаю «Ночь на Лысой горе».

Вдруг я слышу волчье рычание. Неужели настоящий волк?

Нет, это Станислас. Он прав, у него тоже должен быть ангел-хранитель.

127. ВЕНЕРА

Снова 5 балов из 10. Все решит голос последнего члена жюри, боксера.

— 10 из 10, — объявляет он.

Возможно ли это? Я не ослышалась?

Мой средний бал сразу подскакивает. Теперь у меня лучший показатель. Я на седьмом небе от радости, потом беру себя в руки. Еще не все девушки получили оценку. Меня могут обогнать.

Как в тумане, слышу оценки других девушек. Впереди, я по-прежнему впереди. Ну вот, все прошли. Никто не получил больше меня.

Я стала... я стала... Мисс Вселенная.

Я целую членов жюри. Меня снимают телекамеры. Вся страна смотрит на меня. Мне протягивают бутылку шампанского и я поливаю всех пенной струей под вспышки фотокамер.

Я победила!

Я говорю в микрофон:

— Особенно я хочу поблагодарить мою маму, без которой я бы никогда не набралась смелости вступить на этот длинный путь к... совершенству.

В тот момент, когда я это говорю, я чувствую, что именно эти слова должны нравиться публике и телезрителям. Но, между нами говоря, если есть кто-то, кому я должна сказать спасибо, то это только самой себе.

Мои бывшие соперницы выходят на сцену поздравить меня. В зале мама плачет от радости, а Эстебан посылает воздушные поцелуи.

Потом начинается. Интервью, поздравления, фотографии. Я в зените.

Затем, на улице, люди узнают меня и просят автограф.

Совершенно обессиленная, я возвращаюсь в отель с Эстебаном, который любезен как никогда.

Я победила!

128. ЖАК

Я проиграл. Поражение по полной программе. Никто не хочет опубликовать моих «Крыс».

«Писатель — это не профессия, — говорит отец по телефону. — Спрашиваешь, знаю ли я! Я владелец книжного магазина, и я вижу, что продаются книги только уже знаменитых людей. Сперва стань знаменитым, а потом пиши свою книгу. Ты неверно подошел к решению проблемы».

Только Мона Лиза осталась рядом со мной в этом враждебном окружении. Она чувствует, что я обессилен, и начинает сомневаться в моей способности обеспечивать ее каждый день паштетом и сухим кормом.

Я ложусь спать. На следующий день начинаю работать в ресторане, потом перечитываю рукопись.

Крысы в клетке, кажется, смеются надо мной. Они меня раздражают. За кого они себя принимают? В конце концов, это просто крысы. Я спускаю их в канализацию. Пускай выкручиваются, как могут.

Мона Лиза одобряет меня довольным мурлыканием.

Я сажусь за компьютер. Нет больше волшебства. Нет ни малейшей надежды. У меня никогда ничего не получится. Плюнуть на все.

129. ЭНЦИКЛОПЕДИЯ

КППВ: Человек находится в постоянной зависимости от других людей. Поскольку он считает себя счастливым, он не ставит это под сомнение. В детстве он считает нормальным, что его заставляют есть то, что он ненавидит. Ведь это семья. Взрослым он находит нормальным, что его унижает начальник. Ведь это работа. Женившись, он считает нормальным, что жена постоянно во всем его упрекает. Ведь это его супруга. В качестве гражданина он считает нормальным то, что правительство постоянно сокращает его покупательскую способность. Ведь это правительство, за которое он голосовал.

Он не только не замечает, что его попросту душат, но он борется за свою семью, свою работу, свою политическую систему, за большую часть своих тюрем как за формы «выражения своей индивидуальности».

Многие люди готовы зубами и ногтями драться за то, чтобы у них не отобрали их цепи. Поэтому мы, ангелы, должны иногда провоцировать то, что они там внизу называют «несчастьями», а мы наверху определяем как КППВ — «кризисы постановки под вопрос». КППВ могут иметь различные формы: несчастный случай, болезнь, распад семьи, профессиональные проблемы.

Эти кризисы наводят на смертных ужас, но, по крайней мере, хотя бы временно освобождают от зависимости. Очень скоро человек отправляется на поиски новой тюрьмы. Тот, кто развелся, спешит снова жениться. Потерявший работу соглашается на еще более унизительную. В то же время между тем моментом, когда произошел КППВ, и тем, когда смертный обрел новую тюрьму, он сможет насладиться коротким просветлением. Он сможет увидеть, что такое настоящая свобода. Даже если, как правило, это его скорее напугает.

Эдмонд Уэллс.
«Энциклопедия относительного
и абсолютного знания», том 4

130. КОСМИЧЕСКИЙ ПОЛЕТ. ВОЗВРАЩЕНИЕ

Возвращение в Рай.

Как сильно развились мои клиенты за такое короткое время! Как будто они растут быстрее, когда за ними не наблюдают. Венера избавилась от анорексии и булимии и завоевала титул Мисс Вселенной. Тем лучше, во всяком случае, я собирался ей в этом помочь. Игорь вышел из тюрьмы и психиатрической больницы и стал героем войны. Только Жак тащится медленнее всех и не зарабатывает очки. То, что он так долго сидит, приклеившись к телевизору, не позволяет мне надеяться ни на что хорошее.

Эдмонд Уэллс появляется всегда в неподходящий момент. Он вздыхает:

— Ты меня сильно разочаровываешь, Мишель. Я так на тебя надеялся, а ты портишь всю работу...

— Я новенький, я только начинаю понимать, как функционируют люди.

Инструктор продолжает сомневаться.

— Ах да, а эта маленькая прогулка в космос, это что?

Он знает. Я протестую:

— Кроме Жака Немро, который всегда отставал, двое других клиентов очень хорошо себя чувствуют.

— Мой бедный Мишель, — говорит Эдмонд Уэллс, — есть еще очень много вещей, которые я тебе должен объяснить. Ты заметил, что, когда приближаешься к Земле, встречаешь неприкаянные души?

— Нет, ну... вообще-то...

Значит, он в курсе и нашего визита к Пападопулосу.

— Ты заметил, что этим неприкаянным душам гораздо легче заставить людей понять их, чем нам? Это как раз потому, что они совсем рядом со смертными.

— Да... но.

— Так вот, когда клиент произносит молитву, а ангел-хранитель ее не слышит, что, по-твоему, происходит?

— ...Им начинает заниматься неприкаянная душа.

— Вот именно. И поверь мне, они очень рады, неприкаянные души, когда могут занять наше место.

Это настоящая зараза. Там, где ангел не выполняет свою работу, появляется неприкаянная душа. Что ты себе воображаешь, Мишель? Что Игорю и Венере повезло? Нет, они молились, и неприкаянные души тут же прибежали и сделали работу за тебя. Теперь они на них паразитируют.

Инструктор кажется сильно расстроенным.

— Именно поэтому я всегда, когда могу, говорю людям: «Не вызывайте духов, не входите в транс, бегите от медиумов и всех тех, кто говорит, что вещает о потустороннем. Не молитесь как попало, не ищите своего ангела-хранителя. Он знает, где вас найти. Не пытайтесь углубляться в Вуду, шаманизм или колдовство. Вы думаете, что манипулируете, а на самом деле манипулируют вами. За всякую помощь нужно платить».

Я читаю во взгляде учителя настоящее разочарование во мне.

— Как же мне исправиться? Как завоевать прощение? — бормочу я.

— Я в ответе за тебя, Мишель, — вздыхает Эдмонд Уэллс. — Поэтому, не найдя тебя, я засучил рукава. Я избавил их от неприкаянных душ, которые так и вились вокруг. Они снова «депаразитированы». Но теперь берегись! Двое твоих «победителей» отныне уверены, что достаточно обратиться к тебе, и все наладится. Игорь даже называет тебя Святым Игорем, потому что уверен, что у каждого человека есть ангел, носящий его имя.

Левитируя, Эдмонд Уэллс поднимается.

— Однажды наступит день, когда Игорь, Жак и Венера присоединятся здесь к тебе и посмотрят тебе в глаза. И для тебя этот момент будет ужасен, потому что тогда они поймут, кто ты такой. И тогда тебе придется держать перед ними ответ.

Пристыженный, я опускаю голову.

— И еще одно. Не слушай плохих учеников. Не на них тебе нужно равняться. Не им придется в день взвешивания души объясняться с твоими клиентами.

Инструктор движением рукава показывает в направлении Рауля, который летает неподалеку.

— К счастью, Мишель, вначале тебе достались хорошие души. Никто не обещает при следующем распределении такого хорошего набора. Как правило, только потерпев поражение с первыми клиентами и получив вторую порцию, ангелы начинают осознавать, как хорошо их обслужили в начале.

Я съеживаюсь. Под этим взглядом мне хотелось бы стать совсем маленьким.

— Для смертного поражение означает реинкарнацию, — чеканит Уэллс. — Для ангела оно означает... новых клиентов.

131. ИГОРЬ. 18 ЛЕТ

Станисласа и меня награждают медалями. Полковник Дюкусков обнимает нас.

— Теперь вы старшие сержанты.

Зал, заполненный военными в безупречных униформах, встает и аплодирует. Поднимают национальный флаг, начинает играть любимый гимн моей родины. Полковник Дюкусков шепчет на ухо:

— Только вам двоим удалось остаться в живых после того, как вы сражались один против десяти. У вас есть секрет?

Я глубоко вздыхаю и не решаюсь признаться. Все-таки про своего ангела-хранителя я ему не скажу.

— Я выжил со своей матерью, — говорю я.

Он понимающе улыбается.

И в этот момент я ликую, потому что мне восемнадцать, и я живой.

132. ВЕНЕРА. 18 ЛЕТ

Я в объятиях чемпиона мира по боксу в тяжелом весе, который входил в жюри. Мы занимаемся любовью. Это животное. Он пыхтит, как на ринге. Этот звук меня просто оглушает. Своими огромными лапами он распростер меня под собой, и я задыхаюсь. Сто двадцать килограммов мускулов, давящих вас и выпускающих пар. Это все равно что заниматься любовью с локомотивом или самосвалом. Никакой нежности.

А начиналось все хорошо. После моего избрания он позвонил и предложил встретиться. Я согласилась. Он подошел и просто покрыл меня комплиментами, как будто я и вправду самая красивая из всего конкурса. Потом все испортилось. Он напомнил, что я получила титул благодаря ему, давшему мне 10 очков из 10. Послушать его, я перед ним в долгу за свою победу! Ах, эти мужчины. Послушать их, так без них ничего невозможно достичь. Но я-то знаю, что если я победила, то только потому, что в нужный момент произнесла молитву. Я даже впервые почувствовала какое-то дружеское присутствие. Наверняка это мой ангел-хранитель.

Из вежливости я позволила ему дойти до конца. Потом он заснул, громко храпя, а я воспользовалась этим, чтобы уйти.

Я и вправду слишком уж любезна.

133. ЖАК. 18 ЛЕТ

Я пишу все меньше и меньше. Читаю все меньше и меньше. Иногда я по пять часов кряду бездельничаю перед телевизором, накрывшись пледом и посадив мурлыкающую кошку на колени. Я даже не смотрю какую-то специальную передачу. Переключаюсь с канала на канал.

Работа официанта позволяет мне прожить. Во всяком случае, я стою не дорого. Я питаюсь обезвоженной лапшой, которая распухает, когда ее зальешь кипятком.

Мона Лиза в восторге от того, что я смотрю телевизор. Она уверена, что показала мне путь истинной мудрости.

Я уверен, что «Крысы» хорошая книга. Но раз издатели не способны это понять, то я как будто ничего и не написал. Так что не стоит ничего больше делать.

Учитывая скорость, с которой я толстею на лапше, я скоро превращусь в «человеческую Мону Лизу». От лени я не бреюсь и отращиваю бороду.

Продолжая переключаться с канал на канал, я понемногу опускаюсь по иерархии программ. От информации перехожу к фильмам, от фильмов к телефильмам, потом к сериалам, потом к ситкомам (дешевый сериал в одних и тех же интерьерах). И наконец, к этим чудовищным утренним играм в «эрудицию», когда два соперника должны как можно быстрее ответить на идиотский вопрос типа: «Какую пищу предпочитают собаки?».

Я плевать хотел на собак, у меня кошка. Но я все-таки смотрю.

Я думаю, что смогу жить так еще лет сорок. Я на все наплевал. И все-таки однажды одна передача заставляет меня реагировать.

Это литературная передача. Двухнедельная литературная передача с рекомендациями. Обычно я ее игнорирую, но сегодня меня охватило какое-то болезненное влечение.

Ее тема — любовь. Первый приглашенный — старый актер, знавший свой звездный час. Он перебирает воспоминания и с кокетливой миной перечисляет актрис, которым, по его словам, он «оказал честь». Ведущий с такой же игривой улыбкой отпускает шуточки и фривольные намеки.

Второй приглашенный — молодой парень моего возраста. Огюст Мериньяк, объявляет ведущий. Красивый мальчик. Хорошо одет. Непринужденная улыбка. Он опубликовал автобиографический роман, героя которого как будто случайно зовут Огюст и особенностью которого является то, что все женщины от него без ума. Рассказав несколько непристойных анекдотов, Огюст Мериньяк объявляет, что он страстный поклонник любви и что это и есть смысл его произведения.

Третий персонаж — дама в бархатной маске, на пятнадцатисантиметровых каблуках, губы покрашены в ярко-красный цвет. Она заместительница хозяйки садо-мазохистского заведения, которое посещают многие известные люди, и поэтому не хочет показывать свое лицо. «Большинство клиентов — публичные люди, — говорит она. — Это политики, деятели шоу-бизнеса, крупные промышленники. Поскольку они терроризируют свое окружение, то обожают выступать в роли жертвы». Дама описывает пытки, которым она их подвергает. Она говорит, что пресытилась экстравагантными требованиями звезд.

Четвертый приглашенный — сексолог, который призван подвести итог с точки зрения науки. Люди движимы гормонами, уверяет он, и приводит несколько причудливых фантазмов, с которыми ему пришлось встретиться благодаря его профессии. Некий тип, чтобы достичь оргазма, должен был переодеться королевой Великобритании, какой-то женщине для этого требовалось десять различных партнеров. Он приводит случаи различных знаменитостей (которых предпочитает не называть по имени), которые не могли удовлетворить свою страсть без помощи животных, овощей или различных предметов, а также в самых странных местах.

Я выключаю телевизор, охваченный недоганием. Ни одной истории, которая была бы придумана, ни одного вымышленного персонажа, ни малейшего напряженного ожидания. Вот почему мои крысы никому не интересны.

134. ЭНЦИКЛОПЕДИЯ

О важности траура. В наши дни траур имеет тенденцию к исчезновению. После кончины семьи стремятся как можно скорее вернуться к своей обычной деятельности.

Исчезновение дорогого существа становится все менее и менее тяжелым событием. Черный цвет потерял свое исключительное значение как цвет траура. Стилисты сделали его модным из-за того, что он стройнит, и черный цвет стал шикарным.

Тем не менее отмечать конец живых существ крайне важно для психологического равновесия людей. В этой области только в обществах, считающихся примитивными, трауру уделяется должное внимание. На Мадагаскаре, когда умирает человек, не только вся деревня прекращает работу, чтобы принять участие в трауре, но даже проводятся две церемонии захоронения. Во время первых похорон тело закапывают в атмосфере общей грусти и благоговения. Позднее устраивается еще одна церемония похорон, за которой следует общий праздник. Это так называемое «переворачивание тела».

Таким образом, потеря дважды принимается.

Это касается не только кончины. Существуют также «события конца»: уйти с работы, расстаться со спутницей, поменять место проживания.

Траур в таких случаях является формальностью, которую многие считают бесполезной. Однако это не так. Важно отмечать жизненные этапы.

Каждый может придумать собственные траурные ритуалы. Это может быть самая простая вещь: сбрить усы или бороду, изменить прическу, изменить стиль одежды. А может быть и самая сумасшедшая: устроить огромный праздник, захмелеть до одурения, прыгнуть с парашютом...

Когда траур совершен неправильно, не проходит чувство стесненности, как будто сорную траву не выпололи до конца.

Возможно, важность соблюдения траура нужно преподавать в школе. Это помогло бы многим избежать впоследствии длинных лет мучений.

Эдмонд Уэллс.
«Энциклопедия относительного
и абсолютного знания», том 4

135. ЖАК. 21 ГОД

В ресторане коллега хочет вызвать полицию, потому что у одной из посетительниц нет денег, чтобы заплатить за завтрак.

Я внимательно разглядываю ее. Это тоненькая и хрупкая девушка, одетая во все черное. Она похожа на выпавшего из гнезда птенца. В руке у нее книга «Цветы для Алгернона» Дэни Кейса.

Я оплачиваю ее счет, подхожу и спрашиваю, о чем эта книга. Она благодарит и говорит, что я не должен был платить за нее. Потом соглашается рассказать о книге. Это история одного умственно отсталого человека, который мало-помалу обретает разум благодаря химиотерапии, уже опробованной на мыши, которую зовут Алгернон. Герой начинает рассказывать историю своей жизни и выздоровления первому встречному, и его мозг как бы начинает обнаруживать новые чувства. Он начинает лучше писать. Когда он еще был идиотом, то делал по орфографической ошибке в каждом слове и не пользовался пунктуацией. По мере лечения он заметно прогрессирует.

Девушка представляется. Ее зовут Гвендолин. Она добавляет, что, насколько ей известно, этот писатель, Дэни Кейс, больше ничего не написал. Но после такого шедевра он может умереть спокойно, он выполнил свою «миссию для человечества». Он осуществил то, для чего был рожден. Гвендолин считает, что у каждого есть задача, которую он должен решить, и только после этого он может умереть.

Я смотрю на нее. У нее сверкающие глаза миндалевидной формы и очень светлая кожа. Я говорю себе, что девушка, читающая фантастику, не может быть неинтересной. Кроме того, мне в ней нравится то, что она кажется еще больше потерянной, чем я сам.

Мы идем по улице. Она рассказывает, что она поэтесса-неудачница. Я отвечаю, что это хорошее совпадение, потому что я сам писатель-неудачник.

Гвендолин говорит, что мы здесь для того, чтобы страдать, и что люди учатся на своих ошибках.

Потом мы идем молча. Я беру ее ледяную руку и грею в своей. Она останавливается, пристально смотрит на меня взглядом маленькой потерявшейся мышки и говорит, что находит меня очень симпатичным, что хотела бы заняться со мной любовью, но что она сделала несчастными всех мужчин, с которыми была знакома.

— Я буду первым исключением.

— Я приношу несчастья, — вздыхает она.

— Я не суеверный. И знаете почему? Потому что суеверность... приносит несчастье.

Она делает вид, что смеется, потом снова советует мне бежать от нее.

Через несколько недель эта маленькая брошенная мышь уже живет в моей студии. Гвендолин оказалась прекрасной хозяйкой. Проблема в том, что, когда мы занимаемся любовью, мне кажется, что она делает это только ради меня или чтобы отблагодарить за жилье.

Иногда она на меня смотрит своими огромными глазами и говорит: «Мне лучше уйти, я слишком тяжелая ноша для тебя». Тогда я пытаюсь ее успокоить. Покупаю ей разноцветные одежды. Долгое время носить только черное это немного монотонно. Она меряет вещи и больше их не надевает. Я веду ее в кино посмотреть фильмы Монти Питон. Она единственная в зале не смеется. Я рассказываю ей о «дзэн-телевидении», моей новой философии, основанной на полном отсутствии мыслей благодаря постоянному смотрению телевидения. Безрезультатно. Мона Лиза подходит к ней, чтобы она ее поласкала, но она лишь механически запускает руку ей в шерсть, думая о чем-то другом.

Вечером она забирается ко мне под одеяло, прикладывает ледышки ног к моим икрам и спрашивает, хочу ли я заняться любовью, таким тоном, каким спрашивают у контролера, нужно ли прокомпостировать билет, чтобы пройти через турникет, потом засыпает и громко храпит. Посреди ночи она начинает брыкаться, жестикулировать и сводить счеты с каким-то воображаемым врагом, обращаясь к нему с униженными просьбами.

Мона Лиза и я решаем принять вызов — спасти эту мадемуазель от депрессии во что бы то ни стало.

Она засыпает с сигаретой в кровати, и в моей уютной студии начинается пожар. Она оставляет краны в ванной открытыми, и мы затапливаем соседей снизу. Она забывает закрыть дверь на ключ, и незваные гости пользуются этим, чтобы унести мою стереосистему.

Каждый раз она рассыпается в извинениях, плачет навзрыд и, наконец, прижимается ко мне, повторяя: «Я ведь говорила тебе, что приношу несчастья». А я каждый раз отвечаю: «Да нет же, нет...»

Из-за Гвендолин у меня появляется желание переписать и улучшить «Крыс». Я должен победить ради нас обоих.

Я сталкиваю кошку на пол. Накрываю покрывалом телевизор, чтобы он немедленно перестал смеяться надо мной своим большим квадратным глазом. Усаживаюсь за машину по обработке текста и в тридцатый раз принимаюсь за роман о крысах с первой страницы.

Я должен поднять планку еще выше. Нужна интрига, которая привлечет внимание даже самых тупых издателей.

Новая идея: создать в центре сплетения канализационных труб место, где происходят загадочные и ужасные события, которые я не буду описывать. Больше всего возбуждает воображение то, что не показывается. Для каждого читателя в глубине сточных труб будет скрываться то, чего он больше всего боится.

Мона Лиза указывает мне кончиком мордочки, что я должен написать о зеркале. Описать сцену, в которой крыса видит свое отражение в зеркале. Ты все знаешь, моя Мона Лиза! Всегда буду тебя слушать. Здесь не моя планета, но ты с моей планеты. Возможно, я происхожу из небесного королевства кошек. У древних египтян кошки были священными животными, к которым относились как к богам.

Может быть, Мона Лиза — это муза, которую я всегда искал.

Я пишу всю ночь.

136. ИГОРЬ. 21 ГОД

Я старший сержант и командую подразделением «Волков». Из новобранцев я отобрал самых свирепых. Я втолковал им всю силу выражения «Быстрый или мертвый». Я придумал целую серию игр, чтобы развить их навыки скорости. Они могут жонглировать гранатами без чеки, могут увернуться от выпущенной в лицо стрелы. Они ставят руку на стол и бьют ножом между пальцев, соревнуясь между собой на скорость. Некоторые настолько ловки, что могут руками поймать дикого зайчонка. Я что-то пробудил в них. Зверя. Они говорят все меньше и меньше. Среди нас нет ни одного, кто посмел бы начать бесполезный интеллектуальный разговор.

Когда один «волк» обращается к другому, то лишь для того, чтобы предупредить: «Внимание, сзади». На самом деле даже слово «внимание» не произносится, просто «сзади». Мы говорим, только чтобы выжить. «Волки» повинуются каждому моему жесту. Я больше чем сержант, я вожак стаи.

Вместе мы выполнили много опасных операций. Они никогда не войдут в учебники истории, но могли бы занять достойное место в фильмах с моими кумирами, американскими звездами Сильвестром Сталлоне и Арнольдом Шварценеггером.

Станислас стал моей правой рукой. Он делает выволочку тем, кто не понимает меня с полуслова и не спешит выполнить приказ. Его действия очень эффективны. Если так будет продолжаться и дальше, скоро мы достигнем того, что не будем говорить совсем, как бы телепатически настроенные друг на друга.

Один тип мне сказал: «Я рад, что стал «волком», потому что до этого мне ни в чем не везло». Я ответил, что людям, которым не везет, нечего делать в моей команде, и выгнал его.

Я думаю, в жизни есть три фактора: талант, удача, труд. Можно добиться успеха, обладая двумя из них. Труда и удачи может быть достаточно, если нет таланта. Талант плюс удача позволят обойтись без труда. Но в идеале лучше иметь все три. Поэтому я требую, чтобы «волки», в придачу к их природным данным, постоянно тренировались и регулярно следили за своей удачей.

Я рассказал им о своей теории. У каждого есть ангел-хранитель.

Когда дела плохи, нужно без колебаний обратиться к нему с молитвой. Станислас рассказал несколько историй о том, как ангел-хранитель спасал его. Думаю, что я тоже заложил в «волков» какие-то рудименты мистического сознания.

Наша стая сеет ужас. К тому же противник верит только в свое оборудование. Овцы думают, что их защитят радары, мины и новые автоматы, подаренные врагами России. Тупые наивные люди. Любой из моих «волков» голыми руками добьется больше результатов, чем вы и ваши электронные роботы. Потому что у нас есть ярость, а никакая машина ее иметь не может.

У меня на груди все больше медалей, а у нас в стране это что-то значит. Я потерял нескольких друзей, которые не были достаточно быстрыми в решающий момент и которые теперь мертвы. Это естественный отбор видов, как говорил Дарвин. Слабые исчезают быстрее.

Моя команда восхищается мной и меня уважает, но немного побаивается. Так хотелось бы, чтобы когда-нибудь кто-то меня полюбил. Я хотел бы, чтобы у меня была нормальная любовь с нормальной девушкой.

Для этого мне, возможно, нужно получить еще больше медалей. Медали производят на девушек впечатление.

Это произвело бы впечатление на Венеру. Я видел ее снимок в газете, в которую были завернуты боеприпасы. Ее вроде бы избрали Мисс Вселенной.

137. ВЕНЕРА. 21 ГОД

С тех пор как я стала Мисс Вселенная, меня требуют по всему миру для дефиле мод и съемок для модных журналов. У меня берут телеинтервью и спрашивают мнение обо всем на свете. Как если бы красота была признаком ума. Билли Уотс, агент, которого я должна была нанять, советует отвечать первое, что придет в голову. Поскольку я и так ничего не знаю, у меня нет выбора. И все получается. И даже очень хорошо. Кажется, людям нравится моя спонтанность. Я спросила, является ли тот факт, что я не знаю, о чем говорю, проблемой. Билли ответил, что, напротив, люди из народа «узнают себя», видя мою «непросвещенность». Ни с того ни с сего некоторые политики стали цитировать меня по поводу и без повода: «Как очень точно отметила Венера Шеридан...»

Меня это смешит. На меня, не имеющую высшего образования, ссылаются умники с гарвардскими дипломами. Эти политики больше не знают, что делать, чтобы казаться поближе к народу.

По поводу войны в Чечне я изрекла однажды мнение, что это «плохо», и это очень понравилось. В общем, мое мнение обычно складывается по мере того, как я отвечаю на вопросы. Сперва я высказываю свое мнение спонтанно, а потом начинаю думать над вопросом. Это может показаться глупым, но это работает. Таким образом я обнаружила, что я против войны, и вообще против насилия, против загрязнения окружающей среды, против бедности, против болезней.

Я решительно против всего, что глупо, зло и некрасиво. Я готова подписать любые петиции, направленные против этого.

Что касается детенышей морских котиков, то тут нужно подумать. Если их слишком уж защищать, это может разорить эскимосов, живущих за счет охоты на них. В отношении разрешения слабых наркотиков, запрета ношения оружия и отмены смертной казни мне необходимо также поразмышлять. Я еще не разобралась в деталях, кто в этих областях хороший, а кто плохой, но обещала скоро вынести свой вердикт. Одна журналистка спросила меня, за кого из кандидатов, республиканца или демократа, я буду голосовать на выборах. Я ответила: «За того, кто лучше одевается». Это тоже понравилось. Журналисты сказали, что мою ремарку нужно понимать в третьей степени. По телевидению проиллюстрировали мое высказывание фотографиями тиранов стран Третьего мира. Была нетрудно заметить, что все они очень плохо одеты.

Я живу в шикарном лофте в дорогом квартале и вижу маму не чаще раза в неделю. У нее немного едет крыша. Она слишком много пьет и слишком часто меняет компаньонов. Я тоже увеличила число любовных приключений, но научилась не очень расходовать себя на них. Мне нравится играть с любовниками.

Вначале я чувствовала себя обязанной найти какое-нибудь правдоподобное объяснение типа: «Я полюбила другого» или «Не выношу твоих друзей». Теперь я себя даже этим не затрудняю. Мне достаточно бросить недовольное: «Надоел ты мне».

Единственной маленькой тенью в этой радужной картине является то, что у меня все чаще и чаще мигрень. Я была у нескольких врачей, но никто не смог мне помочь. Они не понимают, что со мной.

Я все больше курю. Это немного уменьшает головную боль. Чтобы заснуть, мне нужно все больше и больше снотворного.

Кризисы сомнамбулизма перемежаются кризисами мигрени. Что бы там ни было, я продолжаю верить в сны.

Звонок по телефону. Билли Уотс объявляет, что я была права, предчувствовав свое избрание лицом известнейшей марки духов. Намечается контракт века. Я подпрыгиваю от радости. Если подписание контракта состоится, я спокойна до конца своих дней. Но Билли добавляет в бочку меда ложку дегтя. Он сообщает, что Синтия Корнуэлл тоже рассматривается в качестве возможной кандидатки. Я в бешенстве. Синтия моя главная соперница. Она тоже чернокожая. Такого же роста. Тоже частично переделана. У нее похожая на мою улыбка. И... и она моложе меня. Ей только семнадцать лет, и это может склонить чашу весов.

Билли Уотс тем не менее утверждает, что все будет хорошо. Его медиум по имени Людивин сказала, что выберут меня.

Что до меня, то я хотела бы верить медиумам, но не фирмам, производящим косметику. Я знакома со стариками, управляющими этими предприятиями. Они всегда отдают предпочтение молодости. Я знаю, что они предпочтут Синтию. К тому же меня уже столько видели в средствах массовой информации, что в двадцать один год я выгляжу как что-то уже состоявшееся, а преимущество Синтии в том, что она выступает в роли претендентки.

Я произношу молитву. Если там наверху что-то есть, если у меня действительно есть ангел-хранитель, я хочу... Я ХОЧУ, ЧТОБЫ ЭТА ДРЯНЬ ИЗУРОДОВАЛАСЬ.

138. ЭНЦИКЛОПЕДИЯ

Тирания левого полушария мозга. Если разъединить два полушария и показать юмористический рисунок левому глазу (соответствующему правому полушарию), в то время как правый глаз (соответствующий левому полушарию) ничего не видит, то человек будет смеяться. Но если у него спросить, почему он смеется, то, поскольку левое полушарие ничего не знает о шутке, он придумает объяснение своему поведению и скажет, например: «Потому что рубашка экспериментатора белая, а это очень смешной цвет».

Таким образом, левое полушарие придумывает логику поведения, потому что оно не может себе представить смех без причины или из-за чего-то, что ему не известно. Больше того: после вопроса оба полушария будут уверены в том, что человек смеялся из-за белого цвета рубашки, и оба забудут про рисунок, представленный правому.

Во время сна левое полушарие оставляет правое в покое. И последнее начинает прокручивать свой внутренний фильм: персонажи с меняющимися по ходу действия лицами, немыслимые, нереальные места, бредовые фразы, внезапно прерывающиеся интриги и так же внезапно начинающиеся другие, никак не связанные между собой, без начала и конца. С пробуждением, однако, левое полушарие восстанавливает свое господство и расшифровывает воспоминания о сне так, что они приобретают какую-то связность (единство времени, места и действия) и по мере того, как день клонится к закату, становятся вполне «логичными».

На самом деле даже в состоянии бодрствования мы постоянно находимся в процессе восприятия непонятной информации, поставляемой левым полушарием. Эта его тирания, однако, трудно выносима. Некоторые начинают пить или употреблять наркотики, чтобы ускользнуть от вездесущей рациональности половинки мозга. Используя в качестве предлога химическую интоксикацию органов чувств, правое полушарие, избавленное от своего постоянного переводчика, позволяет себе выражаться более свободно.

Окружающие скажут о таком человеке: он бредит, у него галлюцинации. А он всего лишь избавился от господства левого полушария.

Даже безо всякой химической помощи достаточно позволить себе предположить, что мир может быть непонятен, чтобы получать напрямую «необработанную» правым полушарием информацию. Возвращаясь к приведенному в начале примеру, если мы сможем принимать то, что правое полушарие выражается свободно, мы узнаем первую шутку. Ту, которая нас действительно рассмешила.

Эдмонд Уэллс.
«Энциклопедия относительного
и абсолютного знания», том 4

139. ИГОРЬ. 21 С ПОЛОВИНОЙ ГОД

Я хорошо выполняю свою работу. Мои «волки» свирепствуют по всей местности. Мы с боем берем вражеские позиции, причем с очень небольшими потерями. Однажды на фронт приезжает полковник Дюкусков. У него радостный вид. Он берет меня за плечи и говорит без обиняков:

— У меня очень хорошая новость.

Я говорю себе, что это должны быть новые «калашниковы». С тех пор как нам пообещали заменить старое вооружение, я только это представляю себе как хорошую новость. Я уже знаю, кому поручу испытать новое оружие.

— Война окончена.

Я перестаю дышать. Он повторяет:

— Мир.

Я с трудом выговариваю:

— Мир...

Так, значит, эти продажные твари в Кремле, поддавшись давлению преступных американских капиталистов, решили подписать соглашение с представителями чеченских войск. Это худшая вещь, которую я мог услышать. Я хотел бы, чтобы этот момент никогда не наступил. Мир. МИР?!! Когда мы уже почти победили? Я не осмеливаюсь спросить, почему они опустили руки. Я не осмеливаюсь сказать, что, возможно, в эту самую минуту мои «волки» штурмом взяли стратегически важный объект. Я не осмеливаюсь упоминать о всех зверствах, совершенных чеченами, о детях, которых они использовали как живой щит, о пытках, которым подвергали взятых в плен. И это с ними мы будет мириться? Я спрашиваю с маленькой долей надежды:

— Это... это шутка?

Он удивлен.

— Нет. Это официально. Соглашение подписано вчера.

У меня предобморочное состояние.

Дюкусков думает, что меня переполняет радость. Он поддерживает меня под руку. Возможно ли, чтобы люди так заблуждались? Чтобы они не отдавали себе отчета? Мы были в сантиметре от победы! Мы бы победили! И вот... мы ведем переговоры. Переговоры о чем? О праве все потерять!

Что теперь будет со мной?

Я покидаю лес, открытые просторы, свою стаю. Я сдаю униформу, ботинки, оружие. С конвоем возвращаюсь в Москву и погружаюсь в мир геометрических линий города.

Чингис-хан, кажется, ненавидел города. Он говорил, что сам факт, когда люди скучены на небольшой территории, окруженной стенами, приводит к помешательству рассудка, накоплению нечистот, распространению болезней и ограниченности мышления. Чингис-хан разрушил столько городов, сколько смог, но последнее слово осталось за горожанами.

Я возвращаюсь к гражданской жизни. Мне нужно найти жилье, а я даже не знаю, как заполнить бумаги. Я снимаю крошечную квартирку. Уродливую, шумную и дорогую. Все соседи на меня косо посматривают. У меня ностальгия по стоянкам под открытым небом. Где мои деревья? Где мои «волки»? Где мой чистый воздух?

Я чувствую себя неуклюже в гражданской одежде, непривлекательной и неудобной. Брюки, майка и свитер. Карманов мало, а отвороты слишком мягкие, чтобы повесить медали.

Мне сложно стать частью гражданского общества. На войне нужно было только драться, чтобы получить то, что хочешь. Здесь же царит только одно правило: деньги. Платить, за все нужно платить.

Я думал, мне помогут боевые заслуги, но они только мешают. Тыловые крысы опасаются ветеранов войны. Я снова и снова смотрю по видео фильмы со Сталлоне и Шварценеггером и пью водку до тех пор, пока не засыпаю. Скорей бы мы объявили войну Западу. Я более чем готов.

Звонит почтальон. Он принес мое первое пособие уволенного в запас. Я считаю купюры. Пособие «спасителя отечества» равно половине зарплаты продавца хот-догов!

Я имею право на большее. Я хочу иметь больше денег. Я хочу большую квартиру. Я хочу дачу за городом, как у важных чиновников. Я хочу дорогой лимузин. Я достаточно страдал, теперь я хочу быть богатым.

Эй, наверху! Ангел-хранитель, если ты меня слышишь: Я ХОЧУ БЫТЬ БОГАТЫМ.

140. МОЛИТВЫ

Я протираю глаза. Наблюдение за жизнью клиентов забирает у меня все силы. Меня нервирует, что они не понимают снов, которые я им отправляю. Меня расстраивает, что они не видят отправленных мной знаков. Меня приводит в отчаяние, что они не слышат направленных мной интуитивных побуждений. Мне осточертело. Я хочу быть хорошим учеником, но, чтобы было желание продолжать, необходим хотя бы минимальный результат. Я отправляюсь на поиски Эдмонда Уэллса.

— Я знаю, что основной обязанностью ангелов является выполнять желание клиентов, но желания моих трудновыполнимы, — говорю я учителю. — Жак мечтает только о том, как бы найти издателя своей бредятины про крыс.

— Дай ему то, что он хочет.

— Игорь. Он хочет быть богатым. Сделать так, чтобы он выиграл в лото?

— Выигрыш в лото ему не поможет. Он станет еще несчастнее. Его будут окружать только люди, привлеченные богатством. Недостаточно хотеть быть богатым, необходимо быть способным справляться со своим богатством. Он не готов. Сделай его богатым, но постепенно, не как в лото. Следующий клиент.

— Венера хочет, чтобы ее соперница, другая чернокожая и более молодая манекенщица, была бы... изуродована!

— Выполни ее желание, — холодно говорит учитель.

Мне кажется, что он меня не расслышал.

— Но мне казалось, что мы здесь для того, чтобы делать людям только хорошее.

— Ты должен в первую очередь удовлетворять желания клиентов. Если они хотят делать глупости, это их свободный выбор. Уважай его.

Эдмонд Уэллс приглашает меня немного полетать над Раем.

— Я понимаю твои затруднения, Мишель. Задача ангела непроста. Люди имеют ничтожные и смехотворные желания. Мне иногда кажется, что они боятся быть счастливыми. Все их проблемы можно выразить одной фразой: «Они не хотят создавать собственное счастье, они хотят только уменьшить несчастье».

Я повторяю это про себя, чтобы как следует уловить значение. «Они не хотят создавать собственное счастье, они хотят только уменьшить несчастье...»

Эдмонд Уэллс продолжает:

251

— Все, чего они хотят, это меньше страдать от зубной боли, чтобы дети, которых так хотели, перестали кричать, когда они смотрят телевизор, и чтобы теща перестала приходить по воскресеньям и портить праздничный обед. Если бы они только могли себе представить, что мы им можем дать! В том, что касается бедной Синтии Корнуэлл, соперницы Венеры, тебе необходимо обсудить с ее ангелом-хранителем будущую аварию. Но это не должно стать проблемой, потому что в качестве страдалицы его клиентка получит дополнительные очки. И последнее, на что я хотел бы обратить твое внимание, Мишель. Не знаю, заметил ли ты, но... рычаги воздействия на клиентов изменились. Игорь обращал внимание на знаки, а теперь больше на интуицию. Венера учитывала свои сны, а сейчас интересуется медиумами. Что касается Жака, на которого раньше можно было влиять в основном через кошку, то теперь он более чувствителен к воспоминаниям о снах.

141. ЖАК. 22 ГОДА

Мне приснился кошмар. Сперва был плачущий волк. Потом девочка, превращающаяся в воздушный шар. А потом девочка-воздушный шар поднималась над землей все выше и выше. Волк смотрел на нее и начинал очень грустно выть. Еще была птица без крыльев, которая била клювом в стенку девочки-воздушного шара, чтобы та спустилась, но стенка была слишком прочной. Тогда птица без крыльев поворачивалась ко мне и просила что-то. Она говорила: «Говорить о смерти». «Говорить о смерти».

Волк продолжал выть. Птица била клювом в девочку. А я проснулся и обнаружил, что Гвендолин снова брыкается и бьет меня ногами.

Ей тоже снился сон. Она говорила: «Нужно, чтобы это прекратилось». А потом, как будто отвечая кому-то: «Нет, не я, не это». Или: «Поверьте мне, так ничего не выйдет», и снова брыкалась, как будто отбивалась от кого-то.

Внезапно я получаю удар лапой. Это Мона Лиза. Она тоже шевелится во сне. Движет зрачками под закрытыми веками, вытягивает лапы с выпущенными когтями, хочет кого-то схватить. Мне кажется нормальным, что люди тоскуют. Но то, что кошке тоже снятся кошмары, мне вдруг кажется ужасным.

В приемной у ветеринара полно народа. Рядом со мной человек с такой же жирной кошкой.

— Чем она страдает?

— Близорукостью. Медор садится все ближе и ближе к телевизору.

— Вашего кота зовут Медор?

— Да, потому что он ведет себя как покорная собака. Никакой независимости. Только позовешь, прибегает. Вот, близоруким стал. Наверное, придется надеть ему очки.

— Наверняка это общая мутация вида. Моя кошка тоже смотрит телевизор со все более близкого расстояния.

— В конце концов, если этот ветеринар ничем не поможет, я пойду к ветеринару-окулисту, а если он тоже не найдет решения проблемы, пойду к ветеринару-психоаналитику.

Мы вместе смеемся.

— А ваша кошка чем страдает?

— Моне Лизе снятся кошмары. Она все время нервничает.

— Даже не будучи ветеринаром, — говорит мужчина, — могу вам дать совет. Кошка часто выступает катарсисом своего хозяина. Она живет вашими страданиями. Успокойтесь, и она тоже успокоится. Вы сами весь как комок нервов. А если не будет получаться, заведите детей. Это развлечет кошку.

Мы ждем. Перед нами еще с десяток посетителей, и есть время поболтать. Он представляется:

— Рене.

— Жак.

Он спрашивает, кем я работаю. Официантом в ресторане, говорю я. Он оказывается издателем. Я не осмеливаюсь заговорить о своей книге.

— Очередь так медленно идет, — замечает он. — Вы в шахматы играете? У меня в портфеле дорожные шахматы.

— Давайте сыграем.

Я быстро понимаю, что могу его без труда обыграть, но мне на ум приходит совет Мартин. Настоящая победа никогда не должна быть слишком явной, ее нужно добиваться. Поэтому я усмиряю свой бойцовский пыл и устраиваю таким образом, чтобы наши позиции сблизились. Отказавшись взять верх, смогу ли я отказаться от победы? Некоторые поражения, возможно, представляют интерес. Я позволяю ему победить. Он мне ставит мат.

— Я всего лишь любитель, — радуется Рене. — Был момент, когда я подумал, что проиграл.

Я принимаю раздосадованный вид.

— А я в один момент думал, что выиграю.

Теперь, как по волшебству, я больше не боюсь заговорить о своей книге.

— Я тоже не только официант, в свободное время я пишу.

Он смотрит на меня с жалостью.

— Я знаю. Сегодня все пишут. У одного француза из трех есть рукопись, ждущая своего часа. Вы отправляли свою издателям и вам отказали, так?

— Везде.

— Это нормально. Профессиональные читатели за мизерную сумму составляют краткую рецензию на рукопись. Чтобы сделать эту работу прибыльной, они читают в день до десятка книг. Как правило, они останавливаются странице на шестой, потому что большинство текстов очень скучны. Нужно иметь огромное везение, чтобы попасть на читателя-энтузиаста.

Собеседник открывает мне новые горизонты.

— Я не знал, что все происходит именно так.

— Чаще всего они ограничиваются аннотацией, а также количеством орфографических ошибок в первых строках. Ах, французская орфография! Все эти двойные согласные, вы знаете, откуда они?

— По-моему, от греческой или латинской этимологии.

— Не только, — просвещает издатель. — В средние века монахам-переписчикам книг платили за количество букв в переписанных манускриптах. Поэтому они договорились между собой, чтобы удваивать согласные. Именно поэтому в слове «difficile» два «f», а в слове «developper» два «р». И мы продолжаем свято следовать этой традиции, как если бы речь шла о национальном достоянии, а не о монашеских проделках.

Подходит его очередь. Он протягивает мне визитную карточку на имя Рене Шарбонье.

— Так пришлите мне вашу рукопись. Обещаю прочесть больше шести строк и честно сказать свое мнение. Но все-таки не стройте себе иллюзий.

На следующий день я отвожу рукопись по указанному адресу. Еще через день Рене Шарбонье сообщает мне, что готов ее напечатать. Я так счастлив, что с трудом верю в это. Значит, мои усилия будут все-таки вознаграждены! Значит, все было не напрасно!

Я сообщаю радостную новость Гвендолин. Мы отмечаем это событие с шампанским. Я чувствую себя так, как будто освободился от тяжелой ноши. Мне необходимо вернуться на землю. К своим старым привычкам. Я подписываю контракт и стараюсь забыть свою радость, чтобы сконцентрироваться на том, как лучше защитить собственный труд.

На деньги от контракта я приобретаю для Гвен, Моны Лизы и себя самого то, о чем мы долго мечтали: кабельное телевидение. Чтобы избавиться от возбужденности, я усаживаюсь перед экраном, который меня так успокаивает. Я включаю американский круглосуточный информационный канал, главным ведущим которого является некий Крис Петтерс. Это новое лицо немедленно внушает мне доверие. Как будто он член семьи.

— Иди сюда, Гвендолин, посмотрим телек, это помогает избавиться от мыслей.

Из кухни, где, как я слышу, она насыпает кошке корм, не следует ответа.

Крис Петтерс уже объявляет последние новости. Война в Кашмире с угрозой применения атомного оружия. Новое пакистанское правительство, сформированное после недавнего военного путча, заявило, что, поскольку ему больше нечего терять, оно намерено отомстить за честь всех пакистанцев и раздавить позорную Индию. Новая мода: все больше студентов выставляют собственные акции на бирже, чтобы акционеры оплатили их учебу. Затем они расплачиваются в зависимости от собственного успеха. В джунглях Амазонки племя Ува решило совершить коллективное самоубийство, если на их священной территории будет продолжаться разведка нефти. Они считают нефть кровью Земли...

Новое преступление серийного убийцы, душащего свои жертвы шнурком. На этот раз он убил знаменитую актрису и топ-модель Софи Донахью. Он сделал это таким образом...

— Гвендолин, иди посмотри телевизор!

Гвендолин подходит с грустным выражением на лице. Она вяжет.

— Плевать мне.

— Что случилось? — говорю я, усаживая ее на колени и гладя ей волосы, как я глажу кошку.

— Тебя вот напечатали. А меня никогда не напечатают.

142. ЭНЦИКЛОПЕДИЯ

Мазохизм. В основе мазохизма лежит страх болезненного события. Человек испытывает страх, поскольку не знает, когда наступит это испытание и насколько болезненным оно будет. Мазохист понял, что одним из средств борьбы со страхом является провокация пугающего события. Таким образом, он знает хотя бы, когда и как это произойдет. Вызывая сам это событие, мазохист думает, что руководит своей судьбой.

Чем больше боли причиняет себе мазохист, тем меньше он боится жизни. Ведь он знает, что другие не смогут причинить ему столько боли, сколько он причиняет сам себе. Ему больше нечего бояться, потому что он сам свой худший враг.

Этот контроль над собой позволяет ему затем легче контролировать других.

Поэтому неудивительно, что большое число руководителей и вообще людей, облеченных властью, в личной жизни проявляют более или менее выраженные мазохистские наклонности.

Однако за все надо платить. В силу того что мазохист связывает понятие страдания с понятием управления своей судьбой, он становится антигедонистом. Он не хочет больше никаких удовольствий, он лишь ищет новые, все более жесткие и болезненные испытания. Это может превратиться в настоящий наркотик.

Эдмонд Уэллс.
«Энциклопедия относительного
и абсолютного знания», том 4

143. ИГОРЬ. 22 ГОДА

У меня мало денег? Ну что ж, нужно только взять их там, где они есть. Я становлюсь вором. А что мне терять? В худшем случае окажусь в тюрьме, где, возможно, встречу многих своих «волков». Станислас становится моим подельником. Мы используем то же оборудование, что на войне. После огнемета Станислас осваивает газовый резак. Никакой замок, никакой сейф перед ним не может устоять. У воров существует священный час: четыре с четвертью утра. В это время на улице нет машин. Последние гуляки уже легли спать, а первые труженики еще не проснулись. В четыре с четвертью проспекты пустынны.

Днем мы проводим разведку, а в четверть пятого приступаем к действию. Как и на войне, нужны план и стратегия.

Мы проникаем в богатый особняк на севере города. Станислас берет со столика портрет и говорит:

— Эй, Игорь, гляди-ка, этот тип с усиками, как велосипедный руль, не тот же самый, что на твоем медальоне?

Я подскакиваю. Сравниваю фотографии и вижу, что никаких сомнений быть не может. Те же усики. Тот же надменный вид. Тот же хитрый взгляд. Мы проникли в дом... моего отца. Я внимательно осматриваю его. Роюсь в ящиках. Обнаруживаю документы и семейные фотоальбомы, подтверждающие, что мой родитель стал богатым и важным человеком, что у него несколько домов, много друзей и что он знаком с сильными мира сего.

Он бросил мать, когда она была беременна мной, но не перестал размножаться. В особняке несколько детских комнат!

Охваченный яростью, я хватаю газовый резак и жгу одну за другой игрушки в детских комнатах. Они должны были быть моими. Они мне должны были приносить радость в детстве. У меня их не было, не будет и у других.

Затем я падаю на диван, опустошенный такой несправедливостью.

— Сперва мир, теперь встреча с папашей, это уж слишком!

— Держи это, выпей. Это пройдет, пройдет, — говорит Станислас, протягивая мне бутылку американского виски.

Мы вдребезги разбиваем все в доме папаши. Мебель, посуду, все. Теперь будет знать, что я существую. Чтобы отметить побоище, мы выпиваем еще и наконец засыпаем на выпотрошенных матрасах. Утром нас будят менты и отвозят в отделение. Начальник отделения, сидящий за столом, выглядит очень молодо. Наверное, блатной. Его лицо мне знакомо. Ваня. Он не сильно изменился после детдома. Он встает и тут же заявляет, что очень зол на меня. Мир перевернулся. Он на меня злится, вероятно, за то зло, что мне причинил, а я ему не ответил тем же.

— Прости меня, — говорю я, как будто обращаюсь к дебилу.

— Ага, наконец-то! — говорит он. — Я всегда хотел это услышать от тебя. Ты знаешь, ты причинил мне столько страданий! Я долго думал о тебе после того, как мы расстались.

Мне хочется сказать: «А я тебя сразу выкинул из головы», но я молчу.

Его лицо приобретает незнакомое мне притворное выражение.

— Уверен, что ты думаешь, будто это я действовал неправильно.

Главное — не отвечать на провокацию.

— Ты ведь так думал, да? Признаешься?

Если я отвечу «да», это его разозлит, если «нет», тоже. Молчать. Это лучший выбор. На самом деле он не знает, как ко мне подступиться. Охваченный сомнениями, он принимает мое молчание за согласие и говорит, что принимает мои извинения и что он не злопамятен и готов нам помочь в деле со взломом особняка. У него даже достаточно полномочий, чтобы замять все это дело.

— Но, — говорит он, — внимание! Больше не играйте в воров. Малейший рецидив, и пойдете на кичу.

Я жму ему руку и выдавливаю из себя самое нейтральное «спасибо». Чао.

— И еще одно, — говорит Ваня.

— Да, что?..

Я стою неподвижно и стоически ожидаю, что цена его прощения не возрастет.

— Хочу задать тебе один вопрос, Игорь...

— Задавай...

— Почему ты мне никогда не набил морду?

Здесь нужно сохранить самообладание. Не раздражаться. Главное не раздражаться. Рука начинает дрожать. Мысленно я представляю себе, как его маленькое пронырливое лицо разбивает мой мощный кулак с крепкими фалангами. Я чувствую в руке силу удара, который мог бы нанести. Но я зрелый человек. Я всегда говорил «волкам»: «Не будьте быками, которые бросаются на красную тряпку. Не позволяйте эмоциям преобладать над собой. Вы, а не противник решаете, где и когда ударить».

Ваня — начальник отделения милиции, кругом его вооруженные сотрудники, со всеми мне не справиться. К тому же если он захочет пришить меня, то может приказать сделать это одному из своих подчиненных. Я не собираюсь все терять из-за Вани. Я еще раз окажу ему великую честь. Я выдержал мать, выдержал холод, болезни, центр нервно-сенсорной изоляции, пули и снаряды. Я не собираюсь умирать в отделении милиции из-за обидчивости.

Я произношу, не оборачиваясь:

— Ну... Не знаю. Может, потому, что люблю тебя, несмотря ни на что, — говорю я, через силу заставляя себя произнести эти слова.

Дышать. Дышать ровно. Легче атаковать чеченские позиции, чем заставить себя не размазать по стенке бывшего друга. Ну, еще одна фраза:

— Рад был повидаться, Ваня. Пока.

— Я люблю тебя, Игорь, — заявляет он.

Я не оборачиваюсь.

— Что будем теперь делать? — спрашивает Станислас.

— Будем играть в карты.

И вместе со Станисласом я начинаю посещать все места в городе, где играют в покер. Я быстро восстанавливаю старые навыки. Расшифровывать выражения лиц и движения рук, отличать фальшивые от настоящих, самому посылать ложные знаки... Это как логическое продолжение моих боевых подвигов.

Вскоре мой стиль игры улучшается. Мне уже не нужно следить за малейшими движениями, я догадываюсь об игре противников, даже не глядя на них. Как если бы они излучали флюиды удачи или неудачи сквозь густой сигаретный дым. Я стремлюсь настроиться на что-то очень тонкое. Как будто существует проникающая через все волна, которая дает мне необходимую информацию. Иногда я могу ее чувствовать, и тогда я знаю расклад карт практически всех игроков.

Благодаря покеру я зарабатываю гораздо больше боевых трофеев, чем приносили наши ограбления. По крайней мере, не нужно прибегать к помощи скупщиков. И доходы скрывать мне не нужно.

Я выигрываю и богатею.

Я играю со все более изощренными противниками, но они не были на войне. У них недостаточно крепкие нервы, а страх проиграть делает их такими предсказуемыми... Когда ставки растут, они становятся как загнанные звери. Они больше не думают, они молятся. Они трут амулеты и ладанки, призывают ангелов-хранителей и богов. Они трогательны. Как бараны, которых ведут на бойню.

Растущая известность дает мне доступ на частные вечеринки, которые посещают богатые и обладающие властью люди. Я узнаю, что на них бывает и мой отец, и прилагаю все для того, чтобы оказаться с ним за одним столом.

Вот и он.

Долго я ждал этой минуты. Его лицо скрывает шляпа. Нас не представляют друг другу. В этом роскошном салоне, где со стен сурово смотрят портреты предков, я устраиваюсь в кресле, обитом вышивными узорами, под ярко освещающим центр стола светом. Ставки огромны, но благодаря предыдущим выигрышам, у меня достаточно боеприпасов. Один за другим игроки покидают стол после того, как их горы жетонов иссякают, и я остаюсь один с отцом. Он хорошо играет.

Я настраиваюсь на пересекающую все волну.

— Сколько поменять? — спрашивает крупье после сдачи.

— Три.

— Вам?

— Не надо, — говорит отец, не глядя на меня и демонстрируя лишь верх шляпы.

Мне надо задать ему столько вопросов, я хотел бы знать, зачем он меня породил, почему он нас бросил и особенно почему он никогда не пытался меня найти.

Мы поднимаем ставки.

— Пятьдесят.

— Пятьдесят и поднимаю на сто.

Я недостаточно сконцентрирован. Наказание незамедлительно. Банк растет, и я проигрываю. Отец остается непроницаемым. Он даже не взглянул на меня. Мне хочется сказать ему: «Я твой сын», но я сдерживаюсь. Еще игра, и снова проигрыш. Он способный игрок. Я понимаю, что сила в покере пришла ко мне не только от уроков Василия, она была и в моих генах. Отец настоящий хамелеон. Ограбление дома, судя по всему, на нем совершенно не отразилось.

— Сколько поменять?

— Две.

Та же ошибка. То же наказание.

Новая раздача. Я учащенно дышу. Сейчас или никогда. Я решаю пустить в ход абсолютное оружие, последнюю стратегию Василия. Я не смотрю свои карты, даже не бросаю ни них ни единого взгляда, и объявляю:

— Не меняю.

Он наконец зашевелился. Снял шляпу и обнажил копну седых волос. Я знаю, что сперва он подумал, не чокнутый ли я, и что теперь он задается вопросом, в чем состоит смысл моего маневра. Каковы бы ни были карты, он больше не владеет ситуацией. Теперь моя очередь.

Он меняет одну карту. Значит, у него две пары и он надеется на два плюс три.

Он берет карту и, не глядя, вставляет между своими, чтобы не показать, подошла она или нет. Знаков нет. Ни малейшего движения пальцев. Я настраиваю интуицию на нужную волну. Я чувствую, что у него нет фула.

— Какая ставка?

— Тысяча, — бросает отец, глядя в карты.

Он блефует. Хочет со мной покончить. Сразу ставит планку повыше, чтобы заставить меня сдаться. Но, учитывая, что мы играем партию, в которой я не знаю своих карт, это как раз тот момент, когда я не должен сдаваться. Я поднимаю ставку.

— Тысяча пятьдесят.

Крупье не может сдержаться и говорит:

— Э-э... Вы поднимаете ставку, даже не взглянув на карты и ни одной не поменяв?

— Тысяча пятьдесят.

— Две тысячи, — говорит отец.

— Две тысячи пятьдесят.

— Три тысячи.

Невозмутимо, несмотря на выступивший на спине пот, я продолжаю:

— Три тысячи пятьдесят.

Это становится крупной суммой даже для него. Он по-прежнему на меня ни разу не взглянул. Это, вероятно, его собственная стратегия. Заставить поверить, что ему даже не нужно смотреть на противника, чтобы его победить. Со все так же склоненной вниз головой, демонстрируя мне лишь седые волосы, он просит минуту на раздумье. Я чувствую, что сейчас он поднимет голову, чтобы посмотреть на меня. Но он сдерживается.

— Десять тысяч, — говорит он раздраженно.

— Десять тысяч пятьдесят.

Таких денег у меня нет. Если я проиграю, мне потребуются годы, чтобы рассчитаться с папашей, который мне никогда ничего не давал.

— Двадцать тысяч.

— Двадцать тысяч пятьдесят.

Наконец седая шевелюра зашевелилась и откинулась назад. Он смотрит на меня. Я вижу его лицо вблизи. У него такие же усики в форме велосипедного руля, как и на портрете, который я ношу в медальоне. Он не красив. У него вид человека, много повидавшего на своем веку. Я пытаюсь понять, что мать могла в нем найти. Он смотрит на меня, чтобы разгадать. Его серые глаза ничего не выражают.

— Тридцать тысяч.

— Тридцать тысяч пятьдесят.

Шепот вокруг. Привлеченные высокими ставками, другие игроки покинули столы и сгрудились вокруг нашего. Тихо переговариваются между собой.

Отец смотрит мне прямо в глаза. Я выдерживаю его взгляд. Позволяю себе даже легкую улыбку. Я слишком потею. Люди вокруг нас молчат, затаив дыхание.

— Пятьдесят тысяч.

— Пятьдесят тысяч пятьдесят.

Если я проиграю, мне остается только продать собственную кровь и внутренние органы. Я надеюсь, что мой ангел-хранитель внимательно следил за игрой с самого начала и не подведет меня. Святой Игорь, вся надежда на тебя.

— Продолжаем? — спрашивает крупье.

— Пятьдесят тысяч пятьдесят... и открываемся, — говорит отец.

Он больше не повышает. Напряженное ожидание кончено, настало время открыть карты. Он открывает свои одну за одной. У него пара валетов. Только пара валетов. А что у меня? Восьмерка треф. Туз пик. Бубновый король. Червовая дама. Пока что ничего. Осталось открыть последнюю карту...

Гробовая тишина.

Дама треф.

Спасибо, святой Игорь. У меня пара дам! Василий, ты лучше всех! Я выиграл. С небольшим перевесом, но я его сделал. Я обыграл отца! Волк съел змею! Я издаю победный рык «волков». Очень громко. Никто не осмеливается сказать ни слова. Потом я начинаю хохотать. Я смеюсь без остановки.

Маленькая толпа вокруг стола удрученно рассасывается.

Спасибо, святой Игорь. Спасибо, Василий. Вот и доказательство, что покер — это чистая психология.

В него можно играть даже без карт. Я на седьмом небе от радости.

Отец внимательно смотрит на меня. Он спрашивает себя, кто этот молодой человек, только что сокрушивший его. Он чувствует, что это неспроста. Все мои гены кричат: «Я продолжение твоей плоти, от которой ты отказался и которая теперь обернулась против тебя!»

Я рассовываю по карманам деньги, которые он мне передает. Плюс ко всему теперь я богат. Вот оно, мое наследство.

Он вот-вот заговорит. Я чувствую, что он хочет заговорить. Задать мне вопрос. Мы начнем разговаривать. Я скажу ему про мать. И вдруг он меняется. Его губы дергаются. Он молча встает и уходит.

144. ВЕНЕРА. 22 ГОДА

Я открываю газету и вижу новость на первой полосе: Синтия попала в автомобильную катастрофу. Я вчитываюсь в детали. Дорогу перебегала кошка. Шофер резко затормозил, и машина врезалась в фонарный столб. Шофер не пострадал, потому что был пристегнут ремнем безопасности. Синтия же, которая сочла эту предосторожность излишней, вылетела через лобовое стекло. Ее жизнь вне опасности, но осколки стекла изуродовали все лицо.

Вечером я праздную это событие с моим агентом. Билли приводит с собой неожиданную гостью. Это Людивин, медиум, которая предсказала ему мою победу.

Людивин похожа на толстую крестьянку, только что вышедшую из леса. У нее седые волосы и огромная грудь, говорит она с сильным акцентом. От нее пахнет капустой.

Почему ангелы используют таких заурядных людей для общения со смертными? Загадка. Но, по-

266

скольку ее предсказание оправдалось, я ее слушаю. Она читает по линиям моей руки. Она говорит, что карьера манекенщицы для меня только первый этап. Я стану знаменитой актрисой. И это тоже не все. У меня будет настоящая большая любовь, которая редко встречается в жизни.

— Расскажите и мне, — просит Билли Уотс, как наркоман просит свою дозу. — Что ждет меня в будущем?

145. НИЧЕГО

Ничего.

Нет ничего. Абсолютно ничего.

Трое моих друзей продолжали поиски в космосе, пока я наблюдал за клиентами. Они ничего не нашли. Мы встречаемся в южном уголке Рая. Я рад, что не стал тратить время на эти бесполезные экспедиции.

— Вероятно, мы достигли своего лимита компетентности, — вздыхает Монро. — Я вспоминаю, что раньше люди боялись вторжения инопланетян, которых они представляли себе злыми и ужасными. Если бы... они могли существовать!

Фредди поднимается. Я его хорошо знаю. Когда он так суетится, значит, у него есть идея. Он напряжен, как охотничья собака, почуявшая дичь.

— Постойте... постойте, постойте. Вы знаете анекдот про человека, потерявшего ночью ключи на улице?

Рауль выражением лица показывает, что ему не до анекдотов. Фредди невозмутимо продолжает:

— Так вот, он ищет ключи под фонарем. Подходит другой тип и спрашивает: «Вы уверены, что потеряли их именно здесь?» — «Нет», — отвечает первый. «Тогда почему же вы их здесь ищете?» — «Потому что под фонарем, по крайней мере, светло».

Никто не смеется. Мы не видим связи с собственными поисками.

— Ошибка в том, что мы, возможно, ограничили себя в поисках, — говорит Фредди. — Мы ищем там, где нам удобно искать. Как этот тип, ищущий ключи под фонарем.

— Но у нас нет границ, — протестует Мэрилин. — Мы пролетели миллиарды километров со скоростью света.

— Мы ограничили себя! — настаивает эльзасский раввин. — Мы как микробы в бокале. Нам кажется, что мы преодолели немыслимые расстояния, а мы остаемся в том же бокале. А ведь можно из него выйти. Посмотреть... снаружи.

Я не понимаю, к чему он клонит. Априори, как бы далеко мы ни удалялись, мы не встретим стеклянной стенки, обозначающей границу.

— И что это, наш «бокал»? — спрашиваю я.

— Наша галактика.

— Мы побывали на одну десятую процента планет Млечного Пути, которые могут быть обитаемы. Зачем искать дальше? — спрашивает Монро.

Рауль Разорбак хмурит густые брови. Кажется, он уловил идею Фредди.

— Ну да, конечно! У нас Рай находится в центре галактики. Возможно, в других галактиках есть другие Раи, тоже расположенные в центре.

Я обожаю такие моменты интеллектуального воодушевления, когда воображаемый экран вдруг немножко раздвигается.

— Фредди прав, — повторяет Рауль. — Нужно выйти за пределы галактики. Возможно, в каждой галактике только одна планета населена разумными существами... Значит, природа каждый раз создает сотни миллиардов планет, и только на одной есть жизнь и разум. Какое... расточительство!

По крайней мере, это объясняет, почему мы ничего не нашли.

— Проблема в том, — говорит Фредди, — что даже расстояние между двумя звездами огромно. А расстояние между галактиками на порядок больше, это миллионы световых лет.

— Способны ли мы совершать такие путешествия? — спрашивает Мэрилин Монро.

Рауль отвечает утвердительно.

— Без проблем. Мы можем перемещаться еще быстрее.

Я представляю себе трудности, связанные с таким большим путешествием. Посещение другой галактики означает, что необходимо будет оставить клиентов без присмотра на период времени, который может оказаться очень долгим.

— Без меня. Я дал обещание Эдмонду Уэллсу. Я думаю, вы совершаете очень большую ошибку, — говорю я.

— Это будет не в первый раз, — замечает Рауль. — В конце концов, это тоже составляет «свободный выбор ангела».

146. ЖАК. 22 С ПОЛОВИНОЙ ГОДА

Рене Шарбонье просит сократить роман. От тысячи пятисот страниц остается триста пятьдесят, из восьми битв сохраняется одна, из двадцати основных персонажей я оставляю троих, а от восьмидесяти мест действия — двенадцать.

Впрочем, упражнение, состоящее в том, чтобы оставить только главное, кажется мне благотворным. Я переписываю текст, улучшая каждую строчку. Затем выбрасываю все начало и весь конец. Таким образом, быстрее погружаешься в историю и еще быстрее из нее выходишь. Это как воздушный шар, из корзины которого я выбрасываю лишний груз, чтобы он взлетал быстрее.

Чем лучше становится текст, тем больше Гвендолин нервничает. Она бормочет: «Да, у тебя все хорошо. У меня так никогда не будет». Я отвечаю: «Это хорошо для нас обоих, что хотя бы одному повезло. Один может помогать другому».

Фраза составлена неправильно. Гвендолин бы предпочла, чтобы роли распределились иначе. Чтобы не меня, а ее опубликовали, продемонстрировав таким образом, что она тоже способна помогать другим. Мой успех только подчеркивает ее неудачу.

Чем ближе дата выхода книги в свет, тем агрессивнее она становится, и я чувствую себя почти обязанным извиняться за то, что меня печатают. В конце концов она мне открыто заявляет: «Если ты меня действительно любишь, ты должен найти в себе силы и отказаться от публикации этой книги».

Я не ожидал, что ее желание будет выражено так грубо. Я обещаю поехать с ней в отпуск, если «Крысы» принесут доход. Она отвечает, что ненавидит ездить в отпуск и что вообще мой роман настолько плох, что он никого не заинтересует.

Вскоре Гвендолин бросает меня, чтобы начать новую жизнь с Жаном-Бенуа Дюпюи, психиатром, специализирующимся в спазмофилии.

— Я ухожу от тебя к Жану-Бенуа, потому что он, по крайней мере, имел смелость произнести единственные слова, которые ты был не способен сказать за все время наших отношений: «Я тебя люблю».

Я чувствую себя покинутым, Мона Лиза тоже. Мы начинаем привыкать к этому скрытому присутствию.

Я снова подолгу читаю, закрывшись в туалете.

Вскоре Гвендолин звонит мне, чтобы сообщить о своем счастье: «Я нашла нужного мне мужчину. Жан-Бенуа безупречен». Потом все уже не так хорошо. «Он просто взбесился, когда узнал, что я тебе звонила».

Тем не менее она продолжает звонить. Она словно прозрела. Гвендолин считает, что ее психиатр страдает комплексом неполноценности из-за своего маленького роста. Он ненавидит всех, кто выше него. Являясь специалистом по спазмофилии, он в основном имеет дело с клиентами, находящимися в депрессии, которыми легко манипулировать. Он развлекается тем, что вторгается в их личную жизнь просто для того, чтобы посмотреть, как велика его способность манипулировать людьми. После того как многие клиенты совершили попытку самоубийства, их родные потребовали, чтобы ему запретили практиковать. Но поскольку он дружит с министром здравоохранения, с ним ничего не могут сделать.

Однажды я случайно встречаю Гвендолин на улице. Она несет в прачечную рубашки Жана-Бенуа. У нее рука на перевязи. Лицо исхудалое. Чтобы скрыть синяк под глазом, она надела солнцезащитные очки.

Гвендолин меня замечает. Сперва она хочет скрыться, потом берет себя в руки. Она нежно касается моей руки. Потом улыбается и говорит:

— Тебе не понять, это любовь. Дюпюи так меня любит.

Потом она убегает.

После этого я ничего не слышал о Гвендолин.

Эта история вводит меня в смятение.

Я пускаюсь в свое обычное бегство — я пишу. Это продолжение «Крыс», ведь первый том вот-вот выйдет. В этот самый момент меня предает компьютер. Из-за необъяснимой поломки я теряю все тексты, записанные на жестком диске!

Это производит на меня странный эффект. Потерять любимую и все, что было сделано, это как будто немного умереть. Я решаю возродиться и в который раз снова начинаю писать. Мне приходит мысль ввести дополнительного персонажа, воплощающего Дюпюи.

В конце концов, я впервые в жизни столкнулся с настоящим «плохим». Еще Альфред Хичкок подчеркивал, что история тем лучше, чем качественнее «плохой». С Дюпюи у меня появился тем более достоверный антигерой, что он существует на самом деле. Я ввожу его в «Оду крысам», и все другие персонажи становятся более рельефными.

Я пишу непрерывно, однако, не знаю почему, эта история продолжает меня мучить. С Гвендолин я осознал невозможность помочь другому человеку без его желания, и это открытие меня удручает. Я пишу, но у меня начинается новый кризис пораженчества. Как обычно, боль приходит ко мне с опозданием. Она даже заставляет забыть радость от того, что меня скоро опубликуют.

Я закрываюсь в туалете и, вместо того чтобы писать, продолжаю пережевывать одну и ту же мысль: «Зачем все это?». Наверное, мне не удалось исполнить пожелание мадемуазель Ван Лизбет. Я не нашел своего места. Возможно, моя истинная миссия совсем рядом... но это отнюдь не писательство. Зачем же упорствовать?

147. ЭНЦИКЛОПЕДИЯ

Каждому свое. По мнению социолога Филипа Пейселя, женские характеры представляют собой четыре тенденции:

1 — матери,
2 — любовницы,
3 — воительницы,
4 — инициаторши.

Матери по определению уделяют основное внимание созданию семьи, рождению детей и их воспитанию.

Любовницы хотят соблазнять и переживать потрясающие любовные истории.

Воительницы хотят захватывать власть, выступать за какие-либо политические или другие идеалы.

Инициаторши — это женщины, повернутые в сторону искусства, духовности или целительства. Это прекрасные музы, учительницы, доктора. Раньше это были весталки.

В каждом человеке эти тенденции более или менее развиты.

Проблема появляется тогда, когда женщина не находит себя в основной роли, навязываемой ей обществом. Если любовниц заставляют быть матерями, а инициаторш воительницами, то такое принуждение вызывает порой очень сильное противодействие.

У мужчин также существует четыре основных позиционирования:

1 — земледелец,

2 — кочевник,

3 — строитель,

4 — воин.

В библии есть Авель — кочевник, занимающийся стадами, и Каин — земледелец, занимающийся жатвой.

Каин убивает Авеля, и в наказание Бог говорит: «Ты будешь скитаться по земле». Таким образом он заставляет Каина стать кочевником, в то время как тот в основном земледелец. Он должен делать то, для чего не предназначен. В этом и заключается его основное страдание.

Единственное сочетание, ведущее к длительному браку, это «мать — земледелец». Поскольку оба хотят оставаться на одном месте как можно дольше. Все другие сочетания могут привести к великой страсти, но с течением времени все равно закончатся конфликтами.

Задача совершенной женщины — быть матерью, и любовницей, и воительницей, и инициаторшей. Тогда можно сказать, что принцесса стала королевой.

Задача совершенного мужчины — быть земледельцем, и кочевником, и строителем, и воином. Тогда можно сказать, что принц стал королем.

И если совершенный король встречает совершенную королеву, происходит что-то волшебное. Есть и страсть, и длительные отношения. Только это бывает редко.

Эдмонд Уэллс.
«Энциклопедия относительного
и абсолютного знания», том 4

148. ВЕНЕРА. 22 С ПОЛОВИНОЙ ГОДА

Теперь моя карьера в полном порядке. Мне переделали груди, и когда я ложусь на спину, они остаются направленными в небо, как египетские пирамиды.

Парикмахер-визажист сделал мне новую прическу, а дантист с помощью специальной обработки отбелил зубы. Медицинские профессии явно становятся артистическими профессиями.

В киосках моя фигура и мое лицо постоянно украшают обложки журналов. По данным опросов, я вхожу в десятку самых сексуальных женщин мира. Не стоит говорить, что с такой визитной карточкой все мужчины у моих ног. Так что я останавливаю свой выбор на том, кого по-прежнему считают мужским секс-символом номер один, Ричарде Канингэме. Он был идолом моей юности.

Я поручаю Билли Уотсу устроить это дело. Он торопится, поскольку его медиум подтвердила, что вскоре я вступлю в брак с Канингэмом. Билли легко договаривается с агентом Канингэма и уже через несколько дней все оговорено, подписано, ратифицировано. Я должна встретить Ричарда «случайно» в японском ресторане в Санта-Моника. Все фотографы предупреждены слухом типа: «Никому не говорите, но кажется...»

По этому случаю я оделась в красное, потому что он сказал в одном интервью, что любит женщин в красном. Со своей стороны, он предусмотрительно надушился «Эйфорией», одеколоном французской парфюмерной фирмы, которую я представляю.

Наши агенты сидят за столом неподалеку и просматривают списки других своих клисптов, которых они могли бы поженить. Я смотрю на Ричарда. Он мне кажется лучше, чем в фильмах. Удивительно, какая у него гладкая кожа. И это не пластическая хирургия! Он, должно быть, пользуется каким-нибудь суперсовременным кремом, которого я не знаю. Видеть его перед собой во плоти, после того как я столько раз видела его на экране и обложках журналов, меня немного пугает. Он же смотрит на мою обновленную грудь. Я не разочарована тем, что так быстро ее окупила. Мы заказываем суси. Наступает ужасный момент, когда нужно начать разговор. Мы не знаем, что говорить друг другу.

— Ээ, ваш агент... он как? — спрашивает Ричард. — Сколько он берет?

— Э-э... двенадцать процентов от всех моих доходов. А ваш?

— Мой берет пятнадцать процснтов.

— Может, вам имеет смысл с ним передоговориться?

— Дело в том, что мой агент занимается абсолютно всем. Он заполняет счета, налоговые декларации, оплачивает покупки. С ним мне даже не нужно носить с собой деньги. По-моему, в последний раз я пользовался кошельком лет десять назад, после успеха в фильме «Голая в твоих объятиях».

— А-а... «Голая в твоих объятиях»?

— Да...

— Ммм...

Что еще сказать? Тягостное молчание. К счастью, приносят заказ и мы начинаем есть. Вторую тему для разговора мы находим лишь за десертом. Мы говорим о косметических средствах, вызывающих аллергию, и о тех, которые хорошо переносятся всеми типами кожи. Наконец расслабившись, он пересказывает мне все слухи из мира кино, кто с кем спит и какие у знаменитостей извращения. Это действительно увлекательно. Такой разговор с первым встречным не заведешь.

— Вы очень красивая, — говорит он с профессиональной интонацией.

Ну, он еще не видел всех моих прелестей. Я знаю детали наизусть: уши с короткими мочками, ресницы вразлет, большой палец ноги немножко под углом, чуть косые колени...

После ресторана он ведет меня в роскошный отель, где его хорошо знают, и мы собираемся заняться любовью. Прежде всего он аккуратно складывает одежду на стуле, затем заказывает шампанское и регулирует освещение так, чтобы создать интимную атмосферу.

— Ну что, малышка, боишься? — спрашивает он.

— Немного, — выдавливаю я.

— Помнишь, что я делал с Глорией Райан в «Любви и холодной воде»? Ну, эту штуку с подушкой? Хочешь, сделаем так же?

— Мне жаль, но я не видела этот фильм. А что именно вы делаете с подушкой?

Он сглатывает, а потом задает вопрос, который его, кажется, волновал с начала встречи.

— А какие из моих фильмов ты видела?

Я называю больше десятка.

— Ты не видела «Слезы горизонта»? А «Не стоит слишком напрягаться»? А «Это так, вот и все»? Это три моих лучших. Даже критики в этом единодушны.

— А-а-а...

— По-моему, они есть на DVD. Ну а из тех, что ты видела, какой тебе больше всего понравился?

— «Голая в твоих объятиях», — говорю я, потупив глаза.

Я тоже могу быть актрисой.

Он пользуется моментом и начинает меня раздевать. Я предусмотрительно надела кружевное шелковое белье «Испепеление». Это мой собственный маленький фильм. На него это производит эффект. Он тут же сжимает мою грудь, целует в шею, долго ласкает бедра. Я останавливаю его, пока он не дотронулся до моих коленей. Потом сама ласкаю его. У него на теле несколько татуировок. Это репродукции афиш трех любимых фильмов, которые он назвал. Тонкий способ саморекламы.

Потом наши тела ложатся друг на друга. Он не доводит меня до оргазма. Он слишком внимателен к собственному удовольствию, чтобы заниматься моим.

Через несколько дней я замечаю, что Ричард не такой уж идеальный мужчина, как говорила медиум Людивин. Но я понимаю, что наши встречи открывают мне путь в шоу-бизнес. Поэтому я решаю стать мадам Канингэм. Другое преимущество в том, что все мои соперницы позеленеют от зависти. Одно это стоит усилий.

Я опасалась потерять благосклонность публики из-за этого брака, но моя популярность лишь увеличилась. Через три дня после свадьбы меня приглашают выступить в вечерней передаче легендарного Криса Петтерса. Какое всеобщее признание! Крис Петтерс, этот идол всех домохозяек моложе пятидесяти лет, самый знаменитый журналист с момента создания его круглосуточного информационного канала, транслирующегося на всю планету. Это он говорит миру, что нужно думать обо всем происходящем на пяти континентах. Это ему самые жестокие тираны передают заложников, которые провели месяцы в подвалах, прикованные к радиаторам. Ведь даже тираны смотрят передачу Криса Петтерса.

Я появляюсь в студии с небольшим опозданием, в соответствии со своим новым статусом звезды, и журналист встречает меня своей знаменитейшей улыбкой. Он заявляет, что для него огромная честь принимать такую звезду, как я. Говорит, что следил за моей карьерой с самого начала и что всегда знал, как далеко я пойду.

Сидя в кресле рядом с ним, я комментирую различные события: война в Чечне (я заявляю, что решительно против всех войн), болезни, передаваемые половым путем (я за сексуальность, но не ценой жизни), загрязнение окружающей среды (это возмутительно, все эти промышленники, загрязняющие окружающую среду), землетрясения (это ужасно, все эти люди, которые умирают из-за того, что строительные подрядчики построили недостаточно прочные дома, их нужно бы посадить в тюрьму), любовь (нет ничего прекраснее), Ричард (это лучший из мужчин, мы очень счастливы и хотим иметь много детей).

После передачи Крис Петтерс просит мой домашний адрес, чтобы отправить ее запись на кассете. В тот же вечер, когда я, уставшая, собираюсь как следует выспаться, раздается стук в дверь. Поскольку я живу по-прежнему одна (женитьба с Ричардом больше реклама, чем реальность), я смотрю в глазок. Это Крис Петтерс. Я открываю дверь.

Теперь он не улыбается. Он вталкивает меня внутрь, срывает одежду и тащит в комнату, где грубо бросает на кровать. Охваченная ужасом, я вижу, как он вынимает из пиджака длинный черный шнурок.

Он выворачивает мне руку, уверенным жестом прижимает коленом спину. Затем обвивает шнурком шею и стягивает его. Я задыхаюсь. Свободной рукой я пытаюсь схватить его за что-нибудь. Но он прижимает меня коленом, оставаясь вне досягаемости. Вдруг я чувствую кончиками пальцев что-то волокнистое. Я дергаю изо всех сил.

И... и его волосы остаются у меня в руке. Это парик! Происшедшее совершенно сбивает Криса Петтерса с толку. Поколебавшись, он отпускает меня и убегает. Хлопает дверь.

Я в изумлении разглядываю парик.

Через час я бегу в полицейский участок подать заявление вместе с Ричардом, которого срочно вызвала к себе. Еще в панике, я путаюсь в объяснениях, но говорю достаточно для того, чтобы инспектор принял нас в специальном непрослушиваемом кабинете. Там он терпеливо объясняет, что Петтерс прославился своими «шалостями» и что на него уже жаловались многие девушки. Вполне возможно, признает инспектор, что он и есть маньяк, душащий шнурком. Но... проблема в том, что его рейтинг бьет все рекорды. Он любимец публики. Он нравится мужчинам и женщинам, богатым и бедным, причем по всему миру. Он... как бы это сказать?.. «Лицо Америки». Поэтому Криса Петтерса охраняет его телеканал, охраняет правительство, охраняет все то, что нации дорого. С ним ничего нельзя сделать.

Я машу париком как трофеем и доказательством. Инспектор не сомневается, что парик принадлежит Петтерсу, но продолжает настаивать на собственной беспомощности.

— Если бы на вас напал президент США, мы смогли бы чем-нибудь помочь. Президент тоже несет ответственность перед законом. Но Крис Петтерс абсолютно неприкасаем.

— Но мы не неважно кто. Она Венера Шеридан, а я ее муж, вы ведь меня узнаете!

— Да, вы Ричард Канингэм. Ну и что! Вы выпускаете один фильм в полгода, а он каждый вечер на экране, и его смотрят два миллиарда человек во всем мире! Это международный монумент!

Я больше ничего не понимаю. Все мои ценности рушатся. Значит, в наши дни есть люди, неподвластные закону. Полицейский терпеливо объясняет:

— Раньше власть принадлежала самым сильным, тем, кто мог лучше других обращаться с дубиной или мечом. Они и были выше закона. Потом власть перешла к «хорошо родившимся», к знати. Они имели пожизненную власть над своими рабами или подданными. Затем ею стали обладать богачи и политики. Правосудие не осмеливалось предпринять против них ничего, что бы они ни сделали. Теперь власть принадлежит телеведущим. Они могут убивать, красть, обманывать, никто не осмелится сказать ни слова. Потому что публика их любит. Крис Петтерс чаще всего выступает по телевидению. Никто не осмелится напасть на него. В особенности я. Моя жена его обожает.

— Если больше нельзя рассчитывать на полицию, мы обратимся к журналистам, чтобы придать гласности этот скандал. Немыслимо оставлять этого опасного психа на свободе! — взрывается Ричард.

— Делайте что хотите, — спокойно говорит инспектор. — Но я вам заранее гарантирую, что если вы обратитесь к правосудию, то проиграете. Потому что он сможет нанять лучшего, чем у вас, адвоката. А сегодня важно не быть правым, а иметь хорошего адвоката.

Инспектор-философ смотрит на нас с жалостью.

— Чтобы атаковать такой бастион, вам нужно гораздо, гораздо больше славы, — честно признается он. — И потом в конце концов... вы так уж хотите рисковать карьерами из-за этого небольшого инцидента? Знаете, что бы я сделал на вашем месте? Я бы постарался как-нибудь передать Петтерсу, что вы на него не в обиде. Может, он тогда согласится еще раз пригласить вас в свою программу...

Тем не менее мы рассказываем о происшедшем нескольким тщательно отобранным журналистам, известным своей храбростью и талантом к расследованиям. Однако никто не соглашается ввязаться в эту историю. Все только и мечтают о том, чтобы работать на телевидении с Крисом Петтерсом. Некоторые говорят о «профессиональной солидарности». Другие ссылаются на то, что эта ситуация «смешная». Жаловаться на изнасилование, которого не было...

— Но он возьмется за других девушек! Этот тип больной! Его место в тюрьме.

— Да, все это знают, но сейчас неподходящий момент, чтобы об этом говорить.

Я потрясена. Я понимаю, что никогда не буду в безопасности. Моя красота, мое богатство, Ричард, когорта обожателей, ничто не защитит от таких неприкасаемых хищников, как Крис Петтерс.

Я больше не смотрю круглосуточный американский канал новостей и его вечерний выпуск. Ничтожная месть.

Но память приходят слова полицейского. «Чтобы атаковать такой бастион, вам нужно гораздо, гораздо больше славы». Прекрасно, это и будет моей следующей целью.

149. ИГОРЬ. 22 С ПОЛОВИНОЙ ГОДА

Я должен был расстаться со Станисласом. Он стал пироманом. Когда кто-то ему не нравился, он сперва поджигал его почтовый ящик, а потом машину. Этого ему стало недостаточно. Он бросил бутылку с зажигательной смесью в представительство Чечни в Москве.

Психиатр посоветовал ему не прикасаться к спичкам, зажигалкам и ко всему, что связано с огнем. Но он недавно купил огнемет у какого-то типа на черном рынке, и я опасаюсь худшего. Бедный Станислас... Еще одна жертва мира.

Покер стал моей основной профессией. Казино — мой рабочий кабинет, ресторан казино — моя столовая. Правда, у меня нет ни пенсионного, ни социального обеспечения, а рабочее время сдвинуто. На этот раз за стол со мной садится бородатый тип с длинными волосами, довольно плохо одетый. К моему удивлению, он тоже не смотрит в карты, перед тем как сделать ставку. Неужели я стал родоначальником моды? И теперь мне придется столкнуться с другими противниками, играющими так же, как я? Он, однако, пасует, до того как ставка становится слишком высокой.

— Было очень приятно играть с вами, — говорит он. И затем подмигивает мне.

Его голос мне ужасно знаком. Я его знаю. Как будто это член моей семьи...

— Василий!

Из-за бороды я не узнал его с первого взгляда. Он все такой же спокойный и безмятежный. Мы уступаем места за столом другим игрокам и направляемся в ресторан. Там мы усаживаемся друг напротив друга и, продолжая выпивать и закусывать, разговариваем.

Василий стал инженером по информатике. Он занимается разработкой искусственного интеллекта, который мог бы положить начало самосознанию компьютера. Он долго искал способ заставить программу саму сделать как можно больше. И нашел. Мотивом является страх смерти.

— Компьютер сознает, что, если он не выполнит задачу, поставленную программистом, он пойдет на свалку. Этот страх заставляет его превосходить самого себя.

Страх смерти... Значит, можно передать нашу тоску машинам... и они тогда станут нашими созданиями... Василий приглашает меня к себе, чтобы сыграть в покер с его программой, стимулируемой страхом смерти. Насколько жестки компьютерные программы для игры в шахматы, настолько гибка его программа для покера. Она может даже блефовать. Моим противником является программа под названием «Утонченность». Ее сложно обыграть. Во-первых, ей наплевать, смотрю я в карты или нет. К тому же она постоянно самосовершенствуется, учитывая предыдущие партии, которые она помнит и постоянно сравнивает, пытаясь разгадать мою стратегию.

В конце концов я выигрываю, начав вести себя совершенно неразумно.

— Это лимит твоей системы, Василий. Твой компьютер всегда логичен, в то время как я могу вести себя абсолютно иррационально.

Василий соглашается, но он намерен исправить этот недостаток, увеличив еще больше страх смерти.

— Когда машина будет действительно в ужасе от того, что проиграет и умрет, она сама придумает такой способ выиграть, о котором ни один человек еще не думал. Она будет способна обыграть иррациональных и даже сумасшедших игроков.

Василий интересуется, что произошло после «инцидента в детдоме». Я рассказываю о своих боевых подвигах, о встрече с Ваней и отцом.

— Теперь, — говорю я, — осталось только найти мать, чтобы окончательно обрезать пуповину. Тогда я стану свободен.

— Дорогой, я приготовила вам перекусить, — раздается из кухни женский голос.

— Сейчас идем.

Василий преуспел в жизни. У него есть жена, дети, стабильная и интересная работа. Маленький сирота из Санкт-Петербурга хорошо поднялся. Я понимаю, что мне тоже не хватает любящей жены. Я устал от девочек по вызову и танцовщиц из казино.

Я отправляюсь в провинциальный город посмотреть открывшееся там казино и удивить новых клиентов. Я выигрываю приличную сумму и, выйдя на улицу, замечаю слежку. В моей профессии такое случается. Попадаются плохие игроки, которые хотят получить обратно проигранное. Сжав кулаки, я готовлюсь к прыжку. Но это бесполезно, поскольку в спину мне упирается острие ножа. Я оборачиваюсь. Это хозяин казино, окруженный шестью охранниками.

— Я за тобой долго наблюдал через внутренние видеокамеры. Не мог поверить, что это ты. Россия так велика, а ты выбрал мое новенькое казино, чтобы щипать моих клиентов. Я ведь тебя сразу узнал. Есть лица, которые не забываются.

Что до меня, то я его совершенно не узнаю. Но я не могу драться один против семи. Поэтому я спокойно жду продолжения.

— У меня есть одна теория, — говорит хозяин. — Есть люди, благодаря которым ты, как бы это сказать, «встречаешься с судьбой». Даже если один раз пропустишь эту встречу, она повторится. А если она неудачна, то будет повторяться снова и снова. До тех пор, пока не наступит расплата. Некоторые называют это «совпадениями» или дежа вю. А я уже видел тот момент, когда тебя встречу. Я его видел много раз, и это не было кошмаром. Нет-нет!

Поводя лезвием ножа по моему животу, он продолжает:

— Буддисты считают, что эти встречи происходят в разных жизнях. Враги в этой жизни, враги в следующей. Согласно многим религиям, есть целые семьи душ, которые вечно встречаются для сведения счетов. Причем с неизвестным исходом. Возможно, в предыдущей жизни ты был моей женой, и мы постоянно ругались. А раньше, возможно, ты был моим отцом и колотил меня. А еще раньше ты, может быть, был главой государства, против которого я воевал. Я так долго тебя не люблю...

Свет фонаря освещает его лицо. Черты его мне по-прежнему незнакомы.

Он, должно быть, читает мои мысли.

— Ты наверняка встретил своих друзей. Так что нормально, что теперь ты встречаешь своих врагов.

Я впиваюсь взглядом в его лицо. В памяти по-прежнему пусто. Он начинает протыкать мне кожу. Вытекает немного крови.

Петр.

В России двести миллионов человек, а я вдруг встречаю отца, Ваню, Василия и Петра! Действительно, слишком много совпадений. Только мать я еще не видел. Думаю, и она скоро появится.

Может, он прав? И есть семьи душ, которые встречаются снова и снова? Или почему тогда на моем пути встречаются все те же люди?

Самым спокойным голосом я говорю:

— Хватит болтать. Чего ты хочешь, Петр, дуэль, как в старое доброе время?

— Нет. Я просто хочу, чтобы мои друзья тебя подержали, а я тебя пришью. Это и есть естественный отбор по Дарвину. Сейчас я лучше приспособлен к природе, чем ты. Потому что ты один, а со мной крепкие друзья. Помнишь это?

Он задирает рубашку и обнажает шрам над пупком.

— В тот день, когда ты мне это сделал, в мире нарушилась гармония. Я должен навести в нем порядок.

Он слегка размахивается и втыкает нож мне в живот. Это очень больно. У меня внутри все горит. Я сгибаюсь пополам. Кровь хлещет на колени.

— Вот кто восстанавливает справедливость, — говорит Петр. — В мире снова гармония. Пошли, ребята.

Я падаю на ступени. Кровь растекается вокруг меня. Я пытаюсь сжаться, чтобы удержать в себе эту теплую жидкость, которая так нужна, чтобы выжить.

Мне холодно.

Очень холодно. Пальцы деревенеют. Я больше не чувствую их кончиков. Потом цепенеют руки. Потом ноги. Мне кажется, я сжимаюсь. Умирать, в конце концов, очень мучительно. Никому не советую. Болит везде. И все цепенеет. Мне так холодно. Я мелко дрожу.

Целые части тела отнимаются. Я не могу приказать своей руке двигаться. Когда я приказываю ей пошевелиться, она остается на том же месте, по-прежнему прижатой к животу. Я смотрю на нее. Она как вещь, которая мне больше не принадлежит. Что будет дальше? Мне кажется, что приятный свет увлекает меня наверх.

Мне страшно.

Я теряю сознание.

Я умираю.

150. РАЗРЕШИМО ЛИ ЧЕЛОВЕЧЕСТВО?

Игорь умирает! Это слишком рано. Скорее, нужно его спасать.

Я концентрируюсь на кошке, чтобы она вышла на балкон и мяукала. Потом я заставляю ее хозяйку проснуться, отправив ей во сне кошмары. Она просыпается, слышит мяуканье и идет за кошкой на балкон. Я отправляю ей интуитивное желание посмотреть вниз и налево. Она видит раненного Игоря. Ее первое желание закрыть окно и промолчать. Я направляю ей мрачные приметы: переворачивающийся крест, хлопающие двери, шум в ушах. Она в конце концов понимает, что это связано с телом внизу. Пораженная суеверными страхами, она наконец вызывает «скорую помощь».

На станции «скорой помощи» все тоже спят. Я опять бужу их кошмарами.

Наконец, машина едет в ночь. На дороге затор, а сирена не работает. Мне приходится один за другим браться за автомобилистов, чтобы внушить им интуитивное желание посмотреть в зеркало заднего вида и пропустить машину с врачами.

Наконец, медики находят Игоря. Я сопровождаю его до больницы и делаю так, чтобы им занялась лучшая бригада.

Первый готов.

Я рассматриваю сферы. Венера тоже в неважном положении. И как они только умудряются попадать в такие передряги? Я вижу, что ее пожирает жажда мести. Я быстро влияю на Людивин и приказываю ей пойти к Билли Уотсу. Вместе они идут к Венере. Там приходится все делать вручную. Людивин объясняет, что если Крис Петтерс не будет наказан людьми, то справедливость свершится на небесах. Это не убеждает мою клиентку. Она заявляет, что раз мы живем в циничном мире, где убийцы остаются безнаказанными, то почему она должна утруждаться, чтобы вести себя хорошо. Она тоже, в конце концов, находит больше удовольствия в извращенности, чем в правильности.

Да, тяжелый случай.

Мне необходимо вывести ее из процесса мести, к которому стремится ее душа. Месть — это работа в полную силу, и ей не остается времени на то, чтобы причинять вред другим.

Тяжелые переговоры. Наконец я добиваюсь ее согласия: она готова отказаться от ненависти, но в обмен она требует славы, чтобы больше не бояться таких столпов, как Петтерс. Если бы я знал, что мне придется торговаться из-за чудес с собственными клиентами! Я отвечаю лишь, что сделаю все, что смогу.

Теперь Жак. Он наконец получил, что хотел, — его опубликовали. И вот теперь он устраивает мне нервный кризис. Чего он хочет? Любви? Боже мой, это просто невероятно! После эпизода с Гвендолин его потребность в нежности удесятерилась. Что бы мне ему нарыть в качестве подружки?.. Поскольку я нахожусь в бирюзовом лесу, окружающем озеро, я спрашиваю соседа, нет ли у него в запасе незамужней клиентки, способной помочь.

Мне приходится опросить с десяток ангелов, прежде чем я нахожу смертную, способную выносить особенности характера моего клиента. Я отправляю ему ее образ во сне. Должно получиться.

Я наблюдаю за ангелами вокруг. Рауль, Мэрилин и Фредди готовятся к большому путешествию в другую галактику. Я им сказал, что и в этот раз не присоединюсь, и поэтому не участвую в отработках полетов.

Рауль зовет меня подойти поближе. Я делаю вид, что не заметил этого, и направляюсь к матери Терезе. Кажется, она нашла себя. Осознавая прошлые ошибки, она теперь выслуживается как может перед ангелами-инструкторами. Приносит им свои сферы, как провинившийся ученик. Теперь она без колебаний советует клиентам увольнять слуг-клептоманов или вкладывать деньги в отрасли, где используется детский труд. Она говорит всем, кому охота ее слушать: «По крайней мере, так у них есть работа». Я спрашиваю себя, не перешла ли она из одной крайности в другую. Надо видеть ее клиентов. Они все материалисты, сексуальные маньяки и салонные кокаиноманы.

Я порхаю над Раем. Пролетаю восточные долины и оказываюсь в скалистой местности на северо-востоке. Я нахожу вход, который нам показал Эдмонд Уэллс. Как найти дорогу в этом лабиринте? Я поворачиваю ладони вверх, и яйца появляются. Теперь мне достаточно заметить, откуда они появились, а потом отпустить, чтобы посмотреть, куда они отправятся. Так, мало-помалу, следуя за ними, я наконец попадаю в огромный зал, где находятся четыре сферы судьбы.

Вид четырех шаров, в которых колышется вся суть человечества, меня по-прежнему впечатляет.

Я прижимаюсь к стенке сферы человечества и размышляю. Возможно, Жак прав. К чему все это?

Я вижу своих клиентов, потерянных среди шести миллиардов других смертных. Если бы они знали, что их ангел-хранитель временно их покинул, чтобы удовлетворить собственные амбиции исследователя, что бы они сказали? Я также вижу их мучителей. Почему они всем мешают? Просто не могут жить сами по себе, оставив других в покое?..

Эдмонд Уэллс уже здесь, сочувственно обняв меня за плечи.

— Значит, не понимаешь? — спрашивает он.

— Петтерс. Дюпюи. Петр. Нет, не понимаю, почему некоторые люди так утруждают себя, лишь бы быть злыми...

— Они не злые. Они не знают, поэтому им страшно. Злые — это пугливые, которые бьют из страха, что их ударят. Страх объясняет все. Впрочем, я тебя только что слышал, ты это хорошо объяснил Венере: «У Петтерса небольшой член, он боится, что женщины его осудят, поэтому... он их убивает».

— Но Петтерсу, Петру и Дюпюи доставляет удовольствие причинять страдания им подобным!

Эдмонд Уэллс тихонько парит рядом с гигантскими шарами.

— Это тоже их роль. Они являются показателями трусости других. Петтерса должны бы были давно выгнать с телевидения, но, поскольку его рейтинг постоянно растет, он защищен и его любой ценой удерживают на месте. Дюпюи должны были бы давно лишить практики, но, поскольку у него важный покровитель, его боятся. Они предпочитают его оставить, то есть защитить. Петр пользуется всеми язвами русского общества. Это маленький деспот в мире, где каждый устанавливает свой закон. Там зло существует благодаря отсутствию системы. Все это абсолютно нормально по сравнению со средним уровнем развития человечества. Все они на уровне 333, не забывай.

Я разочарован. Учитель успокаивает меня.

— Не будь нетерпеливым. Не суди. К тому же... твои клиенты тоже не подарок. Игорь убивал. Венера молилась, чтобы ее соперница была изуродована. Что касается Жака, то это подросток с запоздавшим развитием, который прячется в вымышленных мирах из страха столкнуться с реальностью.

Эдмонд Уэллс сурово мерит меня взглядом.

— Ты не знаешь всего. Раньше Крис Петтерс был золотоискателем и охотником за индейцами. Это он с двумя приспешниками повесил Жака Немро. Видишь, жить — значит просто вечно начинать с начала. К тому же он продолжает выставлять напоказ скальпы, которые ему не принадлежат, и... душить.

Я хмурю брови.

— На планете живет шесть миллиардов человек. Благодаря какому невероятному совпадению обидчик Венеры раньше убил Жака?

— Это не просто совпадение, — говорит инструктор. — Души с течением времени собираются семьями. Космические встречи продолжаются до тех пор, пока их суть не будет исчерпана. Петр это понял чисто интуитивно.

Эдмонд Уэллс указывает вдалеке через стенку шара несколько яиц, плавающих недалеко от моих.

— Мартин, первая подружка Жака, раньше была его матерью.

— Она именно поэтому установила такой барьер между ними?

Уэллс кивает и продолжает.

— Ричард Канингэм раньше был сестрой Венеры. Билли Уотс был ее собакой, в то время они были на разных уровнях развития. Станислас в прошлой жизни был сыном Игоря. Еще раньше он сжигал на кострах колдуний. В Древнем Риме он был под командованием Нерона. Он видел, как горела Александрийская библиотека. А еще раньше он был одним из тех, кто обнаружил, что с помощью кремния можно добыть огонь. До того, как убить Немро, Крис Петтерс был конкистадором и убил много инков.

Души поблескивают в сферах, как маленькие звездочки. Таким образом, все имеет свою причину, у всего есть корни в бесконечном времени и собственная невидимая логика. Странное поведение, фобии, навязчивые идеи непонятны, если не принимать во внимание предыдущие жизни. Фрейд надеялся объяснить поведение взрослого, отталкиваясь от младенца, в то время как, чтобы по-настоящему его понять, нужно исходить из его первой человеческой инкарнации, а может быть, даже из животной и растительной. Возможно, некоторым нравится мясо, потому что они были хищниками в саванне. А другие любят загорать на солнце, потому что раньше были подсолнухами. У каждой души своя длинная история.

— Тогда Рауль, Фредди, танатонавты...

— Ты уже знал их в другой форме. Рауль раньше был твоим отцом. Вы уже давно идете бок о бок. Ну а раввин Фредди Мейер уже несколько раз был твоей матерью в предыдущих жизнях...

Через стенку я разглядываю переливающееся передо мной человечество.

— Никогда не забывай, важна не доброта, а эволюция сознания. Наш враг — не зло. Наш враг — невежество.

3. ТО, ЧТО СВЕРХУ

151. ИГОРЬ. 22 С ПОЛОВИНОЙ ГОДА

Я умираю. Я выхожу из собственного тела. Свет влечет меня вдаль. Я быстро лечу к нему. Вдруг я останавливаюсь на месте, не в силах двинутся дальше. Серебристая нить выходит из моего живота, и кто-то тянет за нее, заставляя меня спуститься. Я возвращаюсь на Землю.

— Есть. Пульс есть!

Они радостно кричат, как будто я только что родился. Он все-таки был очень приятным, этот свет вдалеке.

Меня укладывают на кровать, закрывают, подтыкают одеяло, и я засыпаю. Я больше не мертвый. Когда я просыпаюсь, то вижу склонившуюся надо мной блондинку с большими зелеными глазами и впечатляющим декольте.

Это ангел. Я в Раю. Я пытаюсь потянуться к ней, но трубки от капельниц тут же лишают меня всяких иллюзий. И еще эта режущая боль в животе.

Чудесная девушка говорит мне, что я был неделю в коме и врачи думали, что я не выкарабкаюсь. Но природная сила помогла мне выжить. Она рассказывает, что на улице на меня напали хулиганы и что я потерял много крови. К счастью, у меня распространенная группа крови и у них было в запасе достаточно кровяной плазмы.

Прикрепленная к белому халату карточка говорит, что ангела зовут Татьяна. Татьяна Менделеева. Она мой лечащий врач. Она восхищена моей живучестью. Я опровергаю законы медицины, говорит она. Однако у нее есть очень плохая новость. Она опускает глаза.

— Держитесь. У вас... рак.

Так вот она, «плохая новость»? Уф! После того, как я был вблизи великого света смерти там, в небесах, после того, как встретился с матерью, после пуль, гранат и ракет в Чечне, после удара ножом Петра, рак кажется мне совсем не опасным.

Докторша мягко берет меня за руку.

— Но у вас не просто рак. Это неизвестный до этого вид рака. Рак пупка!

Рак пупка или рак мизинца, я не вижу разницы. Я умру от болезни, и точка. Нужно как можно лучше использовать то, что мне осталось в жизни, до того, как отправиться в следующий полет к небесному свету.

— У меня к вам огромная просьба, — продолжает красавица, не выпуская мою руку. — Я бы хотела, чтобы вы были моим пациентом. Пожалуйста, разрешите мне подробнее изучить вашу болезнь.

Татьяна объясняет, что мой случай уникален. Пупок является мертвой, неактивной зоной, реликтом связи с матерью. Нет никакой причины для того, чтобы рак развился именно в этом месте.

Докторша увлекается психоанализом. Она достает блокнот и ручку и начинает задавать вопросы. Я рассказываю ей про свою жизнь: мать, которая хотела меня убить во что бы то ни стало, дуэль на ножах в детдоме как раз в тот день, когда меня должны были усыновить, колония для несовершеннолетних, дурдом, война в Чечне... Завороженная, Татьяна крепче сжимает мою руку. Она говорит, что у меня выработались уникальные способности к выживанию.

Но больше всего ее поражает моя болезнь, этот неожиданный рак пупка, который она с моего согласия уже назвала «менделеевским синдромом». Я стану, как она выражается, «подопытным». Если я правильно понял, «подопытный» — это профессиональный больной. Министерство здравоохранения выделяет деньги на мое жилье, одежду, питание, на уход за мной и на мои личные нужды. В обмен я предоставляю себя в распоряжение медиков, в частности Татьяны. Я буду сопровождать ее в научных конференциях по всему миру и соглашусь на все обследования, которые позволят следить за развитием болезни. За все это, говорит Татьяна, мне полагается постоянная зарплата.

Она называет цифру в четыре раза больше моего пособия. Она смотрит на меня с мольбой в своих больших зеленых глазах.

В каком странном мире мы живем. Когда ты герой войны, тебе плюют в рожу, а когда у тебя рак, тебя обожают.

— Ну что же, вы согласны?

Вместо ответа я целую ей руку.

152. ЭНЦИКЛОПЕДИЯ

Парадоксальное предложение. Когда маленькому Эрикссону было семь лет, он увидел, как отец пытается загнать теленка в хлев. Отец тянул за веревку, но теленок упирался и не хотел идти. Маленький Эрикссон стал хохотать над отцом. Тот сказал: «Попробуй сделать лучше, если ты такой смышленый».

Тогда маленький Эрикссон, вместо того чтобы тянуть за веревку, обошел теленка и дернул за хвост. Теленок тут же зашел в хлев. Повзрослев, через сорок лет этот ребенок придумал «эрикссоновский гипноз», во время которого на пациентов воздействуют мягкими убеждениями и парадоксальными предложениями. То же действие родители могут проверить, когда в комнате у ребенка беспорядок, его просят убраться, а он отказывается. Если увеличить беспорядок, принеся еще больше игрушек и одежды и бросив их как попало, ребенок в конце концов скажет: «Папа, прекрати, нужно убраться».

Тянуть в неверном направлении иногда гораздо эффективнее, чем в правильном, поскольку это приводит к скачку сознательности.

Если взглянуть на историю, «парадоксальное предложение» сознательно или несознательно, но постоянно используется.

Потребовались две мировые войны и миллионы жертв, чтобы придумать Лигу наций, а потом ООН. Потребовались свирепства тиранов, чтобы изобрести права человека. Потребовался Чернобыль, чтобы осознать опасности плохо обслуживаемых АЭС.

Эдмонд Уэллс.
«Энциклопедия относительного
и абсолютного знания», том 4

153. ЖАК. 22 С ПОЛОВИНОЙ ГОДА

Великий день наступил. Роман «Крысы» вышел из типографии. Завтра люди смогут найти его в книжных магазинах. Значит, все завершено. Я держу его в руках. Я его ласкаю. Я его обнюхиваю. Так вот за что я так долго боролся. Какой шок! Вот он. Как ребенок, которого вынашивали долгие годы.

«Крысы».

Первая эйфория прошла, и меня охватывает чудовищная тоска. Когда эта книга была во мне, она меня наполняла. Теперь я опустошен. Я осуществил то, ради чего появился на свет. Все кончено. Уйти в кульминационный момент успеха, не дожидаясь неизбежного спуска, вот самое лучшее.

Жизнь больше не имеет смысла. Мне остается только умереть. Нужно убить себя сейчас, тогда жизнь останется чистым счастьем. Значит, самоубийство. Но каким образом? Как всегда, практическая сторона для меня сложнее всего.

Где достать револьвер, чтобы пустить пулю в голову? Я не хочу прыгать в реку, чтобы утопиться. Вода такая холодная. Я не решаюсь спрыгнуть с крыши, у меня боязнь высоты. Принять таблетки? Но какие? К тому же я уверен, что с моим невезением я их все вытошню. Остается метро, но у меня не хватает храбрости броситься на рельсы.

В довершение ко всему я где-то прочел, что четыре самоубийства из пяти неудачные. Те, кто стреляет себе в рот, просто вырывают верхнюю челюсть и остаются изуродованными. Спрыгнувшие с шестого этажа ломают позвоночник и на всю жизнь прикованы к инвалидному креслу. Наевшиеся таблеток убивают пищеварительную систему и медленно умирают с ужасными болями в желудке.

Я решаю повеситься. Это меня больше всего пугает и в то же время неосознанно притягивает. Я знаю, что создан именно для такой смерти.

Я отдаю кошку (совершенно спокойную) на некоторое время соседке. Закрываю дверь на ключ. Задергиваю занавески. Закрываюсь в туалете и привязываю галстук к светильнику.

Именно в туалете мне всю жизнь было хорошо. Мне кажется нормальным, что здесь я и умру. Я забираюсь на табурет, считаю до трех и опрокидываю его. Вот я и вешу над полом.

Узел сжимается. Я задыхаюсь. Конечно, сейчас не до нежностей, но должен констатировать, что вот так висеть и ждать смерти совсем неудобно.

Паук, долгое время прятавшийся в правом верхнем углу туалета, перебирается на меня. Он рад, что появился новый выступ для паутины, состоящий из моего висячего тела. Паук начинает плести паутину между моим ухом и концом облицовочной доски. Когда он движется рядом с мочкой, мне щекотно.

Это дольше, чем я думал. Надо было резко спрыгнуть, чтобы сразу сломать себе шейный позвонок.

Воздух кончается. В голове шумит. Я тщетно пытаюсь кашлять, чтобы ослабить давление в горле. Его сжало очень сильно. Я вспоминаю свою жизнь. Книга, крысы, кошки, Гвендолин, Мартин, мадемуазель Ван Лизбет, издатель Шарбонье... Все-таки это был скорее хороший фильм.

А все ли его эпизоды я действительно узнал? Черт, может, на этой планете я могу еще любить других женщин, написать другие книги и ласкать других кошек? Паук подтверждает это, забравшись мне в ухо. От этого очень неприятно шумит в голове.

Наверняка это все моя врожденная нерешительность, но я больше не хочу умирать. Я начинаю дергаться, пытаясь развязать узел. Я взялся за это слишком поздно, однако мне везет. Я плохо закрепил светильник, и один винт вываливается. Я падаю на пол. За мной следует светильник, который падает мне на голову. Вздувается шишка.

Ай!

Ну вот, я все еще живой. Этот опыт делает мне окончательную прививку против самоубийства. Во-первых, это очень больно. Во-вторых, я говорю себе, что самоубийство — худшая из неблагодарностей. Покончить с собой — значит признать себя неспособным принять подарок жизни.

К тому же я чувствую ответственность по отношению к своей книге. Она опубликована, нужно ее защищать, устраивать презентации, объяснять ее.

В ходе первого интервью журналист принимает меня за специалиста по крысам, написавшего научно-популярное произведение. Меня изредка приглашают на радио- и телепередачи, где собеседники редко прочитали больше четырех страниц. Меня просят кратко пересказать содержание. Упрекают за рисунок на обложке. Как будто это я его выбирал... Немногие статьи, действительно рассказывающие о моей книге, появляются в рубриках «животные» или «наука». Один журналист без колебаний пишет, что я — пожилой американский ученый.

Ни один рецензент не понимает моего намерения: я говорю о людях через поведение животных в обществе. Я в отчаянии. В тех редких случаях, когда мне дают слово, вопросы не позволяют объясниться. Меня спрашивают: «Какова средняя продолжительность жизни крыс?», «Сколько детенышей в одном помете?» Или вот: «Как от них эффективно избавиться?»

Я бы так хотел поговорить хотя бы раз с философами, социологами, политиками. Обсудить решетки заранее определенных ролей, трудности выхода из отношений эксплуататор-эксплуатируемый-автономкозел отпущения. Но единственным собеседником, которого мне предлагают на одной радиостанции, является специалист по крысиным ядам, который любезно перечисляет все находящиеся в распоряжении людей химические продукты для устранения крыс. Дебаты начать трудно. Остается надеяться на чудо, что о книге пойдет слух. Я ничего больше не могу для нее сделать. Моя задача выполнена. Нужно выкинуть все из головы. Как? Телевизор! Новости.

Крис Петтерс выглядит иначе. Волосы стали другого цвета. Наверняка перекрасился. Он сообщает, что в Арканзасе несколько учеников расстреляли из автоматов своих сверстников в школьном дворе. Тридцать один убит, пятьдесят четыре ранены. Для этого феномена существует специальное слово: «Амок». Перед смертью человек хочет убить как можно больше себе подобных.

бернард [вербёр]

Новости всегда производят на меня один и тот же успокаивающий эффект. Чужие несчастья заставляют меня забывать собственные и в то же время дают идеи для новых историй. Крис Петтерс продолжает свой перечень больших и маленьких ежедневных ужасов.

Скандал в банках спермы: большое количество женщин выбрали одного и того же донора, Ханса Густавсона, блондина с голубыми глазами, спортивного телосложения. Мужчина теперь является отцом по меньшей мере полумиллиона детей. Ханс заявляет, что был не в курсе популярности своей спермы и что он сдал ее, только чтобы оплатить учебу. Отныне он будет хранить ее для себя.

Слабое землетрясение в Лос-Анджелесе. Сейсмологи считают, что оно могло быть вызвано подземными ядерными испытаниями.

Медицина: в России обнаружена неизвестная болезнь, рак пупка.

Биржа: понижение курса Доу Джонса.

Я чувствую себя лучше. Все эти люди, дерущиеся за территории или за власть, напоминают крыс из моего романа. Я бросаю взгляд на стол, где лежит моя книга. «Крысы». Она кажется мне живой, волшебной. Пускай теперь живет сама по себе, без меня.

154. ВЕНЕРА. 22 С ПОЛОВИНОЙ ГОДА

После нападения Криса Петтерса я попросила Ричарда почаще оставаться дома. Я вдруг обнаружила, что значит жить вместе с мужчиной. Все маленькие изъяны, которые Ричард раньше скрывал, вдруг обнаружились.

Я знала, что мужчины все эгоисты, а актеры в особенности, но я не подозревала, что в этом они даже превосходят манекенщиц.

302

Ричард употребляет наркотики. С самого утра ему нужна дорожка кокаина вместе с кофе и круасанами. Без этого он не может. Во время съемок ему нужно все больше и больше. Он говорит, что это помогает ему играть. Во всяком случае, наркотики сильно подрывают наш бюджет.

Когда он говорит о кино, я начинаю мечтать. Съемочные площадки кажутся мне гораздо более привлекательными, чем фотостудии. Он рассказывает немыслимые истории про режиссеров, которые дерутся с операторами из-за того, что они не могут договориться, где установить камеру.

Публика считает, что актеры умнее нас, топ-моделей, потому что они произносят страстные фразы, написанные авторами диалогов, в то время как я отдаю себе отчет, что в интервью мои мнения обо всем довольно поверхностны. Мне жаль, что я серьезно нигде не училась, образование придает уму широту. Когда мне задают вопросы, я хотела бы, чтобы где-нибудь в уголке сидел лысый очкастый сценарист и говорил, что отвечать.

Надо признаться, в личной жизни Ричард гораздо менее разговорчив, чем в кино. Для него собор Парижской Богоматери всего лишь произведение студии Уолта Диснея, а Париж — городок в Техасе.

Ричард не знает, где находится Португалия или Дания, и ему плевать на них. Он покинул родной Кентукки лишь для того, чтобы демонстрировать свои мускулы в Голливуде, и, чудо кино, эта деревенщина стал любимчиком девчонок всего мира.

Разговоры у нас примерно такие: «Все в порядке, дорогой?» Или: «Все хорошо, моя любовь?» Или еще: «Хорошая погода, а?»

Ричард постоянно занят своей способностью к обольщению.

Однажды, когда мы занимались любовью, он схватил зеркало с ночного столика, потому что хотел по-

303

смотреть, какое у него выражение лица во время оргазма. Готовясь к довольно откровенной сцене из нового фильма, он репетировал, под каким углом будет лучше смотреться его подбородок.

Я не особенно люблю Ричарда, но рассчитываю на него, как на трамплин, который поможет мне попасть в мир кино. Я знаю, что время уходит. Поэтому вчера я закатила ему сцену, чтобы он вставил меня в свой будущий фильм. Он начал уверять, что актер — это такая профессия, в которой нет места импровизации. Я ответила ему длинным перечнем бесталанных актрис, которые преуспели в профессии лишь благодаря внешности. И поскольку этого было недостаточно, чтобы убедить его жестко поговорить с продюсерами, я перебила несколько тарелок, а потом достала его фото вместе с молоденькими мальчиками, которые получила по почте от «желающей мне добра подруги». Наверняка какая-нибудь завистливая актриска...

— С такими снимками я не только добьюсь развода, но и отсужу у тебя все бабки и разрушу твою репутацию великого женского соблазнителя.

Так что Ричард убедил продюсеров дать мне в его новом фильме «Лисы» роль русской спецназовки, воюющей в Чечне. Он будет играть главного героя, старшего сержанта спецподразделения под названием «Лисы», а я — его ловкую помощницу, королеву огнемета. Две роли, дающие простор для импровизации.

К счастью, сценарист предусмотрел для меня массу замечательных диалогов. Я наконец продемонстрирую это прекрасное чувство юмора, которым всегда хотела обладать, но которое ни один хирург не может заложить вам в мозги.

Съемки «Лис» предусмотрены в России для большего реализма, а также для экономии бюджета.

Теперь я немного трушу. Я хочу стать великой звездой, черной Лиз Тейлор.

155. ЭНЦИКЛОПЕДИЯ

Тюринг. Странная судьба была у этого Алана Мэтизона Тюринга, родившегося в Лондоне в 1912 году. В детстве он был одинок, в школе учился неважно. Но он поглощен страстью к математике, которая достигает почти метафизического уровня. В двадцать лет он делает наброски компьютеров, представляя их чаще всего как человеческие существа, каждый орган которых является калькулятором.

Во время Второй мировой войны он разрабатывает автоматический калькулятор, позволивший союзникам читать сообщения, закодированные нацистской машиной «Энигма».

Благодаря его изобретению становятся известны планы предстоящих бомбардировок, что позволяет спасти тысячи человеческих жизней.

Когда Джон фон Нейман создает в США концепцию физического компьютера, Тюринг разрабатывает идею создания «искусственного разума». В 1950 году он публикует эссе, на которое будут потом часто ссылаться: «Могут ли машины думать?». Он мечтает наделить машину человеческим разумом. Он думает, что, наблюдая за людьми, сможет найти ключ к созданию идеальной думающей машины.

Тюринг вводит новое для его эпохи и для информатики понятие «сексуальность мысли». Он придумывает игровые тесты, целью которых является отличить мужское мышление от женского. Тюринг утверждает, что женский разум характеризуется отсутствием стратегии. Его женоненавистничество приводит к тому, что он дружит только с мужчинами, а также объясняет, почему со временем он был забыт.

Для будущего человечества у него есть мечта: партеногенез, то есть воспроизведение без оплодотворения. В 1951 году его судят за гомосексуализм. Он должен выбирать между тюремным заключением и химической кастрацией. Он выбирает второе и подвергается обработке женскими гормонами. Инъекции делают его импотентом, и у него начинает расти грудь.

7 июня 1954 года Тюринг покончил с собой, съев пропитанное цианистым калием яблоко. Эта идея пришла к нему после мультфильма «Белоснежка». Он оставил записку, объясняющую, что, раз общество заставило его превратиться в женщину, он хочет умереть так, как могла бы умереть самая чистая из них.

Эдмонд Уэллс.
«Энциклопедия относительного
и абсолютного знания», том 4

156. К СОСЕДНЕЙ ГАЛАКТИКЕ

Если смысл работы ангела в борьбе с невежеством, то я не вижу, что мне мешает отправиться исследовать другую галактику. Я вдруг это понял. Я знал, что трое моих друзей вскоре предпримут это путешествие, и присоединился к ним в последний момент.

Тем хуже, если Эдмонд Уэллс обо мне плохо подумает. Тем хуже, если я завязну с этими клиентами, которые якобы являются моим отражением. Я беру ответственность на себя. Я тоже трансгрессор, и я заплачу ту цену, какую нужно, чтобы не остаться невежественным.

Построение в ромб. Мы группируемся, Рауль, Фредди, Мэрилин Монро и я. Бесполезно начинать новые дискуссии, в этот раз мы знаем, что отправляемся в величайшее путешествие. Другая галактика! Впервые человеческие души покинут родную галактику!

Христофор Колумб, Магеллан и Марко Поло отдыхают. Их подвиги — только маленькая прогулка по сравнению с нашей Одиссеей. Я весь в нетерпении. Я знаю, что клиенты не смогут со мной связаться во время путешествия, ну и тем лучше.

— Детишки должны выкручиваться сами, родители едут в отпуск, — говорит Рауль. — Ну... вперед, к новым приключениям.

Мы покидаем Рай и отправляемся в космос. Мы встречаем тысячи звезд, прежде чем достигнуть периферии нашей галактики. Там Фредди предлагает нам обернуться, чтобы полюбоваться на нее, как первые астронавты на Землю. С небольшого расстояния.

Фантастический вид.

Млечный Путь образует спираль с пятью оконечностями, которая вращается вокруг самой себя. Центральное ядро само проткнуто пупком Рая. Вокруг диск и целый кортеж космической пыли. Персей, самая большая рука, постоянно закручивается. Самая маленькая оконечность, Лебедь, почти касается ядра. Сто тысяч световых лет в диаметре и пять тысяч световых лет в ширину — это действительно «много».

Фредди указывает на маленькую звезду рядом с основной рукой. Эта маленькая точка вдалеке от центрального волдыря и есть Солнце землян. Мысль о том, что под этим крошечным источником света и барахтаются мои клиенты, делает все относительным...

Мы берем курс на самую близкую к нам галактику Андромеды. Снова выстраиваемся в ромб и быстро достигаем скорости света. Фотоны вокруг неподвижны. Затем ускоряемся еще. Прощайте, фотоны. Нам нужно лететь в десять раз быстрее света.

Путешествие не очень веселое. Пустота, пустота и пустота. Все великие путешественники должны были знать это ощущение в открытом море: вода, вода и снова вода, и ничего на горизонте в течение бесконечно долгого времени. Пустота, пустота, годы пустоты. Конечно, в земном масштабе. Но цель, которую мы поставили перед собой и огромные расстояния во Вселенной не оставляют выбора. Мы пересекаем миллион километров за миллионом. Я спрашиваю себя, сможем ли мы найти дорогу обратно. Если уж начал делать глупость, нужно идти до конца. А что касается моих клиентов... пусть сами выкручиваются!

157. ИГОРЬ. 23 ГОДА

Я начинаю карьеру «профессионального больного». Это скорее приятно. Вместе с доктором Татьяной Менделеевой мы начинаем поездку по медицинским учреждениям в России и за границей. Все интересуются моим пупком. «Вам больно?» — спрашивают меня. Сперва я отвечал отрицательно, но я чувствовал, что это отсутствие боли разочаровывает моих собеседников. Как можно интересоваться кем-то, кто не страдает? Я стал говорить: «Да, мне это мешает спать», а потом: «Да, поскольку это находится в центре моего тела, от этого больно везде», и, наконец: «Это просто невыносимо».

Интересный феномен, — с тех пор как я стал говорить «да», мне действительно больно. Даже тело, кажется, решило помочь мне лучше сыграть свою роль. Ничего, для меня, столько раз раненного в бою, этот рак, будь он и пупка, просто маленькая смешная болячка.

Татьяна говорит, что хочет заняться моим образованием. Она учит меня любить толстые книги. Недавно она подарила одну книгу, которая мне особенно понравилась. Это перевод западного романа под названием «Крысы». В нем рассказывается про крысу, живущую в стае, которая хочет разорвать отношения «эксплуататор-эксплуатируемый» и придумать способ жить с другими, основанный на принципах сотрудничество-взаимоуважение-прощение. Одновременно крыса — главный герой ведет расследование с целью выяснить, кто убил крысиного короля. Он узнает, что все крысы-угнетатели объединились, чтобы сожрать мозг короля. Они были уверены, что таким

308

образом получат частичку его личности. Иногда там даже есть описания крысиных битв, которые напоминают мне о сражениях с чеченами.

Татьяна вбегает в комнату. Она говорит, что невозможно жить одному, что в жизни должно быть немного любви. Она хватает меня за подбородок и целует взасос, так что я даже не успеваю понять, что происходит. У нее губы вкуса вишни, а кожа как шелковая. Никогда еще я не знал столько нежности.

Татьяна говорит, что хочет жить со мной, но что у нее есть одна особенность. Она уточняет:

— Я как зеленое растение. Со мной нужно много говорить.

Мы занимаемся любовью.

В первый раз я так возбужден, что дрожу от удовольствия. Во второй я чувствую, что заново родился. В третий я забываю про все плохое, что случилось со мной с самого рождения.

Вместе мы идем в кино посмотреть фильм «Лисы» с Венерой Шеридан. Она играет там роль почти Станисласа. Правда, когда она использует огнемет, я хорошо вижу, что она забывает снять его с предохранителя. Внезапно я единственный в зале хохочу, когда она появляется на экране. Вот, значит, как на Западе представляют, как мы воюем? Потом мы идем в дорогой ресторан и не скупимся на блины с черной икрой и водку. Угощает министерство здравоохранения.

Мы часто занимаемся любовью. Моя докторша обожает это. Еще мы много говорим. Она рассказывает, что повстречала перуанскую гипнотизершу Натали Ким, которая предложила ей регрессию. Она узнала, что в предыдущей жизни была французской медсестрой по имени Амандин Баллю, которая сопровождала людей в опытах, граничащих со смертью. Я отвечаю, что, кажется, уже встречал и любил ее в своей предыдущей жизни.

Мы целуемся.

Когда я занимаюсь любовью с Татьяной, я хочу раствориться в ней и снова стать зародышем. Я выбрал ее не только как женщину, но и как мать. Я хочу полностью погрузиться в нее, чтобы она вынашивала меня девять месяцев, давала мне грудь, заворачивала в пеленки, кормила с ложечки и учила читать.

Что за жизнь! Я больше не играю в покер. Мне не хочется бывать в прогнившем обществе любителей казино. После стольких страданий я имею право на чуточку отдыха и удовольствий.

Василий иногда заходит нас навестить, и мы устраиваем семейный обед. Он рассказывает о своей работе, которая его все больше захватывает. С тех пор как он наделил свои программы страхом смерти, они из страха исчезнуть проявляют новые чувства. Если подключить их к Интернету, они пытаются начать... размножаться.

— Они хотят обрести бессмертие, — шутит Василий.

Он гений. Когда он говорит о компьютерах, кажется, что это живые существа. Василий принес последнюю версию своей программы для покера. Она не только может блефовать, но и проявляет признаки страха.

— Она правда боится проиграть?

— Она запрограммирована так, что верит, что чем больше раз она проиграет, тем ближе она к смерти. Это двенадцатая программа из нового самовоспроизводящегося поколения. Многие программы играют между собой и проверяют свои способности. Самые сильные размножаются, слабые исчезают. Я даже не вмешиваюсь. Они сами производят отбор, сами совершенствуются и все больше тоскуют.

— Тоска — главный элемент развития в их мире?

— Кто знает? Может быть, в нашем тоже. Если человек удовлетворен своим существованием, ему нет смысла стремиться к изменениям.

Я играю еще одну партию с его программой. На этот раз побеждает машина. Я начинаю еще одну партию, и снова проигрываю. Я хочу продолжить, но внезапно что-то ломается.

— Необъяснимые поломки — это проблема номер один, — признает Василий. — Иногда кажется, что кто-то или что-то останавливает нас в наших исследованиях.

Он предлагает сыграть вместо машины с ним. Но я обещал Татьяне, что не буду больше играть в карты с людьми. Она подходит и обнимает меня. Гладит по спине. Татьяна — это хороший подарок в жизни, которая до сих пор приносила мне только неприятности.

У меня есть желание: получить еще один хороший сюрприз.

158. ЭНЦИКЛОПЕДИЯ

О важности биографа. Важно не то, что было сделано, а то, что об этом напишут биографы. Пример: открытие Америки. Она была открыта не Христофором Колумбом (иначе бы она называлась Колумбией), а Америго Веспуччи.

При жизни Колумб считался неудачником. Он пересек океан в поисках континента, которого не нашел. Он, конечно, побывал на Кубе, в Сан-Доминго и на многих островах Карибского бассейна, но не подумал продолжить поиски дальше на север.

Всякий раз, когда он возвращался с попугаями, помидорами, кукурузой и шоколадом, королева спрашивала: «Ну что, вы нашли Индию?» Колумб отвечал: «Скоро, скоро». В конце концов ему перестали давать деньги и посадили в тюрьму, обвинив в растратах.

Тогда почему о жизни Колумба известно все, а о жизни Веспуччи — ничего? Почему в школах не учат, что Америку открыл Америго Веспуччи? Просто потому, что у последнего не было биографа, а у первого он был. Сын Христофора Колумба сказал: «Именно мой отец сделал основную часть работы, и он заслуживает того, чтобы быть признанным». И он впрягся в работу по созданию книги о жизни своего отца.

Будущим поколениям нет дела до реальных подвигов, важен лишь талант рассказывающего о них биографа. У Америго Веспуччи, возможно, не было сына или он не счел нужным увековечить память об отцовских подвигах.

Другие события сохранились в веках лишь из-за желания одного или нескольких человек сделать их историческими. Кто знал бы Сократа, не будь Платона? А Иисуса без апостолов? А Жанну д'Арк, вновь изобретенную Мишле, чтобы придать французам желание выгнать прусских завоевателей? А Генриха IV? Вознесенного на щит Людовиком XIV, стремившимся придать себе законность?

Великие мира сего, помните: не так уж важно то, что вы делаете. Единственный способ вписать себя в Историю — найти хорошего биографа.

Эдмонд Уэллс.
«Энциклопедия относительного
и абсолютного знания», том 4

159. ВЕНЕРА. 23 ГОДА

Съемки проходят скучно. Я часами топчусь на месте, пока не раздастся команда «тишина-мотор-действие», и все придет в движение. Я привыкаю к тому, чтобы сразу по прибытии на съемочную площадку захватить стул. Кино — это обучение терпению. А те, кто забывает обеспечить себя стулом, вынуждены ждать стоя целую вечность.

Я не представляла, что кино именно это — достать стул и ждать.

Когда наступает мое время играть, все время случается что-то, что мешает съемкам: звук пролетающего вдалеке самолета, провод, свисающий на объектив, а то и неожиданный дождь.

Моменты, когда я играю особенно вдохновенно, пропадают втуне, потому что то у Ричарда провал в памяти, то ассистентка забывает пленку, необходимую, чтобы снять сцену до конца. В конце концов, все это очень раздражает.

Кругом все орут. Режиссер не знает другого способа общения с актерами, кроме агрессии. Даже со мной он разговаривает только упреками: «Четче произноси слова». «Не поворачивайся спиной к камере». «Внимание, твоя рука в кадре». «Следи за разметкой на земле». И наконец, вершина: «Не делай ты такое лицо, у тебя раздраженный вид».

Да! Уж этот режиссер...

Никто никогда не вел себя со мной так неуважительно. Во время всей долгой карьеры манекенщицы даже самые истеричные кутюрье не позволяли себе так со мной обращаться. Это уже мой второй фильм, но я начинаю задаваться вопросом, создана ли я для кино.

Ричард очень нервничает. Я мешаю ему флиртовать, как он привык во время съемок. Он вдруг начинает хандрить, и мы часто ругаемся. Кто-то сказал: «Замужество — это три месяца, когда люди любят друг друга, три года, когда они ругаются, и тридцать лет, когда терпят». Мы начали прямо с трех лет ругани, и я не намерена начинать «тридцать лет терпения».

Я постоянно делаю маленькие рисунки. На них всегда два держащихся за руки человечка. Не знаю, почему я все время рисую одно и то же. Возможно, это способ прогнать из головы мою мечту об идеальной паре?

Я разглядываю себя в зеркало. У меня есть все, чего я желала. Я счастлива, но почему я этого не чувствую?

Меня мучает мигрень. Она меня не покидала с самого детства. Это постоянная колющая боль. Это мешает моей частной жизни, работе, лишает радости жизни. Как будто я никогда не могу быть по-настоящему одна. В голове у меня всегда сидит маленький зверек, который царапает изнутри череп, пытаясь освободиться. Это ужасно. И никакой врач не может определить причину.

Теперь я молюсь о том, чтобы у меня не было мигрени.

160. ЖАК. 23 ГОДА

Наконец звонит издатель. Книга продается плохо. «Крысы» не продались даже на половину того, что он ожидал. Каждый год во Франции публикуется столько романов, больше сорока тысяч, что трудно привлечь внимание к какому-то отдельному произведению. Чтобы моя книга пользовалась успехом, нужно нашествие крыс на Париж или чтобы наступил китайский год Крысы. К тому же у меня нет покровителя, ни одна знаменитость не влюбилась в мою книгу.

— Твоя штука с сотрудничеством-взаимоуважением-прощением, как ты ее придумал?

— Во сне.

— Да-а, так вот, по-моему, это была не очень хорошая идея. Я говорил с одним приятелем, критиком, и он считает, что это слишком назидательно и нервирует. Крыса, которая просит прощения, вызывает недоверие ко всей твоей работе по изучению их поведения. Крыса никогда не прощает.

— Я пытался представить, как крысы могли бы развиваться, будь они более сознательны. Ну, короче, это полный провал?

— Ммм... Ну, в общем, во Франции — да, — признается Шарбонье. — Правда, против всяких ожиданий, в России у «Крыс» большой успех. Там продано триста тысяч экземпляров за один месяц.

Вот это новость.

— И как вы это объясняете?

— В России телевидение очень посредственное, и население читает в сравнении с Францией гораздо больше.

Я хотел известности, и я ее получил... но не на своем языке. Конечно, нет пророка в своем отечестве, но в следующий раз, когда я буду молиться, я сделаю уточнение: «Лишь бы все получилось... во Франции».

Благодаря моему русскому успеху Шарбонье готов напечатать новую книгу. Есть ли у меня какой-нибудь проект?

— Э-э... да... Открытие Рая.

Не знаю, почему я это сказал. Слова сами вырвались.

— А почему именно это?

— Тоже из-за сна. Там были люди, которые летали по небу в поисках Рая в космосе. Мне кажется, это хорошая история.

Издатель с этим не согласен. Люди не готовы к тому, чтобы слушать о проблемах Рая со светской точки зрения. Все книги, в которых упоминается Рай, написаны для «укрепления веры». Это священный сюжет.

Я отвечаю, что как раз и хочу десакрализировать все это, поскольку не нужно отдавать религиям и сектам исключительное право говорить о Смерти и Рае.

Минутное раздумье на другом конце, и Шарбонье решает мне поверить. Через несколько дней я захожу в книжный магазин, где мой взгляд утыкается в стоящую на пыльной полке уцененную книгу: «Танатонавты». На обложке голубая спираль на черном фоне и имя: Мишель Пэнсон. Он тоже говорит о Рае, но заголовок, чересчур притянутый за уши, сыграл ему плохую службу. К тому же даже для тех, кто понимает смысл этого неологизма, «танатонавты», идея смерти недоступна. Кому охота покупать книгу о смерти?

Мне. Я ее покупаю и читаю. Я развлекаюсь тем, что пытаюсь найти решение загадки, проходящей через все произведение: «Как нарисовать круг и его центральную точку, не отрывая ручки от листа?» Решение состоит в том, что нужно загнуть угол листа (то есть изменить измерение) и нарисовать спираль на обеих сторонах. Я себе все мозги сломал, пока не обнаружил, что это и есть рисунок на обложке.

Я берусь за работу. Отключаю телефон. Выбираю как самую подходящую музыку «Симфонию нового мира» Дворжака. И пускаю мысли на самотек.

Придумать Рай. Это нелегко. Даже если о нем говорит много мифологий, место остается неясным. Как придать Раю достоверный вид? Планета? Слишком просто. Куб? Слишком геометрично. Группа астероидов? Слишком расплывчато. И снова решение мне указывает кошка. Мона Лиза II играет с водопроводным краном. Вода течет. Зная мои привычки, Мона Лиза опрокидывает флакон с пеной для ванны. Но поскольку сливное отверстие не закрыто, пена постепенно исчезает в нем.

Я думаю, что души, возможно, похожи на эти пузырьки. Я представляю, как они всасываются воронкой Рая. Пузырьки уносятся потоком в канализацию, и выйдут из нее в другом месте, в мире настолько сложном, что они не способны его понять. Как может пузырек определить, откуда он появился и куда направляется? Как может пузырек представить себе ванну, людей, канализацию, город, страну, Землю? В лучшем случае он может ощущать воду и теплую массу ванны... К тому же он должен бояться этой дыры, которая уносит его в неизвестность...

Так вот что мне предлагает Мона Лиза: перевернутый конус, воронка, спираль, всасывающая все до конца.

161. НАКОНЕЦ

Мне кажется, что мы летим прямо и прямо уже месяцы. Впечатление, что я плыву в океане. К счастью, мы не испытываем ни голода, ни жажды. И спать не хочется. По дороге Фредди развлекает нас анекдотами. Он уже все их рассказал по много раз. Мы делаем вид, что не замечаем.

Мы долго летим сквозь вселенную. И вот однажды...

— Галактика на горизонте! — орет Рауль, как в былые времена впередсмотрящий на мачте.

Вдали видно свечение, но не как от звезды. Наконец-то Андромеда! Она не в форме спирали, а чечевицеобразная. Мы несомненно первые земляне, а скорее первые «млечно-путяне», кто видит ее так близко.

Андромеда более молодая галактика, чем наша, и ее звезды более желтые, чем у Млечного Пути.

— На этот раз мы добрались.

Мэрилин Монро указывает на центр галактики. Она что-то заметила. Там тоже находится черная дыра. Возможно, это общее правило для всех галактик: черная дыра является стержнем, вокруг которого вращается душащая его масса звезд?

Мы пикируем в направлении этой воронки. Мы пролетаем звезды, планеты, метеориты, которые всасываются этим небесным отверстием! Мы любуемся на них и вдруг видим пролетающую душу. Когда проходит первое удивление, мы пытаемся последовать за ней, но она летит слишком быстро.

Мы останавливаемся, чтобы попытаться понять значение увиденного. Это была душа. Значит, здесь есть сознание. Значит, есть и разумная жизнь. Вот что открывает огромные возможности...

— Что это пролетало, бог или инопланетная душа? — спрашивает Рауль, убежденный, что открыл царство богов.

Что касается нас, то Фредди, Мэрилин и я убеждены, что встретили инопланетян.

Мимо пролетают другие эктоплазмы. Мы пытаемся перехватить их, но они каждый раз ускользают. Если это мертвые, то я никогда не видел душ, которые бы так спешили на собственный суд.

Черт побери, и черт побери, и черт побери! — повторяет Рауль, который никак не может прийти в себя.

Наконец кто-то делает нам знак.

— Вы кто?

Это эктоплазма, но она светится не так, как мы. Наша аура голубоватого цвета, а ее скорее розоватого.

— Мы ангелы с Земли.

Вид инопланетного ангела вполне обычный. Это худой тип, похожий на провинциального начальника железнодорожной станции. Он выглядит таким же удивленным, как и мы.

— С Земли? А почему это называется Земля?

— Потому что это материал, который образует ее поверхность. Песок, земля.

— Ммм... А где это, Земля?..

— Э-э... вот там, — отвечает Мэрилин, указывая в направлении, откуда мы прилетели.

К счастью, мы общаемся мысленно, переводчик нам ни к чему.

— Мишель Пэнсон, к вашим услугам, — говорю я. Он решается представиться:

— Меня зовут Зоз, просто Зоз.

— Очень приятно, Зоз.

Мы говорим, что прилетели из галактики Млечный Путь. Зоз медленно переваривает информацию. Сперва он не хочет в это верить. Затем, когда мы объясняем причины своего путешествия, он начинает понемногу верить. Он даже признается, что, если вдуматься, он тоже обнаруживал провалы в карми-

318

ческих историях жизней своих клиентов и уже спрашивал себя, не реинкарнируются ли смертные где-нибудь еще. Но он не ожидал, что они эмигрируют в другую галактику.

Он говорит, что здесь Млечный Путь называется 511. Забавно, они используют цифры, как и мы. Над нами пролетают эктоплазмы. Зоз говорит, что это мертвые, направляющиеся в Рай.

Мы спрашиваем, откуда они. Он говорит, что, насколько ему известно, в его галактике есть только одна обитаемая планета. Здесь ее называют не по составу материала, а по цвету — «Красная». Планета Красная.

Мы хотим узнать о ней как можно больше. Мы засыпаем его вопросами, на которые Зоз отвечает с любезностью гида. Он говорит, что «красняне» едят хлеб, суп, овощи, мясо. Они живут в городах и строят дома. Послушать его, так Красная похожа как две капли воды на Землю. А похожи ли инопланетяне на землян?

Я размышляю. Литература и кино приучили нас представлять инопланетян как существ большего или меньшего размера, с большим количеством рук или голов, с усиками или крыльями, но редко как... подобных нам.

Мы просим показать нам эту планету. Зоз колеблется, но потом соглашается на роль гида в его мир. И вот мы перед незнакомым шаром. Красная выглядит больше, чем Земля.

Снаружи планета окружена плотной атмосферой. Она вращается по большому эллипсу вокруг звезды, которая больше нашего Солнца. Поскольку расстояние до звезды больше, но сама она более горячая, климат на Красной примерно такой же умеренный, как на Земле.

Планета по земным представлениям жизнеспособна. Чем больше мы приближаемся, тем лучше можем оценить ее пейзаж. Твердая поверхность красновато-розовая, небо лиловое, как будто освещенное закатным солнечным светом. Океаны темно-синие. Этот цвет объясняется не только отражением неба, но и морскими глубинами. Красиво.

На Красной четыре континента. На каждом свой климат и рельеф: горный континент, континент лесных равнин, континент долин, континент пустынь. Нравы обитателей зависят от приспособленности к времени года.

Зоз рассказывает о четырех народах его планеты. Живущие в горах зимяне обладают высокоразвитыми технологиями и из-за холода строят подземные города. У них мало детей. Большая часть населения старше сорока лет. У зимян демократический строй. Все граждане участвуют в принятии законов через голосование по электронным сетям. Слабые стороны: чахлое сельское хозяйство, катастрофическое сокращение населения. Сильные стороны: развитие современных технологий, благодаря которым всю работу выполняют роботы. Зимяне мало занимаются спортом, они не экспансивны. Живут, закрывшись у себя, перед кабельными экранами. Они уверены, что благодаря прогрессу медицины доживут до ста лет. Их девиз: «Будущее принадлежит самым умным».

Осеняне живут на поверхности равнин, в огромных грязных городах-метрополисах, окруженных лесами. Они могут сами производить технологичные изделия, вооружения, роботов, но не такого высокого качества, как у зимян. Им нужны совершенные технологии зимян, а также овощи и фрукты веснян и мясо летян. Чтобы обеспечить себя всем этим, они разработали систему коммерческих обменов, а также дипломатию, направленную на то, чтобы не поссориться с другими. Их девиз: «Мы дружим со всеми». Они обслуживают зимян, поставляя им необходимое для промышленности сырье и помогая в голодные годы продовольствием, накопленным благодаря торговле.

Весняне живут в расположенных в центре долин небольших городах. Процветающее сельское хозяйство, много зерновых. Средний уровень прироста населения. Политический режим — монархия. Уровень развития технологий — средний. Сильные стороны: нет. Слабые: тоже нет. Весняне посредственны во всем, что делают. Они очень близки к летянам и надеются с их помощью однажды захватить зимян и осенян и присвоить их технологии. Так они победят на всех фронтах. Их девиз: «Равновесие находится посередине между двумя крайностями».

Летяне живут в деревнях, построенных вблизи оазисов в пустыне. Очень слаборазвитая промышленность. У них много детей. Деспотический режим. Все подчиняются приказам Командира, который распоряжается жизнью каждого жителя. Сильная сторона: огромные стада жирных лемуров, откармливаемых зерном веснян, которых стригут и используют в пищу. Когда бремя рождаемости становится слишком тяжелым, Командир начинает военную кампанию против соседних континентов, чтобы завоевать новые жизненно важные территории. Даже если порой эти кампании похожи на коллективные самоубийства, они позволили летянам постепенно закрепиться на других континентах, где они создали «освобожденные зоны», которые медленно растут, захватывая кусочки новых территорий. Военные кампании проходят в теплые периоды, благоприятные для летян.

Жертвенность рассматривается как высшая ценность в летянской культуре. Все летяне должны быть способными пожертвовать собой ради Командира. Девиз: «Чем большим ты пожертвуешь здесь, тем больше ты получишь в Раю».

Несмотря на желание осенян и зимян сохранять нейтралитет, все континенты постоянно находятся в состоянии более или менее скрытых конфликтов. Зимяне и летяне находятся в состоянии войны. Осеняне и весняне попеременно стараются перетянуть чашу весов на свою сторону. Чаще всего победитель определяется благодаря метеорологическим условиям.

Орбита Красной более вытянута, чем у Земли, и времена года длиннее. Вместо трех месяцев они растягиваются на пятьдесят лет. Поэтому в году семьдесят три тысячи дней, а не триста шестьдесят пять.

Полвека лета благоприятствует летянам и заставляет зимян оставаться под землей. Точно так же пятьдесят лет осени благоприятны для осенян, пятьдесят лет весны — для веснян, а пятьдесят лет зимы — для зимян.

В каждый благоприятный для него сезон данный народ стремится раз и навсегда победить остальные. Каждый хотел бы быть способным остановить время и установить климат, к которому он лучше всего приспособлен. Но время неумолимо течет и заставляет бывших всемирных лидеров уступить место следующим.

Зоз приглашает спуститься на Красную и посетить столицы четырех континентов. Зимяне построили свою на вершине горы. Снаружи мало что заметно, потому что люди живут в подземных галереях с искусственным климатом и неоновым освещением. У женщин в моде мини-юбки и обнаженные груди в прорезях блузок и курток. Это сильно напоминает одежду, существовавшую у землян в Древней Греции и на Крите.

Передвигаются зимяне на метро, которое обслуживает все районы.

Осеняне построили свою столицу на скалистом плато. Оно покрыто небоскребами. Улицы забиты чудовищными пробками. Здесь правит автомобиль.

Люди очень нервные. В моде облегающая пластиковая одежда, удобная для бега и вообще для спорта.

Столица веснян находится на равнине, окруженной обработанными полями, где растут лиловые цветы. Их дома представляют собой цементные полусферы. Жители толпятся на огромных рынках, где процветает торговля. Крестьянки носят большие юбки со множеством карманов, куда они кладут покупки. На улицах оживленное движение. Много садов. Передвигаются весняне на четырехколесных велосипедах, напоминающих тапиров.

Столица летян расположена в середине оазиса. Построенные на нескольких уровнях апартаменты гигантского дворца Командира возвышаются над резиденциями его жен и членов семьи, многие из которых являются его министрами. Вокруг казармы «добровольцев смерти», где размещаются военные, полиция и наводящие ужас секретные службы. Рядом с казармами переполненные тюрьмы.

Дальше находится собственно город. Дома все более обветшалые. На окраинах царит нищета.

— Здесь, — говорит Зоз, — Командир набирает большинство «добровольцев смерти» для своих войн. Командир убедил нищих людей, что их бедность происходит от высокомерия зимян. Так что летяне живут в постоянной ненависти к горцам.

В столице летян все передвигаются пешком. И мужчины, и женщину одеты в военную униформу. У женщин лица раскрашены причудливыми рисунками...

Фредди интересуется, есть ли на Красной евреи.

— Евреи?

Это слово Зозу незнакомо. Раввин объясняет ему, чему может соответствовать этот термин. Зоз заинтригован. Он говорит, что, действительно, существует бродячее племя с древней культурой, живущее рассеяно на четырех континентах.

— А как называется этот народ?

— Релятивисты, потому что их религия называется релятивизмом.

Она предполагает, что истин много и что они меняются во времени и в пространстве. Политически эта вера раздражает местных жителей. Все четыре блока уверены, что обладают единственной истиной, и рассматривают релятивистов как источник неприятностей. Поэтому в периоды роста все преследуют их, чтобы усилить собственный национализм. Когда релятивистов начинают преследовать, это верный признак приближения конфликта между двумя блоками.

Фредди озабоченно молчит. Я знаю, о чем он думает. Он задается вопросом, не имеют ли люди, будь они земляне или инопланетяне, решетки социальных ролей, привязанной к разным народам.

— Релятивисты подвергались преследованиям, — говорит Зоз. — Мы неоднократно считали, что они исчезнут полностью. Но оставшиеся в живых регулярно мутировали и делали свою культуру все более релятивистской.

Рауля вдруг осеняет:

— Может быть, евреи или релятивисты — это то же, что форель в системе фильтрации теплых вод?

— Форель? — удивляется раввин.

— Ну да, в системы фильтрации сточных вод запускают форелей, потому что они наиболее чувствительны к загрязнению. Как только появляется токсичное вещество, эти рыбы погибают первыми. Это своего рода сигнал тревоги.

— Я не вижу связи.

— Евреи из-за их паранойи, связанной с прошлыми преследованиями, наиболее чувствительны. Они быстрее других реагируют на поднимающийся тоталитаризм. А потом, это порочный круг. Поскольку тираны знают, что евреи первыми обнаружат их, они стараются заранее от них избавиться.

Мэрилин Монро соглашается:

— Рауль прав. Для нацистов евреи были опасными левыми. Для коммунистов они были заносчивыми капиталистами. Для анархистов — загнивающими буржуа. Для буржуа — дестабилизирующими анархистами. Удивительно, но как только появляется централизованная иерархическая власть, какова бы ни была ее этикетка, она начинает с преследования евреев. Навухудоносор, Рамзес II, Нерон, Изабелла Католичка, Людовик IX, цари, Гитлер, Сталин... Тоталитарные правители интуитивно понимают, что там, где есть евреи, есть люди, которым трудно заморочить голову, поскольку их мышление родилось пять тысяч лет назад, и оно основывается не на культе харизматического воинственного начальника, а на книге символических историй.

Фредди колеблется. Я пытаюсь убедить его:

— Возможно, они также выжили потому, что являются «форелями — детекторами тоталитаризма». В конце концов, это единственный народ со времен античности, который сохранил практически неизменной свою культуру. В то время как все великие империи, египетская, римская, греческая, хеттская, монгольская, имевшие опыт тоталитаризма и преследовавшие их, исчезли. У этой культуры есть своя роль.

— Своя роль есть у каждой культуры. Японцы, корейцы, китайцы, арабы, цыгане, американские индейцы, все, кто дожил до наших дней, имеют конкретную задачу в массе человечества. И необходимо поддерживать тонкое равновесие между всеми ними.

Зоз удивлен нашими теориями. Фредди просит показать ему релятивистские храмы, и мы направляемся в одно из этих странных мест. Здесь нет статуй, никакой экстравагантности. Своей простотой релятивистские храмы напоминают протестантские церкви.

Затем Зоз ведет нас на поле сражения между летянами и зимянами. Сперва зимянские роботы одерживали верх, но затем они были уничтожены массой детей-камикадзе, которые подрывали себя среди них.

— Да! Пока что люди берут верх над машинами, — говорит наш гид.

А толпы детей со взрывчаткой в рюкзаках уже бегут на укрепления зимян, охраняемые автоматически управляемыми пулеметами.

Возможно, это и есть будущее войн?

Ангел с более интенсивным розовым свечением летит к Зозу. Наверняка это его инструктор, местный «Эдмонд Уэллс».

— Черт, учитель, — бормочет ангел Красной планеты.

И действительно, у того недовольный вид.

— Ты чем занимаешься? Твои клиенты бог знает что вытворяют! Немедленно возвращайся к ним!

— Но... но... — пытается оправдаться Зоз. — Я тут с ангелами из другой галактики. Оказывается, существует другой Рай! И внекрасная жизнь! Вы представляете!

Инструктор нисколько не впечатлен этой новостью.

— Ты еще не знаешь, Зоз, что ты пока что не уполномочен знать эту информацию. Для тебя и тебе подобных она секретна, и я надеюсь, что ты сможешь держать язык за зубами.

Если у Зоза есть инструктор, знающий о существовании Земли, это означает, что мой наставник Эдмонд Уэллс, очевидно, знает о существовании Красной.

— А вы случайно не «седьмой»? — интересуется Рауль.

Инструктор бросает на нас упрекающий взгляд.

— Вы тоже далеко от своих клиентов, и вам пора возвращаться.

— Мои клиенты очень самостоятельны, — говорит Рауль.

— Хм... вы в этом так уверены? Красная пословица гласит, что «молоко убегает из кастрюли, когда за ним не следят». Я за вас не отвечаю, и поэтому не буду ничего советовать, но что касается Зоза, не может быть и речи о том, чтобы вы его развращали. Ты понял, Зоз? И даже не думай когда-нибудь отправиться на их Землю.

Зоз покорно опускает глаза, кивает нам на прощание и удаляется рядом со своим инструктором, который бросает нам через плечо:

— Перекур окончен! Всем пора за работу.

162. ЭНЦИКЛОПЕДИЯ

Инопланетянин: Впервые об инопланетянах в западной культуре упоминал Демокрит в IV веке до нашей эры. Он намекал на встречу земных и внеземных исследователей на другой планете среди звезд. Во II веке Эпикур отмечал, что логично предположить существование других миров, сходных с нашим и населенных квази-людьми. Впоследствии этот текст вдохновил Лукреция, который в поэме «De natura rerum» говорит о возможности существования неземных людей, живущих очень далеко от Земли.

Текст Лукреция не оставил некоторых равнодушными. Аристотель, а позднее святой Августин пытались утверждать, что Земля — единственная планета, населенная живыми существами, и что никакой другой не может существовать, поскольку так пожелал Господь, и это уникальный подарок.

Продолжая в том же духе, Папа Римский Иоанн XXI в 1277 году разрешил применение смертной казни в отношении каждого, кто упомянет возможность существования других населенных миров. Понадобилось еще четыреста лет, чтобы упоминание об инопланетянах перестало быть табу. Философа Джордано Бруно сожгли на костре в 1600 году, в частности, и за эти утверждения.

Сирано де Бержерак в 1657 году написал «Комическую историю лунных государств и империй», Фонтенель в 1686 году опубликовал «Беседы о множественности миров», а Вольтер в 1752 году в книге «Микромега» (Большой-маленький) пишет о великом космическом путешественнике, отправившемся с Сатурна на Землю.

В 1898 году Герберт Уэллс избавляет инопланетян от антропоморфизма, описав их в «Войне миров» как ужасных монстров в виде пиявок на гидравлических домкратах. В 1900 году американский астроном Персифаль Ловелл объявил, что видел на Марсе системы ирригационных каналов, что доказывает существование разумной цивилизации. С тех пор термин «инопланетянин» потерял свою фантасмагоричность. Понадобился, однако, Стивен Спилберг и его «Е.Т.», чтобы они стали синонимами приемлемого компаньона.

Эдмонд Уэллс.
«Энциклопедия относительного
и абсолютного знания», том 4

163. ЖАК. 25 ЛЕТ

Красная.

Мне снится, что на космическом летательном аппарате моего детства я отправляюсь на красную планету. На этой планете живет бог, занимающийся экспериментами. Он создает миры и помещает их в прозрачные баки, чтобы наблюдать, как они развиваются. Еще он выращивает в пробирках маленькие прототипы животных, которых осторожно высаживает пинцетом на грядки. Когда они не приживаются, бог убирает неудачное животное. Но когда прототипы начинают слишком разрастаться, бог создает хищников (более сильных животных или маленьких, как вирусы), которые уничтожают их. Затем он совершенствует заменяющее животное. Богу не удается полностью уничтожить все свои ошибки, поэтому он непрестанно добавляет все новые и новые виды, пытаясь навести хоть немного порядка в этом живом хаосе.

Я просыпаюсь в поту. Рядом со мной Гислэн. Это моя новая подруга. Я выбрал Гислэн потому, что она не чокнутая, потому, что ее родители не вмешиваются в наши дела, и потому, что она не похожа на психологически неуравновешенную. В наше время это достаточно редкие качества, позволяющие жить вместе.

На самом деле это не совсем так. Главная причина, из-за которой я выбрал Гислэн, в том, что это она выбрала меня. Гислэн педиатр. Она нежная, она умеет слушать детей и говорить с ними. Я ребенок.

На самом деле ненормально в двадцать пять лет все еще интересоваться замками, драконами, прекрасными принцессами, инопланетянами и космическими богами.

Гислэн похожа на прекрасную принцессу. Она брюнетка, изящная, небольшого роста и в свои двадцать четыре года все еще одевается в отделе для подростков.

Она знает новые методы, как привлекать внимание маленьких детей. По выходным она работает в ассоциации помощи неприспособленным детям. Это ее очень утомляет, но она говорит, что, кроме нее, этим некому заниматься.

— Ты тоже неприспособленный ребенок, — говорит она, лаская мои давно не стриженные волосы.

Гислэн считает, что в каждом человеке сосуществуют ребенок и взрослый родитель. Когда образуется пара, каждый выбирает свою роль по отношению к другому. Как правило, один становится родителем, а другой играет роль ребенка. В идеале, однако, двое должны хотеть относиться друг к другу как взрослые и общаться на взрослом языке.

Мы попробовали. Ничего не получилось. Это сильнее меня, я остаюсь ребенком. Ребенком я лучше всего себя чувствую, ребенком я лучше всего себя осознаю. Ребенок ни в чем не уверен, он всем восхищается. К тому же мне нравится, когда со мной обращаются по-матерински.

Гислэн была удивлена, что я все еще играю в ролевые игры. Я объяснил, что это помогает делать нужные надписи к персонажам книги, тасовать их как карты таро в поисках лучшей инициации для героев.

На рабочем столе у меня есть самые разные средства, помогающие писать. Это и планы сражений, и лица героев (я часто выбираю фото существующих актеров и пытаюсь проникнуть в их психологию, разглядывая черты лица), и пластилиновые фигурки, которые я леплю, пытаясь лучше представить места действий и предметы.

— Я не представляла себе, что нужен весь этот бардак, чтобы рассказывать простые истории, — восклицает Гислэн. — Тут как в лаборатории. Только не говори, что ты используешь эти схемы соборов, эти огрызки пластилина...

Она обращается со мной как с чокнутым и встает на цыпочки, чтобы поцеловать.

Мне хорошо с Гислэн, но нашей паре не хватает измерения, которое позволило бы ей продолжать существование. Мы начинаем скучать. Прошло очарование жизни вместе со взрослым, который ведет себя как ребенок. А главное, она замечает, что занимается трудной и плохо оплачиваемой по сравнению со мной работой.

Дети, за которыми она ухаживает, отнимают у нее много энергии. Они уже настолько травмированы жизнью, что совсем неласковы. Они ведут себя как маленькие брошенные собачонки. Есть дети, которых бьют, дети — жертвы инцеста, эпилептики, астматики... Как может Гислэн бороться с такими тяжелыми судьбами, имея на вооружении только собственную маленькую храбрость? Она поставила перед собой непосильную задачу.

Вечером она рассказывает, как у нее на руках умер ребенок. Она потрясена, а я не знаю, что сделать, чтобы облегчить ее страдания.

— Возможно, тебе нужно сменить работу, — говорю я после того, как она проплакала всю ночь после смерти ребенка, болевшего эпилепсией.

Этих слов мне не простят никогда.

— Легко помогать людям, не видя их, не трогая их, не говоря с ними. Это легко, это удобно, это без риска!

— Но ты же не хочешь сказать, что я должен быть рядом с каждым читателем, готовый тут же обсудить с ним прочитанное?

— Именно так ты и должен бы поступать! Ты выбрал эту работу, чтобы бежать от мира. Закрылся в комнате наедине с компьютером. С кем ты встречаешься? С издателем? С редкими друзьями? Мир — это другое. Ты живешь в вымышленном пространстве, в стерильной несуществующей вселенной, где угодно, лишь бы не расти. Но однажды реальный мир тебя настигнет, мой мир, где есть больные, мучающиеся, в депрессии. Твоими книжонками не поможешь страдающим от нищеты, голода и войн.

— Кто знает? Мои книги распространяют идеи, а эти идеи направлены на изменение сознания и поведения людей.

Гислэн издевательски смеется.

— Твои дурацкие истории про крыс? Отличный результат! Люди будут сочувствовать крысам, когда они и своим детям-то не сочувствуют.

Через неделю Гислэн меня бросила. Это было слишком хорошо, чтобы длиться долго. Я задаю себе вопросы. Неужели моя профессия действительно безнравственна? Чтобы поднять настроение, вечером я иду на «Лис», образчик американского кино, которого я обычно избегаю.

Там вдоль и поперек показывают то, что так интересует Гислэн: бедных, больных, несчастных и убивающих друг друга. Если это и есть реальность, я предпочитаю кино у себя в голове. Правда, там играет потрясающе красивая американская актриса Венера Шеридан, которая очень достоверна в своей роли. Кажется, она всю жизнь была женщиной-солдатом. Ричард Канингэм, американская звезда, тоже неплох. Он прекрасно вжился в роль.

То, что произошло в Чечне, действительно ужасно, но что я могу поделать? Сделайте Nota bene для русских читателей: «Пожалуйста, занимайтесь любовью, а не войной».

Слова, которые Гислэн бросила мне в лицо, имеют замедленный эффект. Я не могу больше писать. Я извращенный тип, которому доставляет удовольствие выдумывать странные истории, в то время как весь мир страдает. Тогда что, вступить во «Врачи без границ»? Поехать в Африку, делать прививки больным детям?

Я чувствую, что надвигается кризис «пофигизма». Лекарство — это закрыться в туалете и разобраться во всем. Это боль от неспособности писать? От того, что я не помогаю всем несчастным планеты? От того, что не борюсь с тиранами и эксплуататорами?

Я принимаю решение. Отправляю чек в благотворительную организацию и вновь сажусь за компьютер. Я так люблю писать, что готов заплатить за то, чтобы делать это в покое.

Звонит издатель.

— Тебе хорошо бы время от времени выходить в город, подписывать книги в книжных магазинах, обедать с журналистами...

— Это необходимо?

— Абсолютно. С этого даже нужно было начинать. К тому же ты посмотришь людей, это даст новые идеи для творчества. Сделай усилие. Тебе нужна пресса, владельцы книжных магазинов, контакты с другими писателями, литературные салоны... Жить как отшельник — значит очень скоро быть забытым.

Раньше Шарбонье всегда давал хорошие советы. Но опуститься до обезьянничания в светских салонах, с бокалом шампанского в руке, слушая последние сплетни о собратьях по перу...

Подписывать книги в салонах, на это я еще согласен. Особенно я на это не рассчитываю. Карьере этим не поможешь. Но, может быть, контакты с людьми, которые интересуются книгами и писателями, помогут понять, почему широкой публике во Франции я не нужен.

Мона Лиза II смотрит на меня и как будто хочет сказать: «Наконец-то ты начинаешь задавать правильные вопросы».

Я засыпаю один в холодной кровати.

164. ИГОРЬ. 25 ЛЕТ

— Игорь, у меня для тебя прекрасная новость.

Я пожелал еще один хороший сюрприз, и я чувствую, что он здесь. Я закрываю глаза. Она меня целует. Я пробую отгадать:

— Ты беременна?

— Нет, лучше.

Она прижимается ко мне с сияющей улыбкой.

— Игорь, моя любовь, ты... выздоровел.

Как будто электрический разряд пронзает мой спинной мозг.

333

— Ты шутишь?

Я откладываю книгу в сторону и в ужасе смотрю на радостное лицо Татьяны.

— У меня здесь результаты твоих последних анализов. Они лучше всяких ожиданий. У рака пупка ограниченный срок жизни. Твое выздоровление открывает новые горизонты в развитии медицины. Я думаю, что это произошло также благодаря улучшению условий жизни. Да, это должно быть так, у рака пупка очень психосоматические характеристики.

Мне тяжело дышать. Во рту пересохло. Колени дрожат. Татьяна сжимает меня в объятиях.

— Дорогой, ты поправился, ты поправился, ты выздоровел... Это замечательно! Я бегу сказать всей нашей команде. Мы закатим такой праздник, чтобы отметить твое возвращение к нормальной жизни.

И она уходит, приплясывая.

«Нормальная жизнь», я ее знаю. Женщинам я не нравлюсь. Владельцы квартир отказываются их мне сдавать без предоплаты. Начальство не хочет брать на работу, потому что боится всех бывших спецназовцев. А что касается покера, то Петр назначил за мою голову большие деньги во всех приличных казино.

В жизни у меня было только два прибежища, больница и Татьяна, вот теперь и их отнимают. Надо убить кого-нибудь и сесть в тюрьму. Там я найду свою «нормальную жизнь». Но жизнь с Татьяной лишила меня злобы. Она привила мне вкус к покою, вежливости, книгам, разговорам. Если подтвердится, что я выздоровел, она даже не захочет со мной разговаривать. Найдет себе другого пациента с еще более редкой болезнью. Ушного чахоточного или инвалида ноздрей. А меня выгонит.

Уже некоторое время она меня донимает насчет какого-то типа, у которого обнаружен неизвестный микроб. Наверняка уже спит с ним.

Я бью себя со всей силы в живот, но я знаю, что проклятому раку на это наплевать, он делает то, что хочет. Он появился как вор в моем организме, и именно тогда, когда я его принял, оценил и полюбил, он исчез, как и появился.

Я здоров, какой ужас! А нельзя ли мне поменяться своим здоровьем с кем-нибудь еще, кто им лучше распорядится? Эй, мой ангел! Если ты меня слышишь, я не хочу быть здоровым. Я хочу снова болеть. Это моя просьба.

Я становлюсь на колени и жду. Я чувствовал, когда ангел меня слышит. Сейчас я чувствую, что он больше не слушает меня. Теперь, когда я выздоровел, я перестал интересовать и святого Игоря. Все рушится.

Я вынес все, но это «исцеление» выше моих сил. Это та капля, которая переполняет чашу.

Я слышу, как в коридоре Татьяна сообщает о радостном событии персоналу больницы.

— Игорь поправился, Игорь поправился, — напевает она, не понимая, в чем дело.

— Пожалуйста, ангел, отправь мне метастазу в знак дружбы. Ты помогал мне в маленьких проблемах, если ты забудешь меня в большой, ты просто безответственный ангел.

Окно открыто. Я наклоняюсь. Больница высокая. Падение с пятьдесят третьего этажа должно сработать.

Действовать не раздумывая. Главное — не думать, иначе не хватит храбрости. Я прыгаю. Камнем лечу вниз.

Сквозь окна я успеваю заметить людей, занимающихся своими обычными делами. Некоторые видят меня и делают ртом «о».

«Быстрый или мертвый»? Сейчас я очень быстрый, а скоро буду очень мертвый.

Земля приближается на полной скорости. По-моему, я сморозил глупость. Наверное, нужно было немного подумать.

Земля уже в десяти метрах. Я закрываю глаза. Я едва успеваю почувствовать маленький неприятный момент, когда все кости разбиваются об асфальт. Из твердого я становлюсь жидким. Теперь им больше меня не собрать. Мне очень больно одну секунду, которая, кажется, длится час, а потом все останавливается. Я чувствую, как меня покидает жизнь.

165. ВЕНЕРА. 25 ЛЕТ

Я развелась с Ричардом. Теперь я появляюсь на публике со своим адвокатом Мюрреем Бенеттом, знаменитым тенором судебных заседаний. За одну неделю он оказался в моей жизни, в моем сердце, в моем теле, в моей квартире и в моих контрактах.

С ним семейная жизнь превращается в постоянный контракт. Он говорит, что жизнь вдвоем, будь пара жената или нет, должна бы регулироваться арендной системой три-шесть-девять, как при найме квартир. Каждые три года, если партнеры не довольны, условия контракта пересматриваются или он расторгается, а если довольны, они остаются вместе еще на три года «в силу автоматического продления соглашения».

В этом вопросе Мюррей непреклонен. «Классический» брак глуп, заявляет он. Это пожизненный контракт, который стороны подписывают, будучи не способны понять его условия, настолько они ослеплены своими чувствами и страхом одиночества. Если супруги заключают его в двадцать лет, он будет действовать примерно семьдесят лет, без возможности внесения каких-либо изменений. А в то же время общество, нравы, сами люди меняются, и наступает момент, когда документ становится устаревшим.

Я смеюсь над всей этой юридической болтовней. Я знаю только, что Мюррей обожает заниматься любовью в самых невероятных позициях. С ним я узнаю то, чего нет даже в «Камасутре». Он приводит меня в совершенно неуместные места, где нас может застать первый встречный. Опасность возбуждает.

Когда мы обедаем с его «бандой», состоящей в основном из бывших подружек, я чувствую, что они на меня злятся за то, что я заняла место последней из них. Когда Мюррей говорит, он смешит всех присутствующих.

— Как и все адвокаты, я ненавижу иметь невинных клиентов. Если тебе удастся защитить невинного, он считает это в порядке вещей. А если проиграешь, он будет ненавидеть тебя как личного врага. А с виновным, если проиграешь, он считает это неизбежным, а если выиграешь, он будет тебе ноги целовать!

Все хохочут. Кроме меня.

Вначале мы определили с Мюрреем свои территории в квартире. Здесь моя комната. Здесь мой кабинет. Здесь лежит моя зубная щетка, а здесь твоя. В шкафах все полки, которые перед глазами, заняты его пиджаками, свитерами и рубашками. Мои вещи лежат или на самом верху, или в самом низу. Такие детали должны были бы сразу меня насторожить.

Изо всех знакомых мужчин у Мюррея сильнее других развито это чувство территории.

Чтобы расширить свою территорию, он готов на все.

У кого пульт от телевизора и кто выбирает программы?

Кто первым идет утром в туалет и в ванную?

Кто там читает газету, не обращая внимания на то, что он занял место?

Кто снимает трубку, когда раздается звонок?

Кто выносит мусор?

Чьи родители придут в гости в воскресенье?

Поскольку я могу бежать от всего этого и найти постоянное убежище в профессии актрисы, я мало участвую в этой ежедневной партизанской войне.

А надо бы было быть начеку. Мне нужно было бы немедленно реагировать, когда он начинал во сне стаскивать с меня все одеяло и я мерзла.

Любовь не прощает все. Ни один из моих прежних обожателей не мог бы представить меня такой мягкой и послушной. Зал, кухня и вестибюль были объявлены нейтральной территорией. Во имя хорошего вкуса Мюррей быстро убрал подальше от входа мои любимые безделушки и заменил их собственными фотографиями в отпуске с его «бывшими». Никакой нормальной пищи в холодильнике больше нет. Он забит купленными в аптеке его любимыми продуктами, странными готовыми блюдами, способствующими похудению.

В зале воцарилось огромное кресло, и опускать свой зад на него запрещается всем.

Когда я ленюсь тратить время на борьбу, моя территория сокращается в соответствующей пропорции. Устав от войны, я оставила Мюррею почти всю мою половину квартиры, лишь бы сохранить маленький кабинет. И то он потребовал убрать замок, чтобы я не могла в нем запираться.

Я побеждена. Однако я не чувствую себя полностью проигравшей, поскольку Мюррей умело ведет переговоры с продюсерами о моих правах на фильмы. Понадобилось его вмешательство в переустройство моего последнего убежища, моего кабинета, чтобы я объявила о своем намерении не возобновлять договор.

Мюррей отнесся к этому свысока.

— Без меня тебе крышка. Наше общество стало настолько юридическим, что продюсеры тебя съедят с потрохами.

Я иду на риск. Нисколько не намереваясь вступать в его «клуб бывших», я прошу его, кроме всего прочего, не пытаться больше увидеться со мной. Тут он выходит из себя. Он заявляет, что своим успехом я целиком обязана ему. «Без меня ты никогда бы не стала известной актрисой». В связи с этим он требует половину всего, что я заработала за время нашей совместной жизни. Я соглашаюсь, не торгуясь. Действительно, он сделал мою жизнь такой трудной и я чувствовала себя в такой тесноте на территории, сокращавшейся как шагреневая кожа, что я соглашалась на все предложенные роли, и мои доходы сильно возросли. Моя мигрень возобновилась с новой силой. Я умоляю своего агента Билли Уотса помочь мне с этим.

— Есть два решения, — говорит он. — Первое, классическое, это поехать в Париж к профессору Жану-Бенуа Дюпюи, французскому специалисту по мигрени и спазмофилии. Второе — проконсультироваться у моего нового медиума.

— Ты больше не ходишь к Людивин?

— После успеха ее частных консультаций она создала некую группу мыслителей, которая тоже пользовалась успехом. Тогда она, к несчастью, основала секту под названием ОИВ. «Охранители истинной веры». Они не злые, но проводят свои собрания в специальных одеждах, вступительные взносы очень высоки, а того, кто хочет выйти, они «отлучают». Этого было достаточно, чтобы отрезвить меня. Теперь они требуют, чтобы их признали как полноправную религию.

— А кто твой новый гений?

— Улисс Пападопулос. Это бывший монах-отшельник. Кажется, с ним происходили потрясающие вещи. С тех пор у него появился дар. Он напрямую общается с ангелами. Он поможет тебе войти в контакт с твоим ангелом-хранителем, и тот объяснит причину твоих постоянных головных болей.

— Ты думаешь, можно напрямую беседовать со своим ангелом-хранителем, не... как бы это сказать... не отвлекая его от работы?

166. ЭНЦИКЛОПЕДИЯ

Дыхание. Женщины и мужчины не воспринимают мир одинаково. Для большинства мужчин события развиваются линейно. Женщины, напротив, могут воспринимать мир волнообразно. Возможно, из-за того, что они каждый месяц получают подтверждение, что то, что создается, может исчезнуть и воссоздаться заново. Поэтому они ощущают вселенную как постоянную пульсацию. В их теле подсознательно скрыта фундаментальная тайна: все, что растет, уменьшается, а все, что поднимается, опускается. Все «дышит», и не нужно бояться того, что за вдохом следует выдох. Самое худшее — это попытаться остановить или заблокировать дыхание. Тогда неминуемо задохнешься.

Недавние открытия в области астрономии свидетельствуют, что наша вселенная, появившаяся в результате большого взрыва и всегда рассматривавшаяся как постоянно расширяющаяся, тоже может начать сжиматься до большого комка, максимальной концентрации материи, а потом, возможно, последует второй большой взрыв. В таком случае даже вселенная «дышит».

Эдмонд Уэллс.
«Энциклопедия относительного
и абсолютного знания», том 4

167. ВОЗВРАЩЕНИЕ

Возвращение в Рай. Расстояния между двумя галактиками настолько неизмеримы, что я не надеюсь вскоре снова увидеть Зоза. Мы летим быстро, но такое впечатление, что мы ползем как улитки.

В полете мы думаем над значением своего открытия. Мы исследовали вторую населенную людьми планету, но их должно существовать намного больше. Я знаю, что только в скоплении галактик, включающем нашу и Зоза, их существует 326 782. Даже если у каждой в центре нст Рая и только десять процентов имеют обитаемую гуманоидами планету, остается еще тридцать две тысячи планет, населенных людьми, с которыми можно общаться.

Мы искали богов, мы искали, откуда появлялась Натали Ким, а обнаружили что-то другое, что не дает ответа на эти вопросы. Теперь остается узнать, перемещаются ли души из одного Рая в другой. И если да, то почему?

Наши географические и духовные горизонты расширились. Я опасался, что жизнь ангела будет монотонной. Она становится насыщенной. Эта мысль напоминает о моих прямых обязанностях.

Лишь бы с моими клиентами не произошло ничего ужасного!

168. ИГОРЬ. 25 ЛЕТ

После самоубийства я умер и вышел из своего тела. Сверху был знаменитый свет, уже знакомый мне, но я не поднялся к нему. Что-то внутри меня протестовало: «Ты должен оставаться здесь до тех пор, пока не восторжествует справедливость. Только тогда ты сможешь подняться».

Теперь я неприкаянная душа. Я превратился в нематериальное тело. Я прозрачен и неощутим. Сперва я не знал, что мне делать. Поэтому я остался недалеко от своих останков и начал ждать. Приехала «скорая помощь». Санитар посмотрел на мой полужидкий труп, и его вырвало.

Пришли другие люди в белых халатах и положили мой труп в пластиковый мешок, предварительно собрав туда же с дороги клочья. Они отвезли меня в морг. Татьяна казалась очень огорченной моей смертью, но это не помешало ей сделать вскрытие и поместить проклятый вылеченный пупок в банку с формалином, чтобы потом всем показывать. Аттракцион — безутешная вдова. Бывает и хуже.

Ну вот, я фантом. Поскольку я больше не боюсь умереть, я спокойнее смотрю на людей и на вещи. Раньше страх смерти существовал во мне как постоянный шум, мешающий жить спокойно. Теперь этого больше нет, но остались сожаления.

Я покончил с собой. Я был не прав. Многие люди жалуются, что страдают в своем теле. Они не понимают своего счастья. У них, по крайней мере, есть тело. Люди должны знать, что каждая их болячка доказывает, что у них есть тело. А мы, неприкаянные души, больше ничего не чувствуем.

Ах, если бы я нашел себе тело, я бы радовался каждому шраму. Я бы его время от времени вскрывал, чтобы удостовериться, что во мне действительно есть кровь и я испытываю боль. Чего бы только я ни отдал за то, чтобы иметь небольшую язву в желудке или даже на слизистой оболочке или зуд от комариных укусов!

Какую чушь я спорол, убив себя! Из-за нескольких минут отчаяния я стал неприкаянной душой на века.

Сперва я не хотел относиться к новой судьбе всерьез. Приятно летать, проникая через стены. Я могу попасть куда угодно. Я могу быть привидением в Шотландии и шевелить занавесками, приводя в ужас туристов. Я могу быть духом леса и угождать шаманам в Сибири. Я могу участвовать в спиритических сеансах и вращать столы. Я могу отправиться в церковь и совершать чудеса. Кстати, я порезвился в Лурде, просто чтобы проверить свои способности неприкаянной души.

Быть фантомом приятно и по другим причинам. Я бесплатно посещаю концерты, к тому же сижу в ложе, в первом ряду. Я проникаю в самое сердце решающих сражений. Даже в самом центре атомного взрыва мне нечего бояться.

Я развлекался, спускаясь в глубь кратеров вулканов и в подводные бездны. Один раз ничего, потом надоедает. Я проскальзывал в ванные самых красивых женщин. Хорошая вещь, когда у тебя больше нет гормонов. Я развлекался пару недель. Не больше. Этого достаточно для всех глупостей, которые хочешь сделать, когда ребенком посмотришь «Человека-невидимку».

Две недели. Потом я понял весь ужас своего положения. Постоянные встречи с другими неприкаянными душами. Души самоубийц, как правило, горькие, скисшие, ревнивые, в депресии, озлобленные. Они страдают и в большинстве случаев жалеют о своем выборе. Мы встречаемся на кладбищах, в пещерах, в церквях и храмах, у памятников погибшим и, в более общем смысле, во всех местах, которые считаем «забавными».

Мы обсуждаем свои прошлые жизни. Я встречал убитых, которые преследуют своих палачей, преданных и униженных, которые хотят отомстить, несправедливо приговоренных, мучающих по ночам судей — в общем, множество страдающих существ, у которых есть причины не покидать человечество. Костяк нашего войска, однако, состоит из самоубийц.

Нас всех мучит жажда справедливости, реванша, мести. Для всех больше характерно желание навредить тем, кто навредил нам, чем пытаться попасть в Рай. Мы воины. А воин в первую очередь думает о том, как причинить вред врагу, а не о том, как принести пользу себе или любимым.

Теперь наш единственный шанс вновь стать материальным — это украсть тело. В идеале мгновенно вселиться в тело, покинутое душой. Это трудно, но возможно. В клубах трансцендентной медитации всегда есть новички, которые начинают неправильно и слишком вытягивают свою серебристую нить.

Если так и случилось, остается только войти в них. Проблема в том, что сотни неприкаянных душ всегда вертятся вокруг таких мест, и нужно как следует работать локтями, чтобы первым попасть в освободившееся тело.

Другой корм из покинутых тел — наркоманы. Это как освященный хлеб. Они покидают свои тела неважно как, безо всякой дисциплины и ритуала. Никто не сопровождает их, чтобы помочь. Вкуснота! Входи на здоровье.

Единственная проблема с телами наркоманов в том, что раз войдя в них, ты не чувствуешь себя там уютно. Тебя тут же начинает кумарить, и ты вдруг выскакиваешь наружу, чтобы быть немедленно замененным другим фантомом. Это как в детской игре «кто дольше усидит на стуле», только сиденья раскаленные, и долго на них и сам не усидишь.

Остаются жертвы автокатастроф. Мы набрасываемся на них, как настоящие грифы или стервятники.

Иногда неприкаянная душа войдет в тело пострадавшего в аварии, а он возьми да умри через несколько минут в больнице. Непруха!

Так что нужно внимательно выбирать тело в хорошем состоянии и временно свободное от хозяина. Это непросто.

В ожидании остается болтаться в воздухе. Чтобы немного отвлечься от грустных мыслей, я решаю навестить медиумов, слышащих наши голоса. Я начинаю с Улисса Пападопулоса. И кого же я там вижу? Венеру. Венеру Шеридан. Идола моей молодости. Она хочет при посредничестве грека поговорить со своим ангелом-хранителем. Гениально. Я здесь.

169. ЖАК. 25 ЛЕТ

Уступая требованиям издателя, я отправляюсь на Парижский книжный салон подписывать свой роман посетителям. Салон стал традицией, ежегодным праздником, где все авторы встречаются друг с другом и со своими читателями.

Целая толпа ходит между рядами, но у моего стенда посетители редки. Я смотрю в потолок с таким чувством, что даром теряю драгоценное время, которое мог бы потратить на работу над следующей книгой.

После «Крыс» я написал еще несколько книг. Одну о Рае, другую о путешествии к центру Земли, третью о людях, которые могут использовать неизвестные возможности мозга. Во Франции ни одна не пользуется успехом. Так, говорят немного да неплохо продается в дешевых переплетах. Но издатель продолжает со мной работать, поскольку в России у меня настоящий триумф.

Я жду. Подходят несколько ребятишек, и один из них спрашивает, знаменит ли я. Я говорю, что нет, но мальчик все-таки протягивает лист бумаги для автографа.

— Он не знаменит, но, кто знает, он однажды может прославиться, — объясняет он приятелю.

Публика принимает меня за продавца и спрашивает о других авторах. Какая-то дамочка интересуется, где туалет. Я топчусь на месте. Служащая устанавливает стенд Огюста Мериньяка. Мы одного с ним возраста, но выглядит он намного важнее. В твидовом пиджаке, с шелковым шарфом, Мериньяк еще импозантнее, чем когда я видел его по телевидению. Не успевает он усесться, как вокруг собирается небольшая толпа, и он начинает подписывать свои книги чуть ли не обеими руками.

Я в отчаянии жду «моего читателя», как рыбак, забывший наживить крючок, ждет поклевку, пока его

345

сосед таскает одну рыбу за другой. Вокруг Мериньяка столько народа, что он, чтобы не отвечать больше
на приветствия, надевает наушники и продолжает
машинально подписывать книги, не интересуясь именем человека.

Основную часть его публики составляют девушки.
Некоторые незаметно оставляют на столе свои визит-
ные карточки с телефоном. На таких он снисходительно бросает взгляд, чтобы посмотреть, заслуживают ли
они его внимания.

Как будто неожиданно устав подписывать, он делает знак служащей, что на сегодня закончил. Он ото-
двигает стул, встает под разочарованный ропот тех,
кто не дождался своей очереди, и, к моему великому
удивлению, направляется в мою сторону.

— Давай прогуляемся немного, поговорим. Я уже
давно хочу поговорить с тобой, Жак.

Огюст Мериньяк со мной на «ты»!

— Во-первых, хочу тебя поблагодарить, а потом
ты меня поблагодаришь.

— За что же? — спрашиваю я, следуя за ним.

— За то, что я взял основную идею твоего романа
о Рае в качестве исходного материала для своей будущей книги. Я у тебя уже позаимствовал структуру
«Крыс», чтобы написать «Мое счастье».

— Что, «Мое счастье» — это плагиат моих «Крыс»?

— Можно посмотреть на это и так. Я перенес кры-
синую интригу в человеческий мир. Само название у
тебя никуда не годится, слово «крыса» всем неприятно. А у меня «счастье». У твоей книги к тому же плохая обложка, но это уж ошибка издателя. Тебе нужно
было бы издаваться у моего. Он бы тебя лучше продал.

— Вы осмеливаетесь открыто признаться, что кра-
дете мои идеи?!

— Краду, краду... Я их поднимаю и придаю им
нужный стиль. У тебя все слишком сконцентрирова-

но. Там столько идей, что читателю за ними не уследить.

Я защищаюсь:

— Я стараюсь быть как можно проще и откровеннее.

Мериньяк вежливо улыбается:

— Современная литературная мода идет в другом направлении. Поэтому я привил вкус к роману, который не относится к своему времени. Ты должен принимать мои публикации за честь, а не смотреть на них как на воровство...

— Я... я...

Любимец девушек сочувственно смотрит на меня.

— Не против, что мы на «ты»? — запоздало спрашивает он. — Не воображай, что своей славой я обязан тебе. Тебе не повезло, потому что ты не был предназначен для успеха. Даже если бы ты написал «Мое счастье» слово в слово, у тебя его все равно бы не было. Потому что ты — это ты, а я — это я.

Он берет меня под локоть.

— Даже такой, какой ты есть, с твоим маленьким успехом, ты раздражаешь. Ты действуешь на нервы ученым, потому что говоришь о науке, не будучи специалистом. Ты раздражаешь верующих, потому что говоришь о духовности, а сам ни к какой вере не принадлежишь. Наконец, ты раздражаешь критиков, потому что они не знают, к какой категории тебя отнести. И это непоправимо.

Мериньяк останавливается и смотрит на меня.

— Теперь, когда я вижу тебя перед собой, я уверен, что ты всегда всех раздражал. Учителей в школе, приятелей и даже членов семьи. И знаешь почему? Потому что люди чувствуют, что ты хочешь, чтобы все было иначе.

Я хочу говорить, защищаться, но не могу. Слова застревают в горле. Как этот человек, которого я всегда считал совершенно неинтересным, смог меня так хорошо понять?

— Жак, у тебя очень оригинальные идеи. Так согласись, чтобы они были подхвачены кем-то, кто может донести их до широкой публики.

У меня перехватывает дыхание.

— Вы считаете, что у меня никогда не будет успеха? Он качает головой.

— Все не так просто. Возможно, ты прославишься, но посмертно. Могу тебе обещать, что через сто или двести лет какой-нибудь журналист, желающий доказать свою оригинальность, случайно увидит твою книгу и подумает: «А почему бы не ввести в моду писателя Жака Немро, которого никто не знал при жизни?»

Мериньяк издает смешок, в котором нет никакой злости, как будто ему искренне меня жаль, и продолжает:

— На самом деле я должен бы ревновать. Ведь меня-то забудут. Ты не считаешь, что все, что я сказал, заслуживает хотя бы короткого «спасибо»?

К своему удивлению, я бормочу: «Спасибо». Вечером я засыпаю легче, чем обычно. Нам действительно есть чему поучиться у своих врагов.

170. ЭНЦИКЛОПЕДИЯ

Отказаться от желаний. Эта концепция происходит от одного из трех путей мудрости, о которых говорил Дэн Миллер: юмор, парадокс, изменение. Она дублирует понятие парадокса. Именно тогда, когда мы больше не желаем чего-то, это может произойти. Это также отдых ангела. Он может спокойно работать, когда к нему больше не обращаются.

Искусство отказа от желаний невозможно перехвалить.

Не существует ничего, без чего нельзя обойтись. Никогда человек не становился счастливее, если вдруг получал работу, деньги, любовь, которых желал. Настоящее большое счастье связано с неожиданным событием, которое намного превосходит ожидания человека. Мы ведем себя как вечные Деды Морозы. Те, кто просит игрушечную железную дорогу, получают ее. А те, кто не просит ничего, могут получить гораздо больше. Перестаньте просить, и только тогда вас можно будет удовлетворить.

Эдмонд Уэллс.
«Энциклопедия относительного
и абсолютного знания», том 4

171. ВОЗВРАЩЕНИЕ В РАЙ

Мне кажется, что возвращение длится годами. Я начинаю сильно беспокоиться за своих подопечных. Что еще могли натворить Венера, Игорь и Жак? Я не осмеливаюсь представить себе это. Мы летим через космос в направлении Млечного Пути. Он кажется таким далеким...

172. ВЕНЕРА

Поговорить с моим ангелом-хранителем? Я в жизни не желала ничего лучше. В этой нью-йоркской квартире в стиле барокко ангелы повсюду. Нарисованный углем ангел на двери, статуэтки ангелов у входа, изображения ангелов на стенах и потолке. На картинах — сражения ангелов с драконами и пытки святых на римских аренах.

Сеанс стоит тысячу долларов наличными, но Билли Уотс гарантировал, что Пападопулос — лучший медиум в мире. Однажды ему явился ангел, святой

Эдмонд, и стал диктовать книгу. По словам моего агента, речь идет о странном словаре, который медиум не может и не хочет показывать.

Затем к нему явились другие ангелы и вступили в бой с демонами. Тогда он имел исключительную возможность пообщаться с ангелом Раулем. Однако, проведя многие годы за записью посланий святого Эдмонда, и в особенности после того, как святой Рауль отказался появляться вновь, Улисс Пападопулос решил прервать свое отшельничество. Он вернулся к людям, чтобы помогать им понимать высший мир, обеспечивая контакт с их ангелами-хранителями.

Пападопулос — знаменитый писатель. Он опубликовал книги «Все о наших друзьях ангелах», «Ангелы среди нас», «Говорите со своим ангелом без стеснения». «Святой Рауль и я» стал бестселлером. Я листаю эти книги в зале ожидания. В витрине у стены выставлены для продажи майки с изображениями святого Рауля, каким он явился Пападопулосу. Есть также плакаты, на которых святой Рауль уничтожает вредоносных тварей из Перу. Кажется, святой Рауль здесь — фирменное блюдо.

— Вы можете войти, мадам Шеридан, — говорит секретарша.

Я вхожу в комнату, стены которой разрисованы облаками. Наверняка, чтобы напомнить о Рае. В центре огромный стол. За ним с десяток женщин и единственный мужчина. Я думаю, это и есть маг Пападопулос. Он в длинном белом одеянии и имеет боговдохновенный вид.

Женщины в большинстве своем пожилые, со множеством ювелирных украшений. Несомненно, им нечем себя занять, кроме постоянного общения с ангелами. Это похоже на домашнюю презентацию кухонной посуды фирмы «Таппервейр». Только вместо того, чтобы болтать о пластиковых коробочках, здесь говорят о внеземном. Одно мгновение я колеблюсь. Но я заплатила наличными секретарше, и любопытство берет верх. Я усаживаюсь на свободное место, и бывший монах Пападопулос начинает читать молитву на латыни. Я улавливаю слова mysterium, aeternam и doloris.

Затем он просит нас взяться за руки, чтобы образовать цепочку, и произносит:

— О святой Рауль, ты, который всегда был готов выслушать меня, спустись и во имя несомой тобой любви облегчи страдания этих смертных друзей.

Он продолжает ритуал, закрыв глаза и бормоча молитву, в которой «святой Рауль» частенько упоминается, а потом объявляет, что можно начинать сеанс.

Первой берет слово высокая костлявая женщина, одетая по последней моде. Она спрашивает, нужно ли ей купить новый магазин, чтобы расширить ассортимент предлагаемой одежды. Пападопулос долго шевелит губами и наконец объявляет, что да, она должна его приобрести, поскольку таким образом она станет еще богаче. Это меня не сильно впечатляет. Совершенно очевидно, что богатые становятся еще богаче, и он не сильно рискует, делая такое предсказание. Если этого достаточно, чтобы положить в карман тысячу баксов, я бы тоже хотела на досуге заняться таким делом. К тому же я, как опытная актриса, смогла бы гораздо лучше сыграть медиума, чем этот бородач.

173. ИГОРЬ. ФАНТОМ

Это действительно Венера Шеридан собственной персоной. Какая удача, что все эти медиумы сейчас в такой моде! Кажется, восемьдесят процентов человечества регулярно посещают «ясновидящих»: астрологов, колдунов, гадальщиц, прорицателей, священников, медиумов и т.д. Возможно, из-за неуверенности в будущем и сложности мира. Нам, неприкаянным душам, это дает возможность воздействовать на живую материю. Я смогу напрямую обратиться к моему бывшему кумиру, не стесненный языковым барьером.

Но ее очередь еще не настала. Какая-то старуха спрашивает Пападопулоса, нужно ли ей продавать фамильный особняк, который так любил ее покойный муж. Недавно его задавил пьяный водитель.

Хмм... Венеру не очень убеждают бестолковые разглагольствования мага. Я ее быстренько заинтересую. Я лечу на поиски упомянутого покойника, который, на счастье, остался здесь, чтобы преследовать своего убийцу, и передаю ему вопрос вдовы.

— Ни в коем случае, — говорит он, — пусть не продает, потому что я спрятал крупную сумму денег в нише, за комодом в стиле Людовика XV. Его достаточно отодвинуть. Деньги в статуе бегемота.

Я быстро возвращаюсь и передаю информацию медиуму. Это производит нужный эффект. Все поражены точностью ответа. Старуху переполняют эмоции. Она признается, что в нише есть комод в стиле Людовика XV и статуя бегемота. Как Пападопулос узнал об этом?

Венера продолжает не скрывать скептицизма. Она думает, что старуха — сообщница. Тем лучше, ее потрясение будет еще больше.

В этот момент она как раз начинает говорить. Венера спрашивает, что ей делать, чтобы избавиться от мучающих ее головных болей. Я быстро исследую ее череп, чтобы понять, в чем дело. Брат... мучает ее изнутри!

Кто-то должен рассказать ей о брате. Я быстро устраиваю консилиум с более сведущими в этих проблемах неприкаянными душами. Один из самоубийц указывает имя доктора, который тоже долго страдал, прежде чем узнал секрет брата-близнеца. Его зовут

Рэймонд Льюис. Я пулей возвращаюсь к Пападопулосу и диктую текст.

— Венера, есть... человек, способный тебе все объяснить и вылечить тебя. У него... была такая же проблема... и он ее решил. Его зовут... Льюис.

Венера разочарована.

— Людей с такой фамилией тысячи.

— Этот Льюис... врач-акушер.

— Врачей-акушеров с такой фамилией тоже наверняка целая куча, — раздражается Венера. — Как его имя?

— Подождите, Р... Р... Рамон Льюис.

Всегда мне не везет. Даже медиум попался тугой на ухо. Я почти кричу:

— Не Рамон, не Рамон! Рэймонд, Рэймонд!

— Не Рамон, не Рамон... Эдмонд, — выговаривает Пападопулос.

Это невероятно! Он глух, как тетерев!

— Рэймонд. Это редкое имя, но его зовут именно так.

Пападопулос закрывает глаза и концентрируется:

— Р... Р... Рэймонд. Это редкое имя, но его зовут именно так.

— Ну и что? — спрашивает Венера со все большим нетерпением.

Нужно торопиться, иначе она встанет и хлопнет дверью перед носом этого идиота, прежде чем я смогу ей помочь. Я говорю прямо в ухо этому глухарю:

— У Рэймонда Льюиса та же проблема, что у тебя. Он потерял близнеца до рождения. Это вызывало у него мигрень. Встретившись, вы восполните общую нехватку близнецов, души ваших близнецов объединятся и освободятся.

Медиум с грехом пополам переводит, и суть сообщения достигает цели. Венера сидит неподвижно. Ничто так не потрясает людей, как правда.

Пападопулоса мое появление поразило больше всего. Бедняга давно не получал свыше таких четких посланий. Потрясенный, он охвачен паникой. Какой непрофессионализм!..

Кажется, ангелы называют смертных «клиентами». А мы, фантомы, используем другое словечко: «мясо». Люблю воздействовать на мясо.

174. ЭНЦИКЛОПЕДИЯ

Семилетний цикл (первый квадрат 4 × 7 лет). Человеческая жизнь развивается семилетними циклами. Каждый цикл завершается кризисом, ведущим к следующему этапу.

От 0 до 7 лет. Сильная связь с матерью. Горизонтальное познание мира. Создание чувств. Запах матери, молоко матери, голос матери, тепло матери, поцелуи матери являются первыми ощущениями. Период, как правило, заканчивается вылуплением из защитного кокона материнской любви и открытием более или менее холодного остального мира.

От 7 до 14 лет. Сильная связь с отцом. Вертикальное познание мира. Создание личности. Отец становится новым исключительным партнером, союзником в открытии мира вне семейного кокона. Отец расширяет защитный семейный кокон. Отец становится ориентиром. Мать была любима, отец должен быть обожаем.

От 14 до 21 года. Бунт против общества. Познание материи. Создание интеллекта. Это кризис подросткового возраста. Появляется желание изменить мир и разрушить существующие структуры. Молодежь нападает на семейный кокон, затем на общество в целом. Подростка соблазняет все, что «восстает», — громкая музыка, романтические отношения, стремление к независимости, бегство, связь с маргинальными группами молодежи, анархистские ценности, систематическое отрицание старых ценностей. Период завершается выходом из семейного кокона.

От 21 до 28 лет. Вступление в общество. Стабилизация после бунта. Потерпев неудачу с разрушением мира, в него интегрируются, желая сперва быть лучше, чем предыдущее поколение. Поиски более интересной работы, чем у родителей. Поиски более интересного места жизни, чем у родителей. Попытка создать более счастливую пару, чем у родителей. Выбор партнера и создание очага. Создание собственного кокона. Период обычно заканчивается браком.

С этого момента человек выполнил свою миссию и покончил с первым защитным коконом.

КОНЕЦ ПЕРВОГО КВАДРАТА 4 × 7 ЛЕТ.

Эдмонд Уэллс.
«Энциклопедия относительного
и абсолютного знания», том 4

175. ЖАК. 26 ЛЕТ

Сегодня мой день рождения. Я закрываюсь в туалете и подвожу итог моей жизни. В двадцать шесть лет я полный неудачник. Я не создал семью. У меня нет спутницы, нет ребенка, я живу как независимая крыса, но одиноко. Согласен, я занимаюсь тем, что мне больше всего нравится, но нельзя сказать, что в этом я преуспел.

Мона Лиза II умерла от избытка холестерина. Я похоронил ее рядом с Моной Лизой I.

Мона Лиза III еще толще своей предшественницы. У нее целлюлит лап (ветеринар никогда не видел ничего подобного). Она любит о меня тереться. Мы вместе смотрим телевизор. В книжном обозрении, тема которого на этой неделе «Новая литература», снова в качестве звезды выступает Мериньяк.

Он заявляет, что временами испытывает экзистенциальную тоску и задается вопросами. Я думаю, он просто себя расхваливает. Мериньяк не задает себе вопросов, он уже нашел все ответы. Мона Лиза шепчет мне что-то на ухо. Это похоже на «мяу», но я знаю, она предупреждает, что хочет есть.

— Ну, Мона Лиза, ты уже съела три банки паштета из тушеного сердца и печени!

— Мяу, — отвечает животное без обиняков.

— Больше ничего нет, а на улице дождь!

— Мяу, — настаивает кошка.

Понятно, что это не ей придется выходить в холод и дождь на поиски еще открытого магазина. Думаю, что с кошками я жульничаю. Мне просто не хватает подруги — человека. Я начинаю понимать, что проблема должна быть во мне. Это я выбираю сложных девушек, которые всегда ведут меня к одной и той же пропасти. Но как себя перепрограммировать?

Мона Лиза не прекращает мяукать. Я выключаю телевизор, надеваю плащ прямо на пижаму и отправляюсь на поиски кошачьих консервов. Соседи здороваются. Они никогда не читали моих книг, но, поскольку меня считают писателем-фантастом, я стал местной достопримечательностью.

Супермаркет на углу уже закрыт, а в ночном магазине больше нет паштета из сердца и печени. Остался только паштет из тунца и лосося с карри. Я знаю, что Мона Лиза, кроме сердца и печени, выносит только дораду, фаршированную икрой. Она есть, но стоит дорого.

Я не осмеливаюсь вернуться с пустыми руками. Банка дорады, фаршированной икрой, меня раздражает. Ладно, в конце концов, сегодня мой день рождения. И раз я проведу его вдвоем с кошкой, вместе и будем праздновать. Себе я беру спагетти. А на десерт? «Плавающие острова». Я собираюсь взять последнюю баночку из холодильника, как вдруг чья-то рука хватает ее одновременно со мной. Я машинально дергаю сильнее. Победа. Я оборачиваюсь, чтобы посмотреть, кто был моим противником. Это молодая девушка, которая смотрит на меня широко раскрытыми глазами.

— Вы случайно не Жак Немро?

Я утвердительно киваю.

— Писатель Жак Немро?

Я смотрю на нее. Она смотрит на меня. Она широко улыбается и протягивает мне руку.

— Натали Ким. Я прочитала все ваши книги.

Сам не зная почему, я делаю шаг назад и упираюсь спиной во что-то твердое. Оно поддается, и целая гора банок с горошком обрушивается на меня.

176. ВЕНЕРА. 26 ЛЕТ

Мне необходимо его найти. Мне необходимо его найти. Мне необходимо его найти. Доктора Рэймонда Льюса нет в телефонном справочнике Лос-Анджелеса, Нью-Йорка тоже. Я звоню в справочную службу, дающую информацию по всей стране. Ответ дают быстро. Акушер доктор Рэймонд Льюис живет в Дэнвере, штат Колорадо.

Самолет, такси, и вот я перед богатым домом на такой же богатой улице. Я отчаянно дергаю звонок. Только бы он был дома. Только бы он был дома. Только бы он был дома.

Раздается звук шагов, и дверь открывает невысокий лысый мужчина в очках с толстыми стеклами. Очевидно, он уже видел меня в кино, поскольку он застывает на месте и озадаченно смотрит на меня.

— Я бы хотела поговорить с вами. Извините, можно войти?

Он выглядит по меньшей мере удивленным.

Он снимает очки и вытирает платком вспотевший лоб. У него удивительно приятный взгляд.

— Доктор Льюис, меня заверили, что вы можете решить проблему, которая у меня с рождения. Мне даже сказали, что вы единственный человек в мире, кто может мне помочь.

Он наконец отступает и пропускает меня внутрь. Он предлагает мне сесть на диван в зале, достает бутылку виски и, вместо того, чтобы предложить мне, сам выпивает оба стакана. Я не успеваю открыть рот, как он объявляет мне, что я — мечта всей его жизни. С тех пор как он увидел меня по телевидению, он «знает», что со мной, только со мной, и ни с кем другим, он должен провести остаток своей жизни. Он каждый день думает обо мне, и вся его комната увешана моими плакатами. Черт. Хоть бы у него не было календаря для дальнобойщиков.

Внезапно, охваченный сомнениями, он спрашивает, настоящая ли я Венера Шеридан или двойник. Затем бежит к окну проверить, нет ли во дворе скрытой камеры и не участвует ли он в передаче-розыгрыше. Он успокаивается, выпив еще два виски.

— Этот момент, — говорит он, — я даже никогда не осмеливался об этом мечтать. Даже в самых диких фантазиях большее, что я мог представить, это подойти к вам в толпе, чтобы попросить автограф. И все.

Я не могу оставаться бесчувственной к такому уважительному вниманию. Мне он кажется очень трогательным. Он смотрит на меня, как на чудо. Как только он придет в себя, я задам ему свои вопросы.

— Вам будет трудно поверить в обстоятельства, которые привели меня к вам. Но я буду откровенной, только правда может все объяснить. С помощью медиума я смогла пообщаться со своим ангелом-хранителем, и он сказал, что у вас была та же проблема, что у меня, и что вы один можете ее решить. Вот я и прилетела за тысячу двести километров, чтобы поговорить с вами.

Доктор Льюис все еще потрясен, но с помощью виски постепенно приходит в себя. Он бормочет:

— Ваш... ваш ангел-хранитель вам посоветовал... прийти ко мне!

В этот момент я осознаю всю глупость моего поступка. Бедная Венера, как низко ты пала. Достаточно было какому-то придурковатому медиуму наговорить тебе всякой ерунды, как ты с пол-оборота бросилась бежать. Но у тебя есть уважительная причина, я тебя прощаю. Твои мигрени невыносимы, и по сей день никто не мог тебе помочь.

— Ангел, — задумчиво повторяет доктор Льюис.

— Вы, конечно, не верите в ангелов, — говорю я.

— Я никогда не думал об этом. Но совершенно неважно, кто направил вас, потому что это позволяет мне пережить этот восхитительный момент.

Пора перейти к делу, пока он опять не размечтался. Я заявляю:

— Я больна. Вы можете меня вылечить?

Его лицо становится серьезным. Врач берет верх над обожателем.

— Я не терапевт, я акушер. Но я сделаю все, что в моих силах, чтобы вам помочь. В чем ваша проблема?

Поскольку он до сих пор не догадался предложить мне выпить, я сама наливаю себе виски и делаю глоток, прежде чем произнести гадкое слово.

— Мигрень.

— Мигрень?

Он пристально смотрит на меня, и вдруг его лицо, до сих пор напряженное, расплывается в широкой улыбке. Как будто его осенило и причина моего невероятного присутствия в его доме стала ясна. Мы говорим всю ночь.

С самого детства, как и я, Рэймонд Льюис испытывал чудовищные головные боли, так что бился головой о стену. Интуитивно или с помощью ангела-хранителя он стал изучать медицину, выбрав в качестве специальности акушерство.

Став акушером, он заинтересовался близнецами. По его словам, часты случаи, когда две яйцеклетки оплодотворяются одновременно. Но они редко обе выживают. Как правило, по прошествии трех месяцев тело женщины отторгает одну из них.

Рэймонд может говорить на эту тему бесконечно. Однажды он извлек из живота матери двух младенцев, одного живого, другого мертвого. С тех пор он заинтересовался малоизученным феноменом, так называемыми переливающимися близнецами. Кажется, я уже слышала это слово, но я прошу его продолжать.

— Обычно оба близнеца связаны непосредственно с матерью, и между ними нет связи. Однако иногда их связывает маленькая вена. С этого момента они не только общаются, но и обмениваются питательной жидкостью. Благодаря этому сообщению между ними устанавливается гораздо более прочная связь, чем между обычными близнецами. Однако после шестого или седьмого месяца беременности подобная связь приводит к смерти одного из них. В этот период один из близнецов начинает высасывать из другого всю питательную жидкость.

Я потрясена. Каждая фраза Рэймонда напоминает мне саму себя, я как будто это предчувствовала.

— Один «вампиризирует» другого, поэтому и говорят о переливающихся близнецах. Выживший приобретает все качества умершего и родится в гораздо лучшем состоянии, чем средний новорожденный. Вам необходимо спросить у вашей матери, не нашли ли врачи во время родов второго, мертвого ребенка.

Я не осмеливаюсь верить.

Но какая связь с мигренью?

— Даже само слово дает подсказку. МИГРЕНЬ*. Ваши страдания вызваны воспоминаниями о другой половине зерна, вашем бывшем близнеце-брате или сестре.

177. ЭНЦИКЛОПЕДИЯ

Семилетний цикл (второй квадрат 4 × 7 лет). После первого квадрата, завершающегося созданием собственного кокона, человек вступает во вторую серию семилетних циклов.

28–35 лет: Создание очага. После женитьбы, квартиры, машины появляются дети. Ценности аккумулируются внутри кокона. Но если четыре первых цикла не были пройдены успешно, очаг рушится. Если отношения с матерью не были прожиты должным образом, она будет досаждать своей невестке. Если с отцом тоже, он начнет вмешиваться в дела молодой пары. Если бунт против общества не был пережит, есть риск конфликтов на работе. 35 лет — тот возраст, в котором плохо вызревший кокон часто взрывается. Тогда происходят развод, увольнение, депрессия, психосоматические болезни. Тогда первый кокон должен быть отброшен и...

35–42 года: Все начинается с нуля. После кризиса человек, обогащенный предыдущим опытом и ошибками, реконструирует второй кокон. Нужно пересмотреть отношения к матери, семье, отцу, зрелости. Это период, когда у разведенных мужчин появляются любовницы, а у разведенных женщин — любовники. Они пытаются воспринять то, что ожидают, уже не от брака, а от противоположного пола.

Отношения с обществом также должны быть пересмотрены. Отныне работу выбирают не с точки зрения ее безопасности, а по тому, насколько она инте-

---

* От фр. Migraine: Mi — половина, graine — зерно (примеч. пер.).

ресна, или по тому свободному времени, которое она оставляет. После разрушения первого кокона человек всегда испытывает желание как можно быстрее создать второй. Новый брак, новая работа, новые отношения. Если избавление от паразитирующих элементов прошло благополучно, человек должен быть способен восстановить не похожий, а улучшенный кокон. Если он не понял прошлых ошибок, он восстановит точно такую же оболочку и придет к точно таким же поражениям. Это то, что называется «бегать по кругу». С этих пор все циклы станут лишь повторением одних и тех же ошибок.

42–49 лет: Завоевание общества. Как только второй, улучшенный кокон восстановлен, человек может познать полноту жизни в браке, семье, работе, собственном развитии. Эта победа приводит к двум новым типам поведения.

Если человеку важны признаки материального благополучия: больше денег, больше комфорта, больше детей, больше любовниц или любовников, больше власти, он непрестанно увеличивает и обогащает свой новый улучшенный кокон.

Если человек отправляется на завоевание новых территорий, а именно духовных, то начинается истинное созидание его личности. По всей логике, этот период должен закончиться кризисом самосознания, экзистенциальным вопросом. Почему я здесь, зачем я живу, что я должен сделать, чтобы жизнь приобрела смысл помимо материальных благ?

49–56 лет: Духовная революция. Если человеку удалось создать или воссоздать свой кокон и реализоваться в семье и работе, он, естественно, испытывает желание обрести мудрость. Отныне начинается последнее приключение, духовная революция.

Поиски духовности, если они ведутся честно, не впадая в легкость групповщины или готовых идей, никогда не будут закончены. Они займут всю оставшуюся жизнь.

КОНЕЦ ВТОРОГО КВАДРАТА 4 × 7 ЛЕТ.

N.B. 1: Далее развитие продолжается по спирали. Каждые семь лет человек поднимается на один виток и вновь проходит через те же вопросы: отношения с матерью и отцом, отношение к бунту против общества и к семье.

N.B. 2: Иногда некоторые люди нарочно терпят крах в семейных отношениях или на работе, чтобы быть вынужденными начать все циклы заново. Таким образом они пытаются избежать или отодвинуть тот момент, когда им придется перейти к духовной фазе, поскольку они боятся столкнуться сами с собой лицом к лицу.

Эдмонд Уэллс.
«Энциклопедия относительного
и абсолютного знания», том 4

178. НЕБОЛЬШАЯ ПРОБЛЕМА

Мэрилин Монро настояла, что при возвращении она будет возглавлять ромб. Она подает нам знаки. Вдалеке она заметила подозрительные формы.

Боже, неприкаянные души!

Светящихся точек становится все больше. Целая армия неприкаянных душ! Там собрались десятки фантомов.

— Ой-ой-ой, — говорит Фредди, — эта торжественная встреча не предвещает ничего хорошего.

— Повернем назад? — предлагает Монро.

Во главе вражеской армии много исторических фигур. Там Симон де Монфор, наводивший ужас на еретиков-катаров, безжалостный инквизитор Торквемада, Аль Капоне и его гангстеры. В общем, сливки общества.

Раввин Мейер пытается вести переговоры и спрашивает, чего им от нас нужно. И в этот момент впереди мрачной когорты выступает персонаж, которого я знаю слишком хорошо: Игорь. «Мой» Игорь. Что он тут делает? Ужас, он умер во время моего отсутствия!

— Игорь, как ты мог?..

Он презрительно мерит меня взглядом.

— Ты, знаменитый Мишель Пэнсон. Ты был моим ангелом-хранителем, и ты не смог меня спасти. Посмотри, кем я стал по твоей вине!

Я взрываюсь:

— Я боролся за твою жизнь! Я исполнял твои желания. Я спас тебя от бесчисленных ловушек.

— Ты потерпел неудачу. Доказательство — я здесь.

— Ты не обращал внимания на знаки!

— Надо было быть более понятным, — возражает он. — Теперь я знаю, что ты бросил меня только ради того, чтобы удовлетворить свои безумные амбиции исследователя. А где ты был, когда я страдал? Где ты был, когда я звал тебя? На далекой планете, да, выпендривался! Я на тебя зол, ты не представляешь, как я на тебя зол!

Мое лицо передергивается. Эдмонд Уэллс предупреждал, что однажды мне придется напрямую отчитываться перед клиентами.

— Я готов признать свои ошибки. А ты должен научиться прощать.

— Прощать! Ты шутишь. Я тебе не ангел!

Не зря я так волновался за Игоря. Мне было его так жалко, когда мать хотела его убить, когда он был в детдоме, в колонии для несовершеннолетних, в психиатрической больнице, в армии. И вот теперь он стал моим непосредственным противником.

Игорь сообщает, что неприкаянным душам надоело бесконечно блуждать над Землей. Путешествие на другую планету позволит им наконец сменить обстановку.

— Вы здесь неприкаянные души, вы и там такими будете, — замечает Мэрилин Монро.

— Это еще надо посмотреть. Что до меня, то я уверен, что там и трава зеленее.

— И на что вы надеетесь? — спрашивает Рауль.

— Победить вас и превратить в падших ангелов. Среди нас уже есть несколько таких. Когда вы станете нашими, вы охотнее поведете нас к вашей таинственной планете.

— Но я думал, что падшие ангелы это те, кто занимался любовью со смертными.

— Это лишь один из способов упасть во тьму, но есть и другие...

Падшие ангелы выделяются из рядов неприкаянных душ, чтобы взлететь повыше и оттуда направлять остальных.

— Это будет не подарок, — говорит Фредди.

— А может, повернем назад? — снова предлагает обеспокоенная Мэрилин Монро.

— У нас больше нет выбора, — говорит Фредди Мейер. — Если мы начнем убегать, они бросятся за нами и нанесут удар в спину. К тому же наше бегство придаст им энергии. Так что нужно драться.

Они приближаются. Перед нами целая разношерстная армия неприкаянных душ. Тут и рыцари в доспехах, и самураи, отравительницы при дворе Людовика XIV, серийные убийцы, отчаявшиеся, которым больше нечего терять. Их ничем не напугать. Они совершили столько злодеяний в предыдущих жизнях, что потребуются тысячи реинкарнаций, чтобы подняться хоть на несколько ступеней. К тому же здесь и падшие ангелы, которые еще больше настраивают их против нас.

Они уже совсем близко. Симон де Монфор приказывает построиться в боевой порядок. Я не понимаю, почему они считают нас такими опасными, что пришли в таком количестве. Нам придется сражаться один против ста.

— Это будет Армагеддон, — восклицает Торквемада.

— В атаку! — командует Игорь.

179. ВЕНЕРА. 26 ЛЕТ

Рэймонд Льюис. Я еще не могу в это поверить, но как только я увидала этого человека, то сразу же поняла, что он создан для меня. Он вежливый, мягкий, умный, и он меня так обожает.

Я хочу иметь от него детей.

Я молюсь об этом.

180. БИТВА ПРИ АРМАГЕДДОНЕ-2

Неприкаянные души наваливаются на нас. Как и раньше с инками, мы пытаемся понять их боль и утешить их, но они, по-видимому, даже не способны почувствовать наше сострадание. После первого натиска, чтобы опробовать нашу сопротивляемость, они перегруппировываются для второй атаки.

— На этот раз сочувствия будет недостаточно, — говорит Рауль. — Нам нужно более мощное оружие.

Фредди Мейер изучает ситуацию и восклицает:

— Любовь! Используем любовь. Как побитые дети, они не привыкли к тому, чтобы их любили. Как побитые дети, они продолжают делать глупости даже после наказания, потому, что все равно, и потому, что это их обычный способ поведения. Как побитые дети, если мы их полюбим, они будут обезоружены.

Рауль, Фредди, Мэрилин и я прижимаемся друг к другу. Наши руки начинают светиться. Лучи света выходят из правых ладоней (кроме Мэрилин, она левша). Мы готовы покрыть всей нашей любовью когорту фантомов.

— Заряжай! — командует Игорь.

Они бросаются вперед плотными рядами. Мы опускаем лучи света, как копья, и, действительно, любовь приводит их в замешательство. Они застывают на месте. Эффект неожиданности полный. Некоторые из неприкаянных душ присоединяются к нам, и нам остается только впустить их в себя и отправить в Рай, где они снова вступят в цикл реинкарнаций. Так мы обезвреживаем десяток фантомов.

Игорь дает команду к отступлению. Неприкаянные души перестраиваются и решают применить против нашей любви свое оружие: ненависть.

Как хороший стратег, Игорь ставит самых бешеных фантомов на острие атаки. Мы отбиваемся световыми шпагами любви от атаки ненависти. Они объединяют всю свою злобу, все воспоминания о страданиях, которые они пережили в последнем существовании. Как на шпагах, они бьются зелеными лучами ненависти с нашими синими лучами любви.

Они упорны. Нам приходится объединять четыре луча любви, чтобы покончить с одним ненависти. Битва ожесточенная. Мы отступаем под ударами зеленых лучей, а Игорь уже готовит следующую атаку.

— Нам нужна другая защита, — говорит Рауль, — иначе они в конце концов поразят нас своей ненавистью.

Неожиданно не Фредди, а я первым выдвигаю предложение:

— Юмор. Любовь как шпага, юмор как щит.

Фантомы уже наваливаются, когда по моему знаку мы материализуем щиты юмора, крепко держа их левой рукой (кроме Мэрилин, которая по уже упомянутой причине держит его правой).

На этот раз их ненависть, отбитая щитами, бессильна. А наша любовь разит беспощадно, и вот уже пятьдесят самых злобных неприкаянных душ отправляются в воронку, ведущую в Рай. Мэрилин Монро воспряла духом. Она говорит всем, что отныне ее боевым кличем будет:

— Любовь как шпага, юмор как щит!

Игорь приказывает отступить. Неприкаянные души немедленно собираются вокруг него, чтобы решить, какое оружие употребить против юмора: издевательство.

Отныне их девиз: «Ненависть как шпага, издевательство как щит».

— В атаку! — кричит Игорь.

Они заряжают оружие.

181. ЭНЦИКЛОПЕДИЯ

Оружие: «Любовь как шпага, юмор как щит».

Эдмонд Уэллс.
«Энциклопедия относительного
и абсолютного знания», том 4

182. БИТВА ПРИ АРМАГЕДДОНЕ-2 (ПРОДОЛЖЕНИЕ)

Если мы проиграем это сражение и неприкаянные души обнаружат Красную, их черные мысли распространятся во вселенной как вирус. Им достаточно будет одну за другой посетить остальные галактики, чтобы заразить все.

Ставка немаловажна. Я понимаю, почему инструктор Зоза не хотел говорить об инопланетных цивилизациях. Даже если время тайн и закончилось, некоторую информацию нужно передавать очень осторожно.

Армада фантомов наступает. Апокалипсическое зрелище. У меня в голове звучит «Кармина бурана» Карла

Орфа. Что еще они придумали? Вместо того чтобы броситься на нас, они останавливаются на расстоянии и прицеливаются руками, вытянутыми, как ружья.

— Огонь! — командует Игорь.

Мы едва успеваем укрыться за щитами юмора. Мы отвечаем беглым огнем любви, который они легко отражают своими щитами издевательства.

Уже появляется второй ряд, состоящий из отчаявшихся и сумасшедших. На них ни любовь, ни юмор не действуют.

— Заряжай! — кричит Игорь.

Целый шквал ненависти, подкрепленной безумием, обрушивается на наши щиты и сгибает их. Трудно вчетвером противостоять такой толпе. Сумасшедшие смеются над нами, и Игорь констатирует, что безумие может быть не только оборонительным, но и наступательным оружием. Мы соединяем свои щиты, как черепаший панцирь, и их насмешки рикошетят.

Зацепленная злым личным выпадом, Мэрилин, неудачно державшая свой защитный юмор, легко ранена. Она никогда не выносила, что ее талант актрисы подвергают сомнению. Фредди вынужден успокаивать ее. Каждый думает о самом лучшем, что было в его предыдущей жизни. Я вспоминаю о любви к Розе, женщине моей последней жизни во плоти.

— Заряжай! — повторяет Игорь.

Мы опускаем щиты и очередями стреляем любовью в душащие нас клещи. Это действует. Остается лишь вдохнуть в себя поверженные тела. Они входят в нас снизу спины, поднимаются по позвоночнику, и остается лишь отправить их в полет из макушки. Наши позвоночники, пусковые установки по запуску в Рай, переполнены спасаемыми фантомами. Однако за это время мы не успеваем защитить свои фланги, и новая волна наступающих разбивает наше укрепление.

Отделенные друг от друга, мы переходим на бой врукопашную. Удар юмором для защиты, удар любовью для нападения, удар позвоночником, чтобы отправить в Рай.

— Держись, Мишель, — подбадривает Рауль, избавляя меня от черномазого падшего ангела, прыгнувшего на спину.

Он успевает как раз вовремя. Гораздо более сильный, чем неприкаянные души, этот падший ангел почти повалил меня воспоминаниями о самых болезненных моментах моей последней жизни. Проблема в том, что, проходя через нашу спину, побежденные враги ослабляют нас, передавая свои боли.

А перед нами уже вражеские подкрепления. Нас окружают десятки новых врагов.

— Как можно любить еще больше?

— Закройте на секунду глаза, — советует Фредди, отправляя нам в одной ослепительной вспышке образы всего самого лучшего, что было создано человечеством.

Наскальные рисунки пещеры Ласко, Александрийская библиотека, висячие сады Семирамиды, Колосс Родосский, фрески Дендера, древняя столица инков Куско, города майя, Ветхий Завет, Новый Завет, техника касания при игре на фортепиано, храмы Ангкора, Шартрский собор, токкаты Иоганна Себастьяна Баха, «Четыре времени года» Вивальди, полифония пигмеев, «Реквием» Моцарта, «Мона Лиза» Леонардо да Винчи, майонез, избирательное право, театр Мольера, театр Шекспира, балийские оркестры ударных, Эйфелева башня, индийское тандури из курицы, японские суси, статуя Свободы, ненасильственная революция Ганди, теория относительности Альберта Эйнштейна, «Врачи Мира», кинематограф Мельеса, сэндвичи с пастрамой и корнишонами, моццарелла, фильмы Стэнли Кубрика, мода на мини-юбки, рок-н-ролл, «Битлз», «Генезис», «Йес», «Пинк Флойд», «Монти Питон», «Чайка Джонатан Ливингстон» и музыка к нему Нила Даймонда, первая трилогия «Звездных войн» с Харрисоном Фордом, книги Филипа Дика, «Дюна» Фрэнка Херберта, «Властелин колец» Толкиена, компьютеры, игра «Цивилизация» Сида Мейера, горячая вода... Сотни образов сменяют друг друга, подтверждая человеческий гений и его вклад во вселенную.

— Я не понимаю, Фредди, ведь это ты мне говорил, что человечество недостойно спасения...

— Юмор-парадокс-изменение. Я могу совершенно не верить в человечество и в то же время осознавать все эти успехи.

Игорь подбадривает свои войска. Чтобы воодушевить их, он использует ту же технику, что и эльзасский раввин, только наоборот. От отправляет неприкаянным душам жуткие образы: доисторические межплеменные войны, бандиты с большой дороги, грабящие замки, первые пушечные ядра, пожар Александрийской библиотеки, трюмы судов с черными невольниками, которых продали в рабство, мафия, продажные правительства, Пунические войны, горящий Карфаген, Варфоломеевская ночь, траншеи Вердена, армянский геноцид, Аушвиц, Треблинка и Майданек, наркодилеры в темных подъездах, теракт в парижском метро, разлившаяся по пляжам нефть, в которой умирают птицы, кислотные дожди над современными городами, дебильные телепередачи, холера, чума, проказа, СПИД и все новые и новые болезни.

Игорь предлагает им вспомнить все страдания и несчастья, все неудачи, чтобы швырнуть нам в лицо во время атаки. Переполненные ненавистью и презрением, дрожащие от нетерпения, они бросаются на нас. Мы отступаем перед их натиском. Издевательства достигают цели. Лучи любви уже не такие мощные.

Каждая неприкаянная душа, которую нам удается вдохнуть, увеличивает наше замешательство. И страшный вопрос сам собой встает передо мной: «Действительно, что я здесь делаю?».

Я пытаюсь сконцентрироваться на Жаке и Венере, моих двух еще живых подопечных, но их судьба становится мне неинтересна. Они ничтожества, их молитвы ничтожны, а их амбиции никудышны. Как говорил Эдмонд: «Они пытаются уменьшить свои несчастья, вместо того чтобы попытаться построить свое счастье».

Я по-прежнему раздаю удары любви, но с меньшей убежденностью. Я увертываюсь от очередей насмешек и думаю, что Венера — просто невыносимая воображала, а Жак — законченный аутист. Чего ради я должен выбиваться из сил ради таких существ?

Фантомы собираются для последней атаки, двадцать против одного. У нас больше нет ни одного шанса уцелеть.

— Сдаемся? — предлагает Мэрилин.

— Нет, — отвечает Фредди. — Нужно как можно больше отправить в Рай. Ты почувствовала, как они страдают?

— Фредди, быстро, давай анекдот! — требует Рауль.

— Э-э... два омлета запекаются в духовке. Один говорит другому: «Простите, вам не кажется, что здесь слишком жарко?» Второй кричит: «Караул! Здесь ГОВОРЯЩИЙ ОМЛЕТ!»

Мы заставляем себя рассмеяться. Однако этого достаточно, чтобы укрепить наши щиты. Фредди продолжает:

— Пациент приходит к врачу и говорит: «Доктор, у меня провалы в памяти». — «И давно это у вас?» — спрашивает врач. «Давно... что?» — отвечает больной.

К счастью, у него всегда полно таких историй. Настроения смеяться совсем нет, но два этих анекдота кажутся такими неуместными в эту страшную минуту, что они вселяют в нас уверенность.

Но вид противника отбивает желание шутить. Игорь гарцует, как всадник Апокалипсиса. Рядом с ним ведьма и палач. Он бросает в Мэрилин болезненный намек на ее роман с Кеннеди и попадает точно в цель. Световой луч Мэрилин уменьшается и гаснет. Она превращается в падшего ангела, присоединяется к противнику и бомбардирует нас зелеными лучами. Она знает наши слабые места и бьет по ним.

Виды концлагерей обрушиваются на Фредди. Он пытается отбиваться шутками, но его энергия иссякает. Шпага любви исчезает, щит юмора рассыпается в прах. Он тоже падает. И присоединяется к Мэрилин.

Я понимаю, что должны были чувствовать последние бойцы Форта Аламо, окруженные мексиканцами, защитники Массада, окруженные римлянами, Византии, окруженные турками, Трои, окруженные греками, воины Версинжеторикса в кольце блокады Юлия Цезаря в Алезии. Не будет ни подкрепления, ни последней кавалерии, ни даже предсмертного желания.

— Держаться, нужно держаться, — твердит Рауль охрипшим голосом, а свет его щита юмора начинает мигать.

— У тебя не осталось еще анекдота?

183. ЖАК. 26 ЛЕТ

Падая, банки с горошком меня оглушили. Я немного одурел. Это смешное событие происходит в самый неподходящий момент. Я пытаюсь прийти в себя, но у меня должна быть большая шишка. Со лба течет кровь. Хозяин магазина ведет меня в подсобку и вызывает «скорую помощь».

— Помогите бедному мальчику, — требует какая-то дама.

— Это я виновата, — говорит Натали Ким.

Я хочу ей сказать, что нет, но язык меня не слушается, я не могу произнести ни слова.

184. КАВАЛЕРИЯ

Это конец. Шпага любви в правой руке больше похожа на тупой складной ножик, а щит юмора напоминает дырявую салфетку.

Я удручен тем, что Мэрилин и Фредди стали падшими ангелами. Как и в начале великой танатонавигаторской эпопеи, мы с Раулем остались вдвоем. Мы становимся спиной к спине перед лицом толпы неприкаянных душ.

Игорь усмехается.

— ТЫ И Я, ВМЕСТЕ ПРОТИВ КРЕТИНОВ! — трубит Рауль.

Звук нашего старого боевого клича придает мне сил. Но насколько? Я падаю под насмешливым ударом Мэрилин. Игорь заносит свою саблю ненависти, чтобы нанести мне последний удар, который отправит меня в лагерь противника. Силы уже начинают меня покидать, когда я вдруг замечаю вдали маленькую светящуюся точку, которая быстро увеличивается. Это Эдмонд Уэллс, который спешит на помощь вместе с десятью крепкими ангелами, и какими: Хорхе Луис Борхес, Джон Леннон, Стефан Цвейг, Альфред Хичкок, мать Тереза (которая больше не знает, что делать, лишь бы остаться в строю), Льюис Кэрролл, Бастер Китон, Рабле, Кафка, Эрнст Любич.

Они стреляют ядрами любви. Они поливают пулеметными очередями юмора. Неприкаянные души в беспорядке отступают. Их издевки меня больше не ранят. Руки снова становятся теплыми, и шпага любви во всей мощи вновь появляется из ладони. Зависнув над схваткой, Эдмонд Уэллс напоминает изречение из своей «Энциклопедии относительного и абсолютного знания»: «Люби своих врагов, хотя бы ради того, чтобы действовать им на нервы». Я стараюсь сочувствовать всем, даже Игорю.

Он удивленно замирает на месте.

Это действует. Неприкаянные души отступают. Мэрилин Монро и Фредди падают и возвращаются в наши ряды.

Эдмонд Уэллс оказался бывалым вдыхателем неприкаянных душ. Вот это класс! Один выстрел, один вдох, один выстрел, один вдох. Я никогда не мог себе представить, что мой наставник такой опытный боец. Исход этого Армагеддона близок. Вскоре перед нами остается лишь несколько самых злобных фантомов. Игорь по-прежнему ими командует.

— Тебе меня не победить! — бросает мой бывший клиент. — Я аккумулировал достаточно злобы против человечества, чтобы противостоять твоей любви, Мишель.

— Посмотрим.

Я напоминаю ему его предыдущую карму, когда он был моим другом Феликсом Кербозом, первым танатонавтом, уже тогда страдавшим от плохого обращения матери. Столько несчастий на протяжении долгого времени только увеличивают его бешенство. Он меняется в цвете.

— Он вобрал слишком много ненависти, любовь не может его спасти, — вздыхает Рауль.

Я не опускаю руки.

Внезапно среди наших самых заклятых врагов я замечаю мать Феликса-Игоря. Она только что умерла от цирроза печени. Ненависть, которую она испытывает по отношению к отцу Игоря, удержала ее между двух миров, и она стала неприкаянной душой. Это уникальный случай. Я указываю Игорю на нее. В ярости он бросается на нее в беспощадной рукопашной драке. Их взаимная ненависть чудовищна, однако ни одному не удается одержать верх. Мы используем это для того, чтобы отправить в Рай последние неприкаянные души, так что в результате битвы остаются только Игорь и его мать. Они неистовствуют, но их силы на исходе.

— Эти двое дерутся уже на протяжении тринадцати жизней, — сообщает Эдмонд Уэллс.

Поскольку ни одному не удается взять верх над другим, устав, они начинают говорить. Сперва они осыпают друг друга упреками. Тринадцать жизней неблагодарности и предательства, тринадцать существований с подлостью и жаждой саморазрушения. Долг велик с обеих сторон, но, по крайней мере, теперь они разговаривают. Они смотрят друг другу в лицо на равных, а не как ребенок и взрослый.

После злости наступает усталость, потом идут объяснения и, наконец, извинения.

— Мама!

— Игорь!

Они обнимаются. Так что никогда не нужно отчаиваться.

— Теперь дело за тобой, Мишель, — говорит мой инструктор. — Речь идет об одной из твоих душ.

Я вдыхаю сына и мать своим прозрачным позвоночником, и они, светясь, выходят из моей макушки и вместе отправляются в сторону Рая.

— Вот и первый твой клиент уже готов к суду, — говорит Эдмонд Уэллс.

— Мне нужно сразу же лететь на его защиту?

— Нет, у тебя есть время. Он должен сперва пересечь Семь Небес и подождать в Чистилище. Тебя ждут более неотложные задачи. Торопись, Мишель, у двух твоих клиентов, оставшихся на Земле, есть новости.

185. ЭНЦИКЛОПЕДИЯ

Заговор глупцов. В 1969 году Джон Кеннеди Тул написал роман «Заговор глупцов». Его название подсказано фразой Джонатана Свифта: «Когда истинный гений появляется в этом низком мире, его можно узнать по тому знаку, что все глупцы объединяются против него».

Свифт не мог выразиться лучше.

После безуспешных поисков издателя, в возрасте тридцати двух лет, разочарованный и уставший, Тул решил покончить с собой. Его мать обнаружила тело и рядом рукопись. Она ее прочитала и сочла несправедливым, что ее сын не был признан.

Она отправляется к издателю и берет в осаду его офис. Она загораживает вход своим тучным телом, ест сэндвич за сэндвичем, вынуждая издателя с трудом перешагивать через нее каждый раз, когда он приходит или уходит. Он уверен, что это продлится недолго, но мадам Тул держится хорошо. Столкнувшись с таким упрямством, издатель уступает и соглашается прочесть рукопись, предупредив, что, если она ему не понравится, он ее не опубликует.

Он читает. Находит текст превосходным. Публикует его. И «Заговор глупцов» получает Пулитцеровскую премию.

Здесь история не кончается. Через год издатель публикует новый роман Джона Тула «Неоновая библия», по которому будет поставлен фильм. Еще через год появляется третий роман.

Я спросил себя, как может человек, умерший от обиды на то, что не может опубликовать свой единственный роман, продолжать творить из могилы. На самом деле издатель так корил себя за то, что не оценил Джона Тула при жизни, что он нашел в ящиках его письменного стола и опубликовал все, что там было, включая школьные сочинения.

Эдмонд Уэллс.
«Энциклопедия относительного
и абсолютного знания», том 4

186. ОДНО МГНОВЕНИЕ

Пора возвращаться в Рай.

Жак, мой Жак, встретил Натали Ким, Натали Ким Рауля! Чистое совпадение. Есть не только случайности, предопределенные высшей волей, но и настоящие случайности, вызванные непредвиденными обстоятельствами жизни.

Держа сферы в руках, мы с Раулем устраиваемся друг напротив друга, чтобы посмотреть, как будут развиваться события. Сферические экраны зажигаются.

— Ох уж эти смертные! — говорит Рауль. — Больше всего меня раздражает их стремление создавать пары. Мужчины и женщины спешат создать пару, в то время как они не знают даже, кто они сами. Часто на это их толкает страх одиночества. Молодые люди, которые женятся в двадцать лет, как новостройки, думающие, что они будут строиться вместе, и уверенные, что будут на одном уровне. Однако, когда они достигают крыши, выясняется, что связь между ними непрочна. Шансы на успех очень редки. Вот почему множатся разводы. С каждым этажом, с каждым новым уровнем развития сознания каждый из них считает, что ему нужен другой партнер. На самом деле, чтобы создать супружескую пару, нужны четверо: мужчина плюс его часть женственности и женщина плюс ее часть мужественности. Два полных существа больше не ищут в другом того, чего им недостает. Они могут объединиться, не мечтая об идеальной женщине или идеальном мужчине, потому что уже нашли их в самих себе, — заявляет мой небесный компаньон.

— Принимаешь себя за Эдмонда Уэллса? — шучу я. — Я тебя предупреждаю, начинают с высокопарных речей, а заканчивают написанием энциклопедий.

Он закашливается, делая вид, что не расслышал мое замечание.

— У тебя там что происходит?

— Они говорят друг с другом.
— Ну и как он, твой Жак?
— Не очень свеж. У него голова забинтована.

187. ЖАК. 26 ЛЕТ

У меня забинтована голова, но чувствую я себя лучше. Натали Ким говорит, я слышу ее как бы издалека.

— Как я хохотала над этой сценой в вашей книге, когда жирная и дебильная кошка проводит все дни за телевизором!.. Откуда вы все это берете?

Сидя по другую сторону столика, я не могу оторвать взгляда от НЕЕ. Я чувствую, как бьется мое сердце. Я не могу произнести ни слова. Тем хуже, забинтованная голова будет оправданием. Я ее слушаю. Я ее пью. Время останавливается. Мне кажется, что я ее уже знаю.

— Я давно хотела вас встретить на книжном салоне, но вы там редко бываете, да?

— Я... я...

— Откуда у вас эта страсть к Раю и всему потустороннему? — спрашивает она, пока я только вдыхаю и выдыхаю воздух.

Натали задумчиво делает несколько глотков зеленого чая.

— Я читала в одном из интервью, что вы используете ваши сны. В таком случае, должна вам сказать, что они очень похожи на мои. Когда я прочла вашу первую книгу, я была поражена, что вы описали Рай именно так, как я его себе представляла: светящаяся спираль с разноцветными частями.

— Я... я...

Она колышет длинными черными волосами в знак понимания. Я наконец могу говорить. Мы говорим долго. Рассказываем про свои жизни. Они тоже похожи. Все мужчины, которых Натали знала, разочаровали ее. Она решила жить одна.

Она говорит, что у нее такое впечатление, что она меня знала всегда. Я ей отвечаю, что у меня тоже это ощущение встречи после долгой разлуки. Мы опускаем глаза, стесняясь, что так быстро высказали общее интуитивное ощущение. Время замедляется. Я вижу сцену, как в замедленном кино. Я признаюсь, что сегодня мой день рождения. Что лучшим подарком на мое двадцатишестилетие стал этот разговор с ней. Я предлагаю ей немного прогуляться. Мона Лиза подождет свой паштет. Я не позволю кошке себя тиранить.

Мы гуляем несколько часов.

Она рассказывает о своей работе. Она гипнотерапевт.

— Шестьдесят восемь процентов моих пациентов — это те, кто хочет бросить курить, — рассказывает она.

— И получается?

— Только у тех, кто еще до встречи со мной решил бросить.

Я улыбаюсь.

— Еще я помогаю дантистам. Есть люди, которые не переносят обезболивающие средства. Я им помогаю гипнозом.

— Вы заменяете анестезию?

— Вот именно. Раньше я программировала своих клиентов таким образом, чтобы кровь не текла, когда вырывают зуб. Но оказалось, что тогда кровь не свертывается и рана не заживает. Теперь я говорю: «Три капли, только три капли». Наш мозг действительно может все. И вытекают всегда только три капли крови, ни больше ни меньше.

— Табакокурение, вырванные зубы, а что еще?

— Под гипнозом я предлагаю людям вернуться в прошлое, и они выдают мне своего «жучка», ошибку в программе, которая ставит их в проигрышные ситуации, которых невозможно избежать. Когда этого недостаточно, я ищу «жучка» в их предыдущих жизнях. Это довольно увлекательно.

— Вы надо мной издеваетесь.

— Я знаю, это кажется довольно... странным. Я не делаю выводов. Но если ограничиться только наблюдениями, я должна констатировать, что мои пациенты очень подробно рассказывают о своих предыдущих воплощениях и потом чувствуют себя лучше. Как я могу проверить, правда ли то, что они рассказывают? То, что они это говорят, уже само по себе является достаточной терапией.

Она улыбается.

— Я видела, как многие люди впадают в иррационализм: мистики, шарлатаны, прорицатели, ясновидящие... Я посещала клубы, ассоциации, гильдии, секты. Я своего рода турист духовности. Я думаю, во всю эту кучу нужно внести немного деонтологии.

Она рассказывает мне о своих предыдущих жизнях. Она была танцовщицей на острове Бали, а перед этим прожила длинный ряд людей, животных, растений и минералов. Она думает, что родилась до Большого взрыва в другом измерении, в другой вселенной, похожей на нашу.

Мне все равно, если ее признания — чистая выдумка. Я говорю себе, что это даст почву для длинных историй, которые мы будем рассказывать друг другу долгими, зимними вечерами, сидя у огня. Мне так много нужно узнать о ней. Хватит ли нам одной жизни, чтобы рассказать друг другу все, учитывая, что мы можем посвятить этому только пять или шесть часов в день?

Я закрываю глаза и приближаю мои губы к ее губам. Пан или пропал. Или я получу пощечину, или...

Ее губы касаются моих. Ее темные зрачки сверкают. Искорка проскакивает на уровне ее сердца и встречается с моей искоркой.

Натали. Натали Ким.

В 22 часа 56 минут я беру ее за руку. Она ее сжимает. В 22 часа 58 минут я целую ее глубже, и она отвечает. Я прижимаюсь к ней, чтобы почувствовать ее тело. Она обнимает меня еще сильнее.

— Я так долго тебя ждала, — шепчет она мне в ухо.

Я говорю себе, что, даже если моя литературная карьера не дала мне ничего, кроме этого мгновения, это стоило усилий. Все мои разочарования, все отказы, все провалы разом исчезают.

В 22 часа 59 минут, впервые в жизни, я думаю, что все-таки моя планета не такая уж плохая.

188. ЭНЦИКЛОПЕДИЯ

История реальная и история рассказанная: История, которую мы учим в школе — это история королей, битв и городов. Но это не единственная история, отнюдь нет. До конца XIX века более двух третей населения жило вне городов, в деревнях, лесах, горах, на берегах морей. В битвах участвовала лишь незначительная часть населения.

Но История с большой «И» требует письменных свидетельств, и писари были в большинстве своем придворными, хроникерами, подвластными хозяину. Они рассказывали только то, что король велел рассказать. Поэтому они записывали лишь то, что беспокоило королей: битвы, замужества принцесс и проблемы наследования престола.

История деревень неизвестна или почти неизвестна, потому что у крестьян не было писарей и они не знали грамоты. Поэтому они передавали свою историю в форме устных саг, песен, мифов, сказок, даже шуток и анекдотов, которые рассказывали, сидя у огонька.

Официальная история предлагает нам дарвинистское видение эволюции человечества: выживают наиболее приспособленные, исчезают наименее приспособленные. Она подразумевает, что австралийские аборигены, американские индейцы, племена из джунглей Амазонки, папуасы исторически неправы, поскольку они слабее в военном отношении. Однако вполне возможно, что эти так называемые отсталые народы могут своими мифами, социальными организациями, медициной дать то, чего нам не хватает для будущего благополучия.

Эдмонд Уэллс.
*«Энциклопедия относительного
и абсолютного знания», том 4*

189. АНГЕЛЫ

Уткнувшись взглядами в сферы, мы присутствуем при поцелуе.

Стоя позади, Эдмонд Уэллс соглашается с нами:

— Вы успели как раз вовремя. Но все-таки вам повезло, вам попались «хорошие» клиенты.

190. ВЕНЕРА. 35 ЛЕТ

Я не могу забеременеть.

Поскольку мы оба хотим иметь ребенка, Рэймонд предлагает искусственное оплодотворение. Мне имплантируют семь оплодотворенных яйцеклеток, чтобы хотя бы одна из них развилась до конца беременности.

Теперь мой живот растет, и я теряю форму.

Без Рэймонда мне было бы очень трудно пережить это. Я вспоминаю то время, когда страдала булимией. Беременность — самое сильное ощущение из всех, что я знала. Благодаря УЗИ я прекрасно вижу зародыши пяти девочек и двух мальчиков. Кажется, что если у тебя девочки, значит, ты любишь маму. Так что у меня пять из семи. Мальчики спокойные. Девочки наоборот. Одна даже все время приплясывает в околоплодной жидкости. Может быть, реинкарнация Саломеи.

Все мое тело меняется. Раздувается не только живот, но и грудь. Лицо округляется. Мое сознание тоже.

В противоположность тому, что говорят врачи, все семь эмбрионов прижились. Так что я превратилась в большую бочку, которую легче катить, чем заставить ходить. Эти семеряшки действительно лучшая шутка, которую могла нам дать судьба. Как можно лучше решить мои проблемы с близнецом, чем не глядя, как они решат их со своими?

Наступает прекрасный день рождения. Рэймонд делает кесарево сечение и одного за другим извлекает семь маленьких розовых шариков, сперва липких, а вскоре визжащих.

Я теперь лучше понимаю свою маму. Родитель — это такая профессия, в которой невозможно преуспеть. Нужно ограничиться тем, чтобы причинять как можно меньше зла.

Ночью Рэймонд встает, чтобы покормить весь выводок из соски.

Нам хорошо вдевятером. Дети растут потихоньку, и я ухаживаю за ними дома. Вечером Рэймонд возвращается всегда с цветами, или шоколадом, или игрушками для малышей, или видеокассетами, которые мы смотрим вечером в кровати перед тем, как заснуть.

Мне больше нечего желать. Все, что я хочу, это чтобы завтра было как сегодня. В особенности чтобы не было развития, сюрпризов, изменений. Я мечтаю, чтобы жизнь была как одна и та же бесконечно крутящаяся пластинка, чтобы каждое утро я видела Рэй-

монда Льюиса, готовящего мне завтрак с кашей, све-
жевыжатым апельсиновым соком, холодным моло-
ком и бананами.

Я редко ощущала такую полноту бытия. Чтобы
уберечь себя от возможных неожиданностей, я полностью отказалась от профессии актрисы. Это замечательно. Люди не будут видеть, как я старею, и навсегда сохранят в памяти мой образ Мисс Вселенной,
каким они его обожали в фильмах.

Я люблю Рэймонда, а он любит меня. Мы понимаем друг друга с полуслова. По воскресеньям мы отправляемся на пикник в одно и то же место. По пят-
ницам родители мужа приглашают нас на шикарные
семейные обеды. Все хорошо.

По прошествии времени мне кажется, что я всегда мечтала быть фермершей. Как Ава Гарднер в конце жизни: растить сад, выращивать капусту и поми-
доры. Пропалывать сорную траву. Жить на природе.
Завести собак.

Красота помешала мне развить простые вкусы.
Она долго была моим проклятием. Если мне предстоит родиться снова, я хотела бы быть некрасивой. Чтобы быть спокойной. В то же время я боюсь состарить-
ся и стать не такой красивой. Все актрисы превраща-
ются в конце концов в мумий, и всегда найдутся па-
парацци, чтобы тайком сделать снимок, который раз-
рушит всю карьеру. Я хочу, чтобы моя красота не уле-
тучилась.

Рэймонд предлагает мне путешествие во Фран-
цию.

Мы едем на машине по побережью недалеко от
Ниццы, вблизи деревушки с названием Фаянс. Мы
оставили детей его матери и взяли напрокат кабрио-
лет, чтобы наслаждаться свежим воздухом. Чайки
кричат вдоль дороги, и я вдыхаю запахи лаванды.

Тепло. Лишь бы погода не испортилась!

191. ЖАК. 35 ЛЕТ

Натали так красива!

Вот уже девять лет мы вместе, а как будто встретились только вчера. Она за рулем нашей старой колымаги. Моя рука лежит на ее руке. Погода прекрасная. Мы продолжаем разговор, начатый при первой встрече и так и не прекращавшийся.

— Ты утверждаешь, что не веришь в Бога, то есть ты думаешь, что управляешь своей жизнью только по своему желанию? — спрашивает она меня ни с того ни с сего.

— Я считаю, что свободный выбор мужчины состоит в том, чтобы выбрать женщину, которая будет управлять жизнью вместо него, — говорю я.

Она смеется, чтобы поиздеваться надо мной, и наклоняется меня поцеловать.

192. ЧЕРТ!

Внимание, Жак и Натали, сейчас не время целоваться!

193. ВЕНЕРА

Что происходит с этой машиной впереди? Она виляет! Она не едет прямо.

194. ЖАК

Я закрываю глаза. Мы целуемся.

195. ЧЁРТ! ЧЁРТ!

Но они же... Я быстро передаю Жаку тревожную интуицию. Рауль торопится сделать то же с Натали.

Мы отправляем образы, чтобы они перестали обниматься, но они целуются все более и более страстно.

Мы с Раулем отправляем им беспокоящие вспышки, виды ужасных катастроф, но они не спят и ничего не могу воспринять.

Они даже не пристегнулись ремнями безопасности. Кошка, быстро! Я отправляю ей приказ. Мона Лиза III прыгает с заднего сиденья и со всей силы царапает Натали.

Это производит эффект. Натали видит мчащуюся на них машину. Она жмет на тормоз и выворачивает руль, чтобы избежать лобового столкновения. Автомобиль Натали, который ехал слева, царапает скалы. Венера и Рэймонд, ехавшие справа, соскальзывают в сторону моря, и их машина падает с обрыва в пустоту.

196. ЭНЦИКЛОПЕДИЯ

Мутация. Недавнее открытие нового вида тресковых, у которого происходят сверхбыстрые мутации, удивило исследователей. Этот вид, живущий в холодных водах, оказался гораздо более развитым, чем рыбы, спокойно живущие в теплой воде. Считают, что треска, живущая в холодной воде и испытывающая от этого стресс, позволила развиться неожиданным способностям к выживанию. Так же, как три миллиона лет назад, люди развили способности к сложным мутациям, но они полностью не проявились, потому что пока они просто не нужны. Они хранятся в резерве. Таким образом, современный человек обладает огромными ресурсами, спрятанными в глубине его генов, но не используемыми, поскольку нет причин их будить.

Эдмонд Уэллс.
«Энциклопедия относительного
и абсолютного знания», том 4

197. ВЕНЕРА. 35 ЛЕТ

Я слышала, как доктор сказал, что мне больше ничем нельзя помочь. Куски металла вонзились в жизненно важные органы. Я скоро умру.

Осколки лобового стекла попали мне прямо в лицо. Я родилась красивой, а умираю уродливой. Однажды я пожелала, чтобы подобное испытала моя соперница. Теперь это произошло со мной. Какая ирония судьбы! Возможно, все зло, которое мы желаем другим, учитывается где-то и потом возвращается к нам, как бумеранг.

Странно, что на смертном одре я думаю о зле, которое я пожелала Синтии Корнуэлл, давно забытой сопернице.

Это конец. Я думала, что можно жить, укрывшись от опасностей, но спрятаться нельзя нигде. Даже если едешь осторожно на хорошей машине, в демократической стране, пристегнувшись ремнем безопасности, вместе с защищающим тебя мужем, вместе с прогрессом медицины, технологий, человечества, нигде нельзя быть в полной безопасности.

Может быть, нам с Рэймондом не нужно было ехать в этот отпуск? Может быть, нужно было спокойно остаться дома?

По крайней мере, мне удалось одно: наша семейная пара. Я знаю, что умру. В это последнее мгновение я чувствую в себе веру. Нужно ли быть близко к смерти, чтобы поверить в Бога? Мне кажется, что да. Я верила в ангелов, когда у меня были небольшие неприятности. Я верю в Бога, когда появилась большая проблема.

198. ЖАК. 88 ЛЕТ

Мне восемьдесят восемь лет, и я знаю, что умру. Почему я так долго жил? Потому что мне нужно было выполнить свою «миссию».

Тридцать семь книг. Я хотел публиковать по одной в год, и мне это почти удалось.

Я пишу последнюю, ту, что объясняет и соединяет все остальные. Читатели поймут, почему в моих книгах персонажи имеют одни и те же фамилии. На самом деле все мои книги были продолжением одна другой, и поэтому между ними никогда не было разрыва. Я объясняю наконец связь, объединяющую книги про крыс с книгами про Рай, про мозг и с другими произведениями.

Я пишу в ноутбуке, который мне дали в больнице, где я лежу, последнее слово: «Конец».

В идеале нужно бы было испустить дух, напечатав это слово. Этакий Мольер, умирающий на сцене. Но я жду. Смерть медлит. Чтобы скрасить ожидание, я в сотый раз принимаюсь подводить итог. Я по-прежнему беспокойный, но благодаря Натали я изменился. Мне удалось выйти из одиночества, потому что с ней хорошие ингредиенты совместились, чтобы осуществилась магическая формула: $1 + 1 = 3$.

Мы оба автономы. Мы оба дополняем друг друга. Мы оба отказались изменять друг друга и приняли наши недостатки.

Она помогла мне улучшить мою способность отказа от желаний. Теперь я могу продержаться более двадцати секунд, не думая ни о чем, и это очень хорошо помогает отдохнуть. С Натали я узнал, что значит настоящая супружеская пара. Это можно выразить одним словом «соучастие». Слово «любовь» слишком опошлено, чтобы сохранять свой смысл.

Соучастие. Содействие. Доверие.

Натали всегда была моим первым читателем и моим лучшим критиком. Натали, увлекающаяся гипнозом, практикует регрессии и утверждает, что мы уже были знакомы в предыдущих жизнях и как животные и как люди. Даже как растения. Я был тычинкой, а она пестиком. Она говорит, что мы любили друг друга в России и в Древнем Египте. Я ничего об этом не знаю, но мне приятно об этом думать.

Помимо своих «путешествий», Натали меня ничем не раздражает, не считая одной вещи. Она всегда права, и это очень действует на нервы!

У нас трое детей, две девочки и мальчик. Я разрешал им делать все, что они хотели. Впрочем, я никогда не отказывался от своего поста наблюдателя за будущим. Вначале моим орудием была наука. Сейчас я считаю, что ученые не спасут мир. Они не найдут правильных решений, они лишь смогут указать на негативные последствия неправильных решений.

Слишком поздно играть в революционеров. Мне надо было научиться нервничать и громогласно возвещать, когда я был молод. Гнев — это дар, получаемый с рождения. Я предоставляю другим, в частности моей старшей дочери, очень требовательной и нетерпимой, идти этим путем.

Я считаю, что профессионально добился всего, чего хотел. Я был крысой-автономом, которой и мечтал стать. За то, чтобы не иметь ни подчиненных, ни начальников, пришлось платить. Но это нормально. Я сказал своим детям: «Лучший подарок, который я могу вам сделать, — это дать вам пример счастливого отца».

Я счастлив, потому что встретил Натали.

Я счастлив, потому что моя жизнь постоянно обновлялась, она была полна неожиданностей и ставила вопросы, вынуждавшие меня меняться.

В этой больнице я ветшаю. Я знаю, что благодаря новым завоеваниям медицины я мог бы прожить еще, но я не хочу больше бороться, даже с микробами. Они в конце концов выиграли войну с моими лимфоцитами. Они не будут нежиться в моем кишечнике.

Старое сердце потихоньку отпускает меня. Пришло время увольнения. Я понемногу раздал то, что мне было дано. Я завещал имущество семье и благотворительным организациям. Я завещал, чтобы меня похоронили в моем саду. Но не просто так, а вертикально. Ногами к центру Земли, головой к звездам. Без гроба или пластикового мешка, чтобы черви могли поесть меня без церемоний. Я также попросил, чтобы надо мной посадили фруктовое дерево.

Теперь мне не терпится занять свое место в природных циклах.

Я медленно готовлюсь к большому прыжку. Я тяжело болен уже девять месяцев, то же время, что длится беременность. Одна за другой я освобождаюсь от своих одежд, слой за слоем, защита за защитой.

По прибытии в больницу я сдал костюмы и одел пижаму. Как ребенок. Я отказался от стоячего положения и лежу в кровати. Как ребенок.

Я сдал зубы, вернее, вставную челюсть, потому что мои зубы давным-давно выпали. Теперь у меня беззубый рот. Как у ребенка.

Ближе к концу я сдал память, все более непостоянную подругу. Я помню только далекое прошлое. Мне легче уходить без сожалений. Я боялся болезни Альцгеймера, когда человек не узнает родных и не помнит, кто он. Это было моим самым большим опасением. Слава Богу, это испытание меня миновало.

Я сдал волосы. Да они и так были седые. Я совершенно лыс. Как ребенок.

Я сдал голос, зрение, слух. Я стал практически нем, слеп и глух. Как новорожденный.

Я снова становлюсь ребенком. Как новорожденного, меня пеленают и кормят бульоном с ложечки. А я забываю язык и что-то лепечу. То, что называют маразмом, — это постоянно прокручивать фильм наоборот. Все, что ты получил, нужно сдать. Как снова надевают пальто в гардеробе, когда спектакль закончен.

Натали — мой последний защитный слой, моя последняя «одежда». Значит, я должен оттолкнуть ее, чтобы мое исчезновение ее не очень огорчило. Она меня не слушает, оставаясь бесчувственной к моим просьбам. Просто склоняет голову и улыбается, как будто говорит: «Мне плевать, я все равно тебя люблю».

Однажды мой лечащий врач приходит вместе со священником. Это молодой человек с бледной кожей, он сильно потеет. Он без лишних слов предлагает мне покаяться. Кажется, подобную штуку сделали и с Жаном де Лафонтеном. На смертном одре ему предложили отречься от его эротических произведений, если он хочет быть чинно похоронен на кладбище, вместо того чтобы быть брошенным в общую могилу. Жан де Лафонтен уступил. Но не я.

Я объясняю свою точку зрения. Все верующие меня нервируют. Это притязание на то, будто знаешь размеры бесконечности!

Я уверен, что религии вышли из моды, но в таком случае, что может заставить ими интересоваться? Я поднимаю глаза к потолку и вижу паука, плетущего паутину. Что может заставить им интересоваться? Ответ приходит мне мгновенно: «Жизнь».

Жизнь такая, как ее видят. Это достаточно волшебно, чтобы не изобретать ничего больше.

— А вы не хотите поговорить о вашем страхе смерти? — спрашивает священник.

— Смерти боятся, когда знают, что ее время еще не пришло. Теперь я знаю, что ее время пришло. Поэтому я не боюсь.

— Вы верите в Рай?

— Мне очень жаль, святой отец. Я думаю, что после смерти ничего нет.

— Что?! — восклицает он. — Вы, кто столько писали о Рае, вы в него не верите?

— Это был просто роман, и ничего больше.

В этот же вечер я умер. Натали была рядом. Она заснула, держа меня за руку. Мое тело свернулось в позу зародыша. Моей последней мыслью было: «Все хорошо».

199. ЭНЦИКЛОПЕДИЯ

Карма — лазанья. Мне в голову пришла забавная мысль. Время, возможно, не линейно, а «лазанично». Вместо того чтобы следовать один за другим, слои времени накладываются друг на друга. В этом случае мы не проживаем одну инкарнацию, а следом за ней другую, а одну инкарнацию И одновременно другую.

Возможно, мы проживаем одновременно тысячи жизней в тысячах разных эпох прошлого и будущего. То, что мы принимаем за регрессии, на самом деле просто осознание этих параллельных жизней.

Эдмонд Уэллс.
«Энциклопедия относительного
и абсолютного знания», том 4

200. ВЫНЕСЕНИЕ ПРИГОВОРА МОИМ КЛИЕНТАМ

Игорь и Венера надолго задержались в Чистилище, размышляя над своей жизнью. Некоторые души спешат предстать перед трибуналом архангелов, другие предпочитают сперва перевязать свои раны. Игорь и Венера относятся к последним.

Это чисто техническое объяснение. Если быть более прозаичным, я бы сказал, что им нужно было поговорить с умершими близкими. Игорю — с матерью, Венере — с братом. К тому же, осознавая существование их кармического брата Жака, они ждали его, чтобы предстать перед судом все вместе.

Когда Жак скончался, Венера и Игорь приняли его, как будто они были членами одной семьи, которая наконец собралась вместе. Трогательно, когда клиенты ждут друг друга, чтобы вместе явиться на суд.

Во всяком случае, странно видеть, как совсем молодой Игорь, более зрелая Венера и старик Жак при-

393

ветствуют друг друга, как снова встретившиеся старые друзья.

Они все поняли. Я знаю, что, прежде чем быть судимыми, они уже осудили сами себя. И я спрашиваю себя, зачем нужны архангелы. Нужно каждому дать возможность вынести себе вердикт.

Как адвокат защиты, я занимаю место, которое раньше занимал Эмиль Золя. Моих клиентов будут вызывать по одному в хронологическом порядке их кончины.

Сперва Игорь. Слушание проходит быстро. За предыдущие жизни он набрал 470 пунктов. Он, конечно, избавился от своего наваждения по поводу матери, но это не прибавило ему очков. Он убил кучу людей, он изнасиловал массу женщин, наконец, он покончил с собой. Это тяжелые обвинения. Он стагнировал. У него было 470 пунктов, и столько же осталось.

Он провалился. К тому же архангелы сообщают, что у него был талант тенора, который он и не подумал развивать.

— На реинкарнацию.

В пользу Венеры у меня больше аргументов. Ее семейная жизнь удалась. Она воспитала семерых детей.

У нее было 320 пунктов. Она получает... 321. Жесткий приговор. Только один пункт? Она даже не достигла среднего уровня человечества в 333 пункта.

Архангелы говорят, что у нее был огромный талант к рисованию. Уже на протяжении многих жизней она мечтала стать художником и долго готовилась к этой миссии. Однако вместо живописи все, что она могла делать, это гримироваться!

Я протестую. Я говорю, что она создала в кино новый образ динамичной женщины. Архангелы возражают, что она пожелала ужасных вещей своей сопернице, что она заставляла страдать мужчин, играя их чувствами, что она посещала медиума, общавшегося с неприкаянными душами.

— Но ведь именно благодаря этому она нашла счастье с Рэймондом!

Архангел Рафаил прерывает меня, нисколько не убежденный.

— Ну и что? Это еще хуже. Вы видели их пару? Зачем нужно летаргическое счастье? Ваша клиентка не менялась, она оставалась на месте. Застой еще хуже регресса. 321 против 600. На реинкарнацию!

Я подхожу к Венере. Вблизи она еще красивее, чем в наблюдательной сфере. Я наклоняюсь, чтобы поцеловать ей руку.

— Отсюда я видел всю вашу жизнь, как и все ваши фильмы. Это было поистине... восхитительно, — уважительно говорю я ей.

— Спасибо. Если бы я знала... что ангелы могут смотреть кино...

Я стесняюсь видеть ее провал.

В следующий раз все будет лучше, я в этом уверен, — шепчу я ей на ухо.

Эту фразу миллионы ангелов уже говорили миллионам потерпевших неудачу душ, но я вдруг не нахожу никакого лучшего ободрения.

— Жак Немро.

Его случай считается не представляющим интереса. Он жил в тоске. Он был неумелый, трусливый, одинокий, нерешительный. Он ошибался практически везде, где можно ошибиться, и без помощи Натали Ким, вероятно, совсем бы опустился.

Я выдвигаю свои аргументы в его защиту.

— Он мог использовать сны, знаки и кошек, чтобы принимать наши послания.

Архангелы морщатся.

— Да, ну и что?

— Он использовал единственный талант, который у него был: писать.

— Все его книги плохи, — говорит архангел Гавриил. — Его бредни про Рай, позвольте вам сказать, мой дорогой Мишель, нас так же разочаровали, как и ваши.

— Даже если он написал одну сносную книгу, он выполнил то, для чего появился.

Архангелы объявляют перерыв, чтобы спокойно посовещаться. Их обмен мнениями проходит оживленно. Перерыв затягивается. Я пользуюсь этим, чтобы подойти к Жаку.

— Мишель Пэнсон, ваш ангел-хранитель, к вашим услугам.

— Очень приятно. Жак Немро. Мне жаль, я описывал весь этот фольклор в своих книгах, потому что был уверен, что этого не существует. А это, это...

— Да, архангелы. Вы их так себе представляли?

— Не совсем. Никогда не поверил бы, что Рай — такой кич. В моем романе я описал гораздо более авангардное место, в стиле «Космической одиссеи 2001 года».

— Конечно. Заметьте, что, как правило, никто не жалуется. Впрочем, вы мне не поверите, если я вам скажу...

Я прерываю фразу. Архангелы возвращаются.

— У Жака было 350 пунктов. Теперь у него 541.

— 541? А почему не 542 или не 550?

— Это решение архангелов.

Я чувствую, как во мне поднимается гнев. Никогда в моей телесной жизни я не мог разгневаться. Я чувствую, что это время пришло. Сейчас или никогда. К тому же легче прийти в гнев за другого, чем за себя. Я собираюсь с духом и устремляюсь в нападение, прося Эмиля Золя вдохновлять меня.

— А я утверждаю, что это решение несправедливо, скандально, антисоциально. Я утверждаю, что это пародия на справедливость в самом святом из мест и что...

Я пытаюсь вспомнить все хитрости Эмиля Золя. Если у него получилось, значит, может получиться и у меня. Видимо, самое замечательное в архангелах то, что они в конечном счете довольно «человечны». Я чувствую, что удивил их. Видя, что мои аргументы действуют, я продолжаю. Они не знают, что мне возразить.

Я вспоминаю фразу адвоката Мюррея Бенетта, бывшего приятеля Венеры. «Виновных клиентов гораздо интереснее защищать, чем невинных».

Пан или пропал. Если я провалю этот процесс, скольких еще клиентов мне предстоит ждать, чтобы пройти в Изумрудную дверь?

Если Жаку удалось набрать 200 пунктов, значит, его можно спасти! К тому же Раулю так досадит, если я выиграю пари и спасу клиента, с которым обращался больше пряником, чем кнутом. Нельзя сдаваться. Вбить гвоздь до конца.

— Мой клиент, конечно, был неумелым, но у него была своя техника. Всегда ошибаться, чтобы найти правильное решение. Похоже на игру «Мастермайнд», когда все ошибки позволяют найти правильный путь.

— Но он вообще ничего не нашел. Он искал, но «искать» происходит от латинского circare — «ходить вокруг».

— Он нашел оригинальный путь, свой собственный. Как сказал один из его конкурентов, знаменитый Огюст Мериньяк, это принесет ему славу позже. Даже если э-э... намного позже.

Не блестяще... Я продолжаю целую серию обвинений, которые наконец выводят судей из себя. В завершение я бросаю:

— Я обвиняю этот суд в том, что он не выполнил честно свою работу, я обвиняю архангелов Гавриила, Рафаила и Михаила в том...

— Довольно! — говорит архангел. — Если вы хотите спасти своего клиента, предъявите нам факты.

И в этот момент меня осеняет: сферы судьбы. Я предлагаю объективно проверить влияние Жака на сферы. Оно составляет шестдцать миллионных процента.

— Это очень мало... — бросает Гавриил.

И тут я наношу решающий удар.

— Да, но одна капля может переполнить океан, каждая поднявшаяся душа поднимает все человечество!

На этот раз судьи колеблются.

Нехотя они дают 600 пунктов. Таким образом Жак Немро освобожден от оков плоти, хоть он и едва не провалился.

А мне удалось вывести одну душу из цикла реинкарнаций!

— Уф, — говорит мой писатель, беря меня под локоть, — и что мне теперь делать?

Он даже не догадался меня поздравить. Какие они эгоисты, эти клиенты!

«Я знаю, что будет после смерти. Это очень просто. С одной стороны, Рай для тех, кто хорошо себя вел, для хороших. С другой, Ад для злых. Рай белый. Ад черный. В Аду люди мучаются. В Раю они счастливы».

Источник:
некто во время опроса
общественного мнения на улице

201. ПРОЩАНИЕ С ДРУЗЬЯМИ

Я направляюсь к Изумрудной двери, такой же веселый, как раньше Эмиль Золя. Наконец-то я узнаю. Что там, наверху?

По дороге меня останавливает Эдмонд Уэллс, сильно хлопая по спине.

— Я тобой горжусь. Я всегда был уверен, что у тебя получится.

— Не знаю, как вас и благодарить.

— Ты должен благодарить только себя. Ты этого не знал, но именно ты выбрал меня в инструкторы, так же, как дети выбирают родителей.

— А вы, чем вы собираетесь теперь заняться?

Он говорит, что сейчас ангелы заняты разработкой нового рычага влияния, шестого: «минерал плюс поддержка».

— Все началось с минерала и, возможно, с минералом и продолжится. Альянс человек — минерал, осуществляемый информатикой, является новой платформой для сознания, — объясняет Уэллс.

— Минерал? Вы говорите о силиконе, содержащемся в компьютерных чипах?

— Конечно, и еще о кристаллах. Кристаллы кварца, которые придают ритм потоку электронов, относятся к камню так же, как мудрый человек к человеку дикому. Объединение горного хрусталя и сознательного человека дает живой компьютер. Это и есть путь эволюции.

— Но компьютеры — это неподвижные объекты! Достаточно их обесточить, и все остановится.

— Не стоит заблуждаться, Мишель. Благодаря Интернету сейчас существуют программы, которые, как вирус, пользуются сетью и могут прятаться в какой угодно схеме стиральной машины или банкомата. Оттуда они самовоспроизводятся как животные, мутируют и меняются без вмешательства человека. Единственное средство их остановить — это одновременно выключить все машины в мире, что сейчас невозможно. После «биосферы» и «идеосферы» появляется «компьютосфера».

Я не знал, что в Раю тоже можно увлекаться информатикой.

— В настоящий момент мы отсюда не можем сильно влиять на компьютеры, мы можем только создавать «необъяснимые сбои». Однако компьютеры постоянно совершенствуются. Как и доктор Франкенштейн с его монстром, человек делает из компьютера свое продолжение. Он вводит все самое лучшее, что в нем есть, в эти крошечные фрагменты кварца, силикона и меди, так что сознание вот-вот появится в этих машинах. Даже твой Жак Немро писал об этом, помнишь: «Пий 3,14», компьютерный Папа Римский. Идея уже тогда появилась.

Это наводит меня на размышления. Думаю, я понял.

— Нормальный человек с уровнем 4 может стать мудрецом с уровнем 5 благодаря минералу. Можно сказать, что 4 + 1 = 5.

— Вот именно. После минерала — растение, животное, человек. Мы меняемся к «человеку, соединенному с минералом». Потом, возможно, будет «человек плюс растение», «человек плюс животное» и, почему бы нет, «человек — минерал — растение» и даже «человек — минерал — растение — животное». Все только начинается. Сознательный минерал в компьютерах станет следующим рычагом, но скоро сознание будет выражаться в новых формах жизни, проявляющихся в упомянутых «альянсах». Да, нужно написать об этом в моей «Энциклопедии относительного и абсолютного знания». Ты ведь знаешь эту мою работу, так?

Я утвердительно киваю. Я доволен, что он на меня не в обиде за то, что я сбил с толку его писаря Пападопулоса. Он, наверное, нашел ему замену.

— Среди новых проектов у нас есть намерение использовать еще одно животное, кроме кошки, в качестве посредника с людьми. Мы колеблемся между дельфинами и пауками. Я лично за пауков, это более оригинально. Но думаю, что это все-таки будет дельфин. Люди хорошо к ним относятся, и они издают очень тонкие звуки.

Я пристально смотрю на него.

— Ты можешь мне теперь сказать, что такое «седьмой»? Бог? Ты сам «седьмой»?

Эдмонд Уэллс смотрит на меня с дружеской улыбкой.

— Я существо с уровнем развития сознания 7, но я решил стать инструктором на нижнем уровне. Вспомни, после вынесения приговора тебе предложили вернуться на Землю и стать Великим Посвященным, помогающим людям и живущим среди них, или стать ангелом и помогать им из другого, высшего измерения. Со мной было так же. Как «седьмому», мне предложили остаться среди ангелов и стать Великим Посвященным Ангелом, на самом деле архангелом.

— Архангелы — это Великие Посвященные Ангелы?

— Да. Мы — это «седьмые», которые добровольно остались на низшем уровне, чтобы помогать другим ангелам подниматься. Я, Эдмонд Уэллс, такой же архангел, как Рафаил, Гавриил и Михаил. Таким образом, у меня был выбор стать архангелом или перейти на другой уровень, чтобы оттуда контролировать вас. Я выбрал первое. А ты к чему склоняешься?

Я уверенно отвечаю:

— Я хочу знать, что там наверху!

Мы пересекаем Рай в направлении Изумрудной двери. По дороге меня приветствуют Рауль Разорбак, Фредди Мейер и Мэрилин Монро. Рауль Разорбак восхищен и одновременно завидует.

— Так мне и надо. Значит, мы все-таки можем спасти своих клиентов, действуя мягко. Ты выиграл пари, Мишель.

— А как твоя Натали Ким? С ней все тоже не должно быть так уж плохо.

Он поворачивает ладонь, и сфера подруги моего бывшего клиента появляется.

— Сейчас у нее 590 пунктов. Я на нее очень надеюсь. Она сейчас носит траур по твоему Жаку. Она его действительно любила, знаешь?

— Я желаю тебе успеха, чтобы мы снова встретились для новых приключений.

— Теперь, когда я знаю, что можно победить, я уж не буду стесняться! — восклицает Рауль.

И на одном дыхании шепчет мне на ухо, указывая на Изумрудную дверь: «Если сможешь, дай мне знать, что там».

Фредди Мейер сжимает меня в объятиях. Он снова занялся своими клиентами.

— Мы скоро к тебе присоединимся, Мишель. Мы еще слетаем вместе на Красную.

Мэрилин дружески машет мне на прощание, но я чувствую, что не стоит слишком затягивать эти последние минуты.

— Передайте от меня привет Зозу, если увидите его, — говорю я.

И вместе с Эдмондом Уэллсом смело вхожу в Изумрудную дверь.

Что же я там обнаружу?

202. ЭНЦИКЛОПЕДИЯ

Реальность. «Реальность это то, что продолжает существовать, когда перестаешь в это верить», — утверждал писатель Филип К. Дик. Значит, где-то должна существовать объективная реальность, которая не зависит от знаний и веры людей. Именно к этой реальности я хочу приблизиться и понять ее.

Эдмонд Уэллс.
«Энциклопедия относительного
и абсолютного знания», том 4

203. ПОСЛЕДНИЕ ОТКРОВЕНИЯ

Эдмонд Уэллс кладет мне руку на плечо.

— Почему ты не хочешь удивляться? Почему ты хочешь знать все заранее? Тебе что, не нравится дорога, если ты не знаешь, что за поворотом? Тебе не нравится быть удивленным тем, что было неизвестно? Я тебе скажу... скоро ты станешь другим... лучше. Это все, что тебе пока нужно знать.

Я пытаюсь уговорить его:

— Хорошо, тогда последний вопрос. Вы можете не отвечать, если не хотите. Вы верите в Бога?

Он хохочет.

— Я в него верю так же, как можно верить в цифры. Цифра 1 существует? Можешь ли ты однажды встретить инкарнацию цифры 1, или цифры 2, или цифры 3?

— Нет. Это лишь концепция.

— Так вот, если цифра 1, цифры 2 или 3 не являются, как ты выражаешься, только «концепциями», они помогают находить решения многих проблем. И раз это помогает, какая разница, веришь ты или нет.

— Это не ответ.

— Однако я отвечу именно так.

С этими словами он подталкивает меня вперед.

— Куда вы меня ведете?

— Зная, что любопытство — это главная черта твоего характера, я дам тебе начало ответа на самый главный вопрос, который ты себе задаешь.

Он приводит меня в круглое помещение, в центре которого находится большая светящаяся сфера, наполненная маленькими сферами.

— Это сфера судеб ангелов, — говорит Уэллс.

Он поворачивает ладонь, и один из шариков садится ему на руку.

— Вот... твоя судьба, — уточняет он. — Посмотри, кто ты на самом деле.

403

Я приближаюсь. Впервые я отчетливо вижу собственную душу, прозрачный шар с сияющим ядром внутри. Наставник учит меня читать собственную душу и узнавать ее историю с доисторических времен.

До того как стать Мишелем Пэнсоном, скромным пионером танатонавигации, я был врачом в Санкт-Петербурге с 1850 по 1890 год. Я очень заботился об улучшении гигиены во время хирургических операций. Я одним из первых предложил мыть руки дезинфицирующим мылом и носить повязки на лице, чтобы защитить пациентов от заразы. В то время это было новшеством. Я обучал гигиене в университетах, а потом умер от туберкулеза.

До того как стать врачом, я был балериной в Вене. Я была очень красивой, соблазнительной, вызывающей танцовщицей, страстно увлекающейся отношениями между мужчинами и женщинами. Я с удовольствием манипулировала своими воздыхателями. Я водила за нос многих мужчин. Другие девушки из кордебалета делились со мной секретами. Я стремилась понять рычаги любви и проникнуть в тайны подсознания. Я считала себя сердцеедкой и, однако, покончила с собой из-за равнодушного красавца.

В двенадцатом веке я был самураем в Японии. Я тренировался в боевых искусствах, чтобы найти безупречные движения. Я не размышлял, а лишь слепо повиновался моему сегуну. Я погиб в поединке на войне.

В восьмом веке я был друидом, желавшим познать секреты растений. Я учил многих своих учеников лечить болезни с помощью трав и цветов. Я присутствовал при нашествии варваров с Востока. Я был настолько потрясен жестокостью людей, что предпочел покончить с собой, чем продолжать жить среди них.

В Древнем Египте я был одалиской в гареме фараона. Я прогуливалась, безмятежная, избалованная и ничего не делающая, в дворцовых садах и пыталась выведать у моего любимого евнуха его познания в астрономии. До того как умереть от старости, я передала свои знания одной из фавориток.

Сколько жизней, сколько желания увеличить человеческие знания, сколько поражений.

Эдмонд Уэллс утешает меня:

— Через пространство и время ты всегда искал средство распространения знаний. Ты наконец смутно почувствовал его после стольких жизней, опытов, болей и надежд.

Он сообщает, что в галактике Млечного Пути есть двенадцать обитаемых планет. Но населенных не обязательно существами во плоти, гуманоидного типа.

— Земля из солнечной системы является местом отдыха для многих душ, потому что там они узнают самое сильное ощущение: материальности.

— Материальности?

— Конечно. Даже если ты видел Красную, души инкарнируются не только там. Опыт материализации не так уж распространен! Именно поэтому тебе пришлось пересечь столько световых лет, чтобы обнаружить жизнь. Души, даже очень развитые, получают огромные впечатления, когда они впервые могут иметь счастье быть во плоти и ощущать мир. Удовольствие иметь пять органов чувств — одно из самых сильных ощущений во Вселенной. Ах! почувствовать поцелуй! Я даже испытываю ностальгию по запаху морского ветра или тонкому аромату розы. Впрочем...

Его лицо делается на минуту грустным, потом он берет себя в руки и продолжает:

— Но человечество в целом отстало и должно развиваться. Вследствие этого мы направляем души с одиннадцати планет, уровень которых больше 500, для увеличения земного населения, которое остается на уровне 333. Это, например, и Натали Ким, превосходная душа, которая пришла издалека.

Эдмонд Уэллс помещает мою душу на кончик указательного пальца и играет с ней, как жонглер с шариком. Потом вдруг он делает ужасное движение. Он вонзает эту светящуюся сферу мне в грудь!

204. ЭНЦИКЛОПЕДИЯ

Кошка Шредингера. Некоторые события происходят только потому, что за ними наблюдают. Если бы не было никого, кто их видел, они бы не существовали. Таков смысл опыта, который носит название «кошка Шредингера».

Кошку помещают в герметичный непрозрачный ящик. К нему подсоединен аппарат, который может произвольно давать электрические разряды разной силы, порой достаточно мощные, чтобы убить животное. Включим его, затем выключим. Какой силы был разряд? Жива ли еще кошка?

Для классического физика единственный способ узнать это — открыть ящик и посмотреть. Для квантового физика приемлемо считать, что кошка на пятьдесят процентов мертва и на пятьдесят процентов жива. Раз ящик закрыт, значит, в нем находится половина живой кошки.

Но кроме этого рассуждения о квантовой физике есть существо, которое знает, жива кошка или мертва, не открывая ящик: это сама кошка.

Эдмонд Уэллс.
«Энциклопедия относительного
и абсолютного знания», том 4

205. К ВЕРХНЕМУ МИРУ

Моя душа сияет во мне как маленькое солнце. Возможно ли, что я возвращен самому себе? Возможно ли, что мной больше никто не управляет? Сперва я чувствую это вхождение в полностью свободный выбор как нечто пугающее. Я понимаю, что никогда не был достаточно образован, чтобы нести груз той свободы, которой всегда добивался. Меня всегда устраивала мысль, что где-то наверху есть другие загадочные существа, более умные, чем я, которые охраняют и направляют меня. Но этот ужасный жест Эдмонда Уэллса заставляет меня взять всю ответственность на себя. Если бы я знал, что это и есть вознаграждение «шестых», я, возможно, охладил бы свой пыл. Как пугающа эта свобода! Как трудно принять то, что ты можешь стать единственным и уникальным хозяином самого себя!

Но я не успеваю погрузиться в дальнейшие размышления. Учитель увлекает меня вглубь коридора.

Он заканчивается как ваза Клейна, петлей, которая заворачивается и входит в стенку бутылки, так что, выйдя из горлышка, снова попадаешь внутрь. И я оказываюсь в самом центре... озера Зачатий.

— Я не понимаю, — говорю я.

— Вспомни загадку из твоих «Танатонавтов»: как нарисовать одним движением круг, не отрывая ручки? Детская загадка. Ты предлагал решение: загнуть угол листа, тогда обратная сторона станет переходом от точки к кругу. Теперь достаточно просто нарисовать спираль. В действительности, решив эту маленькую загадку, ты решил самую большую из всех загадок. Чтобы измениться, нужно изменить измерение.

Все становится ясным. 6 — спираль. Шесть — одухотворенность. Одухотворенность — это путь от периферии к центру благодаря спирали. Я пришел к своему центру. Теперь я направляюсь к центру страны ангелов.

— Следуй за мной! — приглашает Эдмонд Уэллс.

Мы оказываемся под поверхностью озера Зачатий. Над ней я различаю ангелов-инструкторов, которые привели новоиспеченных ангелов выбирать души. Я даже узнаю Жака Немро. Значит, он решил стать ангелом...

— А они нас не видят? — спрашиваю я.

— Нет. Чтобы видеть, нужно уметь постигать. Кто бы подумал посмотреть, что находится в глубине озера Зачатий?

Я осознаю все потраченное впустую время.

— Значит, я мог прийти прямо сюда?

— Конечно. С первого дня Рауль и ты могли бы все обнаружить, ведя поиски «в центре и под» вместо «далеко и над».

Мы продвигаемся в воде, едва ли более вязкой, чем воздух. Эдмонд Уэллс ведет меня к центру озера. В самой глубине мерцает небольшая розовая звезда.

— Сконцентрировавшись, нужно коснуться центра. Коснувшись центра, ты пройдешь через него и окажешься в высшем измерении. Каждый раз, когда переходишь от периферии к центру, меняется измерение и, следовательно, ощущение пространства и времени. Ты исследовал все, что можно исследовать в этой вселенной. Пойдем со мной, я покажу тебе другую.

— Мы... мы идем в мир богов?

Он делает вид, что не расслышал мой вопрос. Мы приближаемся к розовому свету. И, к своему великому удивлению, я обнаруживаю, что внутри...

«Наука очень хорошо объясняет, почему в момент смерти у людей бывают видения. В этом нет ничего загадочного. Просто выброс эндорфинов, которые облегчают последнюю боль агонии. Этот выброс влияет на гипоталамус и вызывает ряд психоделических видений. Вроде анестезирующего газа перед хирургической операцией».

Источник:
некто во время опроса
общественного мнения на улице

408

206. ПЕРСПЕКТИВА

Небо пересекла падающая звезда.

Пожилая дама на балконе следит за ней взглядом и загадывает желание.

К ней подходит ее внучка, которая несет в руках большую клетку.

— Что там, Милен?

— Я хотела показать тебе подарок, который мне подарили на Рождество, бабуля.

Пожилая дама наклоняется, чтобы посмотреть, что находится в клетке. Она видит там трех напуганных до смерти хомячков. Они изо всех сил пытаются сделать себе с помощью лап и резцов убежища из обрывков журнала.

— По-моему, их спасли специально для меня. Иначе их отнесли бы в лабораторию и делали с ними опыты с вивисекцией.

К пленникам приближается огромный глаз.

— А как ты их назвала?

— Там два самца и одна самочка. Я назвала их Амадей, Дени и Ноэми. Они хорошенькие, правда?

Гигантский глаз удаляется.

— Ты знаешь, это большая ответственность — ухаживать за хомячками. За ними нужно смотреть, кормить их, не давать им драться, убирать за ними, а то они погибнут.

— А что они едят?

— Семечки подсолнуха.

Девочка ставит клетку на пол, возвращается с банкой серых семечек, которые она сыплет в кормушку, наполняет водой блюдечко. Через некоторое время один из хомячков, осмелев, залезает в колесо и начинает крутить его все быстрее и быстрее.

— Почему Амадей так беспокоится? — удивляется девочка.

— Понимаешь, они не знают, чем еще себя занять, — вздыхает дама.

Девочка делает недовольное лицо.

— Скажи, бабуля, как ты думаешь, можно их выпустить из клетки, чтобы они побегали по квартире?

Пожилая дама гладит девочку по волосам.

— Нет. Они потеряются. Они всегда жили в клетке. Они не знают, куда пойти.

— Тогда как можно сделать их более счастливыми?

— Это хороший вопрос...

Натали Ким оторвала взгляд от девочки и направила его на небо. Вид неба ее всегда успокаивал.

«Может быть, Жак там, наверху», — сказала она себе.

Крошечная белая точка рядом с Луной быстро перемещалась в пространстве. Это была не падающая звезда. Желания не загадаешь. И не спутник. Она знала, что это. Большой самолет. Наверняка «Боинг-747».

Девочка прижалась к бабушке.

— Скажи, бабуля, мои хомячки однажды умрут?

— Тсс...Не нужно об этом думать, Милен.

— Но все-таки. Ведь тогда нужно будет что-то сделать, правда? Их же не выбросят... на помойку! Я думаю, что есть Рай для хомячков...

Натали Ким поправила длинную белую прядь, спадавшую на глаза. Потом нежно подняла подбородок внучки и показала на небесный купол во всей его огромной бесконечности.

— Молчи. Смотри на звезды и цени то, что ты живешь.

207. ЭНЦИКЛОПЕДИЯ

Верить: «Верить или не верить, это не имеет никакого значения. Интересно лишь задавать себе все больше и больше вопросов».

Эдмонд Уэллс.
«Энциклопедия относительного
и абсолютного знания», том 4

208. ДРУГАЯ ПЕРСПЕКТИВА

Три хомячка прекратили свою деятельность и, превозмогая естественный страх, стали смотреть через решетку наверх на большие формы, которые беспокойно двигались и издавали низкие звуки.

Благодарности:

Профессору Жерару Амзалагу, Франсуазе Шаффанель-Ферран, Ришару Дюкуссе, Патрису Ланой, Жерому Маршану, Натали Монжэн, Моник Паран, Максу Прие, Франку Самсону, Рейн Сильбер, Жану-Мишелю Трюонгу, Патрисии ван Эерсель, моему отцу Франсуа Верберу, научившему меня играть в шахматы, и моему ангелу-хранителю (если он существует).

Музыка, которую я слушал во время написания этого произведения: «Музыка к книге путешествий» Лоика Этьенна, «Инкантации» Майка Олдфилда, «White Winds» Андреаса Волленвейдера, «Shine on You Crazy Diamond» Пинк Флойд, «Ночь на Лысой горе» Модеста Мусоргского, «Real to reel» Марилион, «Moment of Love» Art of Noise, музыка к фильмам «Храброе сердце», «Водный мир», «Чайка Джонатан Ливингстон».

События, которые произошли во время написания романа и повлияли на него: плавание с дикими дельфинами на Акорских островах, съемки в Париже и Эрменонвиле фильма «Перламутровая королева» (первый опыт коллективного творчества), длинный поход в Долине Чудес в Провансе, наблюдение солнечного затмения в астрономической обсерватории в Ницце, наступление нового тысячелетия.

Книги Бернарда Вербера, вышедшие в издательстве Albin Michel:

«Муравьи», роман, 1991

«День муравья», роман, 1992

«Секретная книга муравьев», энциклопедия относительного и абсолютного знания, 1993

«Танатонавты», роман, 1994

«Революция муравьев», роман, 1996

«Книга путешествий», роман, 1997

«Отец наших отцов», роман, 1998.

Содержание

Бернард Вербер

ИМПЕРИЯ АНГЕЛОВ

Издатель *Н. Ушакова*
Оформление обложки *П. Иващук*
Технический редактор *В. Ерофеев*
Верстка *С. Чорненький*
Корректор *О. Водовозова*

Подписано в печать 13.11.06. Формат 84×108 $^1/_{32}$
Доп. тираж 15000 экз. Заказ № 6715

Общероссийский классификатор продукции ОК-005-93,
том 2; 953000 — книги, брошюры

Гигиеническое заключение
№ 77.99.02.953.Д.006738.10.05 от 18.10.2005 г.

ЗАО «Издательский Дом ГЕЛЕОС»
115093, Москва, Партийный переулок, 1
Тел.: (495) 785-0239. Тел./факс: (495) 951-8972
Издательская лицензия № 065489 от 31 декабря 1997 г.

ЗАО «ЧИТАТЕЛЬ»
115093, Москва, Партийный переулок, 1
Тел.: (495) 785-0239. Тел./факс: (495) 951-8972

ООО «ИД «РИПОЛ классик»
107140, Москва, Краснопрудная ул., д. 22а, стр. 1
Издательская лицензия № 04620 от 24.04.2001 г.
www.ripol.ru

Отпечатано в ОАО "ИПК "Ульяновский Дом печати"
432980, г. Ульяновск, ул. Гончарова, 14

ПО ВОПРОСАМ ОПТОВОЙ И МЕЛКООПТОВОЙ ПОКУПКИ КНИГ ИЗДАТЕЛЬСТВА «ГЕЛЕОС» ОБРАЩАТЬСЯ ПО АДРЕСАМ:

Москва:
ЗАО «Читатель»
(отдел реализации издательства)
115093, г. Москва,
Партийный пер., д.1
тел.: (495) 785-02-39,
факс (495) 951-89-72
e-mail: zakaz@geleos.ru
Internet: http://www.geleos.ru

Воронеж:
ООО «Амиталь»
394021, г. Воронеж,
ул. Грибоедова, 7а
тел.: (4732) 26-77-77
e-mail: mail@amital.ru

Казань:
ООО «ТД «Аист-Пресс»
420132, Республика Татарстан,
г. Казань,
ул. 7-я Кадышевская, д.9б,
тел.: (843) 525-55-40, 525-52-14
e-mail: sp@aistpress.com

Краснодар:
ЗАО «Когорта»
350033, г. Краснодар,
ул. Ленина, 101
тел.: (8612) 62-54-97,
факс (8612) 62-20-11
e-mail: kogorta@internet.kuban.ru

Пермь:
ООО «Лира-2»
614036, г. Пермь, ул. Леонова, 10а
тел.: (3422) 26-66-91,
факс (3422) 26-44-10
e-mail: lira2@permonline.ru

Ростов-на-Дону:
ООО «Сеть книжных магазинов
«Магистр»
344006, г. Ростов-на-Дону,
пр. 1-й Машиностроительный, 11
тел.: (863) 266-28-74,
факс (863) 263-53-31
e-mail: magistr@aaanet.ru
Internet: http://www.booka.ru

Санкт-Петербург:
ООО «Северо-Западное
книготорговое объединение»
192029, г. Санкт-Петербург,
пр-т Обуховской обороны, д. 84
тел.: (812) 365-46-04, 365-46-03
e-mail:books@szko.sp.ru

Самара:
Книготорговая фирма «Чакона»
443030, г. Самара, ул. Чкалова, 100
тел.: (8462) 42-96-28,
факс (8462) 42-96-29
e-mail: commdir@chaconne.ru
Internet: http://www.chaconnre.ru

Уфа:
ООО ПКП «Азия»
450077, г. Уфа, ул. Гоголя, д.36
тел.: (3472)50-39-00,
факс (3472) 51-85-44
e-mail: asiaufa@ufanet.ru

Украина:
Книготорговая фирма «Визарди»
г. Киев, ул. Вербовая, д. 17, оф. 31
тел.: 8-10-38 (044) 247-42-65,
247-74-26
e-mail: wizardy@inbox.ua

Беларусь:
ТД «Книжный»
г. Минск, пер. Козлова, д. 7в
тел.: 8-10-375-(17) 294-64-64,
299-07-85
e-mail: td-book@mail.ru

Израиль:
P.O.B. 2462, Ha-Sadna st., 6,
Kefar-Sava, 44424, Israel
тел.: 8-10 (972) 766-88-43, 766-55-24
e-mail: michael@sputnic-books.com

Книги издательства «Гелеос»
в Европе:
«Fa. Atlant». D-76185 Karlsruhe
тел.: +49(0) 721-183-12-12,
721-183-12-13
факс: +49(0) 721-183 12 14
e-mail: atlant.book@t-online.de;
Internet: http://www.atlant-shop.com

*Самая достоверная информация о выходе новых книг
на ежедневно обновляемом сайте www.geleos.ru*

ГДЕ КУПИТЬ КНИГИ
ИЗДАТЕЛЬСКОГО ДОМА «РИПОЛ классик»

Москва
(отдел реализации издательства)
Тел.: (495) 513-57-77, 513-54-71
E-mail: leo@ripol.ru, info@ripol.ru
www.ripol.ru

Волгоград
ООО «Гермес-Царица»
Книжный магазин «Диалог»
Аллея Героев, д. 3
Тел.: (8442) 38-19-52
E-mail: smirnov@v1ink.ru

Воронеж
ООО «Амиталь»
Ленинский пр-т, д. 157
Тел.: (4732) 23-00-02
E-mail: mail@amital.ru

Екатеринбург
Торговый центр «Люмна»
ул. Студенческая, д. 1-В
Тел.: (3432) 64-23-69
E-mail: lumna_b@r66.ru

Иркутск
«Продалитъ»
ул. Фурье, д. 8
Тел.: (3952) 51 23-31
E-mail: prodalit@irk.ru

Казань
ООО «Таис»
ул. Гвардейская, д. 9-а
Тел.: (8432) 72-34-55, 72-27-82
E-mail: tais@mi.ru

Калининград
Группа компаний «Вестер»
ул. Судостроительная, д. 75
Тел.: (4112) 35-37-65
E-mail: nshibkova@vester.su

Киев
Компания «ДКП»
(на всей территории Украины)
пр-т Московский, д. 6, 2-й этаж
Тел.: (044) 490-99-01 (только опт)
E-mail: machaon@machaon.kiev.ua

Краснодар
ООО «Букпресс»
ул. Товарная, д. 5

Тел.: (8612) 62-81-29
E-mail: dges@mail.kuban.ru

Минск
ООО «Виртан»
Тел.: (10375-17) 261-69-08 (только опт)
E-mail: makkus@belsonet.net

Новосибирск
ООО «Топ-книга»
Тел.: (3832) 36-10-28
E-mail: office@top-kniga.ru
www.top-kniga.ru

Ростов-на-Дону
ООО «Эмис»
Буденновский пр-т, д. 104/91
Тел.: (8632) 32-87-71
E-mail: Emis@ctsnet.ru

ООО «Владис»
Тел.: (8632) 90-71-30
E-mail: vladis-book@aaanet.ru
www.vladisbook.ru

Самара
ООО «Реал+»
Тел.: (8462) 60-78-82
E-mail: realplus@samara.ru

Санкт-Петербург
ООО «Фирма Диля»
Митрофаньевское шоссе, д. 18
лит. «ж»
Тел.: (812) 378-39-29
E-mail: dilya@peterstar.ru
www.dilya.ru

Хабаровск
ООО Фирма «Мирс»
ул. Промышленная, д. 11
Тел.: (4212) 29-25-65
E-mail: postmaster@bookmirs.khv.ru

Челябинск
ООО «ИнтерСервис ЛТД»
Свердловский тракт, д. 14
Тел.: (3512) 21-33-74
E-mail: intser@chel.surnet.ru

*Самая достоверная информация о выходе новых книг
на ежедневно обновляемом сайте www.ripol.ru*

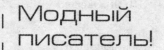